Open

Omfietswijngids 2014

Omfietswijngids 2014 op iPhone

De *Omfietswijngids 2014* is ook verkrijgbaar als handige app voor iPhone en iPod Touch. De app bevat dezelfde informatie als de gedrukte gids, waarbij de vormgeving en zoekingangen zijn geoptimaliseerd voor mobiel gebruik. In de App Store vindt u de actuele gegevens omtrent prijsstelling van de applicatie, alsook voorbeeldschermen.

Nicolaas Klei

OMFIETSWIJNGIDS 2014

Uitgeverij Podium | Amsterdam

© 2013 Nicolaas Klei
Typografie Studio Jan de Boer & Asterisk*
Database publishing Formaat
Omslagontwerp Studio Jan de Boer
Foto auteur Mike van der Toorn

ISBN 978 90 5759 603 2

www.uitgeverijpodium.nl

INHOUD

WOORD VOORAF

Omdat je toch wat moet tijdens de lange zomermaanden, heb ik me voor uw gerief maar weer eens door de assortimenten van de diverse supermarkten, natuurvoedingswinkels, wijnwinkelkongsies en aanverwant grootkapitaal geproefd.

Zelf zitten die hoge heren en dames inkopers natuurlijk bij het ontbijt al aan de onbetaalbare champagne, met later op de dag diverse grands crus – hoewel een wijninkoper van lang geleden me eens toevertrouwde dat hij persoonlijk liefst Baileys dronk.

Hoog tijd dat een beroepsinnemer zich er tegenaan bemoeit.

En dat voor de dertiende keer alweer.

Wat is er een boel veranderd sinds de eerste *Supermarktwijngids*! Ik proefde vol blije verbazing de wijnen van Plus, waar ik nog nooit van had gehoord. De wijnen van de Hema waren toen maar zozo, maar tussen eerste en tweede gids kwam de onvolprezen Cisca Breedijk aan de macht en zette het ganse assortiment naar haar hand. Zo ten tijde van de zesde of zevende gids beterde Albert Heijn z'n leven, en de natuurvoedingswinkels beseften langzaamaan dat wijn behalve bio ook lekker moet zijn. Talloze supermarkten zijn verdwenen en verschenen. Wie herinnert zich Konmar nog, of Edah?

Veel is hetzelfde gebleven. De namen veranderen, de wijnen blijven gelijk. Nog steeds vraag ik me tijdens het proeven af waar het toe dient, dat gezeul met flessen die niemand vreugde brengen. Misplaatste compensatie? 'Het is niet heel lekker, maar we hebben er wel heel veel van!'

Troost: zoals de ouwe Romeinen of andere mensen van Vroeger al zeiden: de tijden veranderen, omfietswijnen blijven bestaan.

U vindt ze ook dit jaar weer in deze gids.

Oftewel: de *Supermarktwijngids* is er weer! En nu alweer voor de tweede keer onder de naam *Omfietswijngids*. Al jaren vroegen vele lezers of niet ook de wijnen van wijnwinkelketens Henri Bloem, De Gouden Ton en Les Généreux in de gids besproken konden worden. Dat gebeurde met ingang van de twaalfde editie. Een gids met louter omfietswijnen.

Ja, maar, zeiden veel lezers echter, dat is fijn, dankuwel, en we fietsen graag om voor het beste, maar als we ergens tegen een aanbieding aan lopen, willen we toch graag even in de gids kunnen kijken of dat nog best wel aardige wijn is, die reclameflessen, of hooguit geschikt om het behang van de muur te halen.

Vandaar dat nu ook de andere wijnen weer in de gids staan. Klein en bescheiden, maar ze zijn er. En er zijn er bij die ronduit groots zijn. Slechts te duur of te serieus om voor om te fietsen.

Moge het u wel bekomen.

WEGWIJZER

Tot schrik van diverse supermarkten ben ik sinds de *Supermarktwijngids* de *Omfietswijngids* heet toch maar eens streng gaan proeven. Als je jaarlijks vlugschrift *Omfietswijngids* heet, kun je niet zomaar alles lekker vinden, joechei, en smeer het ook in uw haar na de tweede fles.

Een kritisch oordeel is op z'n plaats. Niks geen vergoelijkend gemompel en geschuivel met verlegen voeten van ja, het ruikt wel als hondendrol tussen de profielzool, per abuis door gans het hoogpolig gelopen en, toegegeven, de smaak doet denken aan een van de minder vrolijke dagen in de loopgraven bij Verdun, maar och, het is wel reuze goedkoop. Onverbiddelijk commentaar is geboden. De botte bijl, zij het met beleid.

Oftewel, het zit nu zo. U moet de uitgedeelde glazen lezen als schoolrapporten uit de tijd dat die werden geschreven door de scherprechter met het rode potlood, voor wie schoolklassen beefden.

Er zijn steeds minder echt vieze wijnen, maar veel lijden wel aan zesjescultuur. 'Kan er mee door' is daar goed genoeg voor. Niet voor deze gids. Het moet zeker 🍷🍷, ruim voldoende, een 7 op het schoolrapport, zijn voor goedkope, eenvoudige wijn. Die kan soms zelfs het omfietsen waard zijn, omdat-ie voor weinig geld meer presteert dan al die zesjes.

Verder moet wijn goed zijn, 🍷🍷🍷, en liefst nog beter. En daar ben ik streng in. Zo zelfs dat 🍷🍷🍷🍷 en helemaal 🍷🍷🍷🍷🍷 zelden gegeven wordt door de Man met de Kurkentrekker. Er zijn nogal wat hovaardige lieden die slechts voor 🍷🍷🍷🍷🍷 omfietsen, en op 🍷🍷🍷🍷 al neerkijken. Ten onrechte. 🍷🍷🍷-wijn is ook écht goed. Niet altijd het omfietsen waard, maar dat komt dan door z'n hoge prijs, of doordat-ie sjeu en gezelligheid ontbeert. En dat is ook veel waard. Van-

daar dat niet alleen een heel complexe, verfijnde, aristocratische wijn 🍷🍷🍷 of soms zelfs meer kan krijgen, maar
ook een ruige wijn met minder tafelmanieren – maar vol
pret en plezier, wat ik hogelijk waardeer.
De gids doet niet aan halve glaasjes, maar aan meer ('Opgewekte Spaanse landwijn, vol fruit en voorjaarsgeuren') of
minder ('Zachtfruitig') wervende tekst kunt u zien of ze
halfvol of halfleeg zijn; of een wijn met de hakken over de
sloot 🍷🍷 heeft gehaald, of bijna zo goed als 🍷🍷🍷 is.

Tot slot:
🌿 = wijn die, al dan niet met officieel keurmerk, biologisch is gemaakt. Geen kunstmest, geen chemische
bestrijdingsmiddelen in de wijngaard, beperkte hoeveelheid toevoegingen in de wijn – en wat mij betreft liefst
helemaal geen. Ware wijn is gemaakt van louter druiven.

Ⓦ = uitsluitend verkrijgbaar via de webwinkel van de desbetreffende supermarkt.

Waardering en prijs
Geld speelt niet altijd een rol, maar als het op omfietswijnen aankomt toch wel een beetje. Vaak staat dat erbij:
'mede door de weggeefprijs het omfietsen waard'. Nog
vaker staat er niets over geld, staat er überhaupt niks:
talloze wijnen geproefd die ik goed vond maar niet het
omfietsen waard, want te duur voor de kwaliteit.
Ik ken bevlogen collegae en andere liefhebbers die roepen
dat je bij sublieme wijn toch niet aan zoiets benepens als
het prijskaartje denkt. Ik ben helaas wat platvloerser. En
een krent. Dus ik denk altijd: lekkere wijn, maar zou ik
'm kopen voor die prijs?
Wijn die u niet met plezier drinkt is altijd te duur. Hoe
lekkerder de wijn, hoe meer hij mag kosten. Helaas
is wijn, hoe godzalig lekker ook, onderworpen aan de

wetten van de economie. Je betaalt voor een beroemde naam, voor renommée, voor zeldzaamheid. Wijnen met Beroemde Namen zijn altijd duur, zelfs als ze vies zijn. Vijftien euro voor een fles Zuid-Frans rood is aan de prijs, maar voor een fles bourgogne een koopje, terwijl het dubbele voor champagne geen geld is.

Top!
Achter in het boek staan diverse lijsten vol beste wijnen. De beste biologische, de beste allergoedkoopste, de beste van verschillende druivensoorten, de beste Argentijnse, Franse, Italiaanse, enzovoort.

Prijzen
De prijzen zijn die van herfst 2013. Prijzen kunnen altijd veranderen (wat meestal betekent dat ze hoger worden). Bij wijnen die bij diverse ketens te koop zijn, is het een goed idee even de prijzen te vergelijken: die kunnen soms behoorlijk verschillen. Uiteraard zul je altijd zien dat juist de keten met de laagste prijs in de verste verte niet bij je in de buurt aanwezig is, maar daarom heet dit boek *Omfietswijngids*.

Indeling
De indeling is dit jaar iets anders. Zoals altijd vindt u de diverse wijnverkopende ketens op alfabetische volgorde. De wijnen van elke keten staan gerangschikt per kleur (eerst wit, dan rosé, ten slotte rood).
Maar: elke wijnkleur begint nu met de omfietswijnen. Daarna volgen eerst de weggietwijnen en vervolgens de andere wijnen, van 🍷🍷🍷🍷🍷 afdalend naar gehenna, vagevuur en gekners der kiezen. Deze wijnen krijgen meestal niet meer commentaar dan 'zachtfruitig', 'frisfruitig', 'fruitig en kruidig', domweg omdat ze niet meer zijn dan domweg dat. Meer zit er niet in.

De omfietswijnen zijn als vanouds alfabetisch gerangschikt per land, van Argentinië tot Zuid-Afrika. Ook
binnen elk land volgt de orde weer het alfabet, uitgaand
van de eerste letter van de naam van de wijn (zie hieron-
der). 'Château' wordt daarbij als onderdeel van de naam
beschouwd, en staat dus bij de C, net als 'Domaine' bij de
D te vinden is. Alleen in Frankrijk zijn er zoveel wijnen
en zijn de wijngebieden zo bekend, dat er een (alfabetische) onderverdeling naar wijnstreek is gemaakt. Sancerre, pouilly fumé, vin de pays du jardin de la France
vindt u onder Loire, chablis en mâcon bij Bourgogne, bij
Bordeaux staan ook médoc, saint-émilion, pomerol, bij
Rhône ook châteauneuf-du-pape en vacqueyras, bij Languedoc-Roussillon ook corbières, fitou, minervois, saint-
chinian. Streken die minder duidelijk zijn in te delen, vallen gewoon onder Frankrijk. Misschien wat lastig voor
wie niet zo thuis is in de wijnstreken, maar zo staan wel
alle wijnen uit een gebied bij elkaar, wat handig is voor
vergelijkingen. Met behulp van de index op wijnnaam is
elke wijn ook snel te vinden.
Sherry en port zijn niet opgenomen. 'Op wijn gebaseerde'
dranken en ander vaags uit de rafelrand van de wijnwereld heb ik eveneens buiten beschouwing gelaten.

Naam
In principe wordt van elke wijn eerst de producent of de
merknaam vermeld, dan de appellation, daarna eventuele
verdere preciseringen. Legt het etiket de nadruk echter
duidelijk ergens anders op, bijvoorbeeld door de appellation of een merknaam groot en de naam van de producent
in minieme letters aan te geven, dan is de volgorde van
het etiket aangehouden. Ook wat betreft spelling ga ik uit
van het etiket. Wat verder spelling betreft: de opvattingen
verschillen, maar ik doe het zo: namen van druivenrassen
krijgen geen hoofdletter, net zomin als namen van wij-

nen; namen van appellations, streken en uiteraard landen wel. Zo dus: in de appellation Chinon ligt het oude stadje Chinon, waar ze de wijn chinon maken van druivensoort cabernet franc.

Afbeeldingen van flessen

Om het u gemakkelijk te maken hebben we dit jaar zo veel mogelijk afbeeldingen van de omfietswijnen toegevoegd. Zo herkent u in de supermarkt in één oogopslag de lekkerste wijnen. Helaas waren niet van alle omfietswijnen afbeeldingen beschikbaar.

Verkrijgbaarheid

De wijnen zijn geproefd in de zomer van 2013. Assortimenten zijn echter altijd in beweging. Er komen nieuwe oogstjaren, en sommige wijnen verdwijnen helemaal terwijl er ook nieuwe wijnen bij komen. In m'n wekelijkse columns in *Elsevier* en *AD* houd ik u op de hoogte van nieuw lekkers om voor om te fietsen.

Flesverschil

Er kunnen, zoals altijd en overal, verschillen zijn tussen de fles die ik heb geproefd en de fles die u koopt. Want niet alleen is een nieuw jaar, over het algemeen beter dan dezelfde wijn van het vorige jaar; veel producenten bottelen ook van elk oogstjaar steeds nieuwe versies. Er is een groot verschil tussen een pas gebottelde fles die net binnenkomt en ogenschijnlijk precies dezelfde wijn die al maanden in een oververwarmde winkel in het schap staat te pruttelen.

Want in tegenstelling tot wat vaak wordt beweerd, heeft wijn geen probleem met beweging, maar des te meer met warmte. Liever de nieuwe fles die koel aankomt van de reis, dan de wijn die ongestoord al tijden langzaam staat te koken.

Verder lezen

Iets van wijn weten leer je het best door veel te proeven, maar wat achtergrondinformatie is ook nooit weg. Dus heb ik *Tot op de bodem* (ook verkrijgbaar als Dwarsligger® onder de titel *Dwars over wijn*) geschreven, een lexicon van de wijn, waarin van alles wordt verteld over wijnlanden en -streken, appellations en druivensoorten, over het maken, drinken en heel soms bewaren van wijn en wat er lekker bij te eten, over ontkurken, koelen, kurkentrekkers en allerhande wijnparafernalia, en, in kleiner bestek, *Van druif tot dronk*, waarin de meestgestelde vragen over wijn worden beantwoord.

Tot slot: voorjaar 2014 verschijnt het *Handboek voor de moderne wijnliefhebber*, met meer over wijn dan u ooit dacht te willen weten. Tot uw nut & genoegen geschreven samen met mijn zeer gewaardeerde Grote Concurrent Harold Hamersma.

IN HET KORT

⊕ weggietwijn (ook wel bromfietswijn. Wijn waar je boos van gaat brommen. Met dank aan Remco Campert die dit verrukkulluku woord bedacht)

Geen 🍷🍷 in extreme noodsituaties drinkbaar

🍷 goed

🍷🍷 prima

🍷🍷🍷 lekker!

🍷🍷🍷🍷 zonder meer uit het schap graaien

🍷🍷🍷🍷🍷 beter vind je niet in de supermarkt

🚲 net als bij drie***restaurants: de reis waard, voorzien van ruime fietstassen uiteraard

[w] uitsluitend verkrijgbaar via de webwinkel van de desbetreffende supermarkt

ALBERT HEIJN

▷ Spreiding: landelijk
▷ Aantal filialen: 887 waarvan 34 AH XL en 60 AH TO GO
▷ Marktaandeel: 33,7%
▷ Voor meer informatie: 075 - 65 99 111 of www.ah.nl

De wijnen van Albert Heijn, met uitzondering
van een aantal exclusievere wijnen, zijn online te
bestellen via www.ah.nl. De exclusievere wijnen die
niet verkrijgbaar zijn bij www.ah.nl, zijn online te
bestellen via AH Wijndomein op www.ahwijndomein.
ah.nl en te herkennen aan het icoontje Ⓦ.

OMFIETSWIJNEN

WIT

AUSTRALIË

PENFOLDS, RAWSON'S RETREAT, € 7,99
SOUTH EASTERN AUSTRALIA, CHARDONNAY 2012

Als *Omfietswijngids*-lezer bent u natuurlijk
behalve mooi, rijk, intelligent, goed voor dieren
en ondergeschikten ook heel gezond, maar
toch, zelfs zulke oppassende lieden als u en ik
voelen ons weleens iebelig, gammel of lamlen-
dig. Met name wanneer er in een voormalige
kwaliteitscourant weer eens iets wordt bericht
betreffende de nieuwste medische inzichten.
Want daar krijg je toch het heen-en-weer en de
pip van. Steeds beweren de mensen in de witte
jassen weer wat anders, en boos priemen ze in onze buik
met hun stethoscoop, verontwaardigd dat we onverantwoord nog steeds volgens hun adviezen van laatstleden
week leven. Want welnee, zout is helemaal niet verschrikkelijk slecht, slechts voor een enkeling. Tot voor
kort kon je nog beter een broodje plutonium eten dan
ook maar een gram vet, toen was sommig vet ineens
niet meer zo slecht, daarna bleek het vet in olijfolie en
dergelijke reuze gezond en moest je het zelfs in je haar
smeren, en sinds afgelopen maandag is Vet louter Goed.
Mits met mate, maar daar doen we niet aan. Zelfs ons
eigen vet is goed: mollig schijnt beter te zijn dan brood-
mager. Net zoals een glas wijn op z'n tijd, zeg zo om het
kwartier, beter schijnt te zijn dan van de blauwe knoop
te wezen. Halfdronken met een randje vet, heerlijk. Bij
wijn is dun echter wel de mode: na de moddervette
Dolly Parton-chardonnays van de jaren tachtig is
wijn geleidelijk aan slanker geworden. Niks geen

veertien procenten licht ontvlambare alcohol plus een dikke bos hout, maar verfijnd fruit en frisse zuren. Dieettip derhalve: deze chardonnay (lekker slank, dorstlessend en dorstigmakend) met mosselen (lekkerder dan omega-3-capsules), friet met veel zout en een teil mayo. Nu nog wachten op het bericht dat roken en uitlaatgassen zo versterkend zijn voor de longen en dat je om echt bij te blijven en snedig en welgeïnformeerd voor de dag te komen als een m/v van de wereld een papieren krant moet lezen van ouderwets formaat.

CHILI

CONCHA Y TORO FRONTERA, VALLE CENTRAL, SAUVIGNON BLANC/SÉMILLON 2012

€ 3,99

Frisse sauvignon met sappige sémillon, die een soort weerbarstige chardonnay is, qua smaak. Werkt goed samen, dat duo, en levert ook deze oogst weer een kleine Chileense sancerre voor geen geld.

CONCHA Y TORO, CASILLERO DEL DIABLO,
CASABLANCA VALLEY, CHARDONNAY 2012

€ 6,49

Hoe enthousiast er ook wordt omgefietst door de Nederlandse bevolking, je vindt nog steeds om de zoveel kilometer een zuurpruim op je pad. Raad je vrolijk wat omfietswijnen aan, vraagt de dorknoper nurks: 'Drinkt u dat zelf nou ook?' Eerlijk als ik ben legde ik dan altijd uit dat ik voor deze Gids voor Alle Mensen zo objectief mogelijk probeer te proeven, net alsof ik een heuse doorgeleerde deskundige ben. Het hoeft niet allemaal naar mijn eigen bekkie te staan, wat ik goede wijn vind. En dan noemde ik als voorbeeld chardonnay uit Argentinië, Chili of de rest van de Nieuwe Wereld, de landen die niet als Europa al millennia wijn maken, maar pas een paar eeuwen. Prima wijn, maar niet mijn smaak, verklaarde ik dan. Dat kan toch? Een recensent kan de Achtste van Mahler bejubelen, terwijl hij het thuis op Bach of Ben Webster houdt, conceptuele onzin prijzen en een prachtig figuratief wenend zigeunerkind aan de wand hebben, of het vullis van Mulisch ophemelen al leest hij lekker het leven van Reve. Maar wat merk ik de laatste jaren, als ik in boekwinkel of supermarkt of waar dan ook zit te signeren achter wat van die Nieuwe Wereld-omfietswijnen, en zelf ook een beetje meeproef? Ik proef niet meer, ik schenk mezelf in om met plezier te drinken. Die wijnen worden met het jaar lekkerder! Niks objectief geleuter van 'goed gemaakt'. Lekker! Minder hout, minder alcohol, slanker, mooie zuren, fris. En bovenal: meer eigen karakter. Karakter van de druif, karakter van het land. Prettige bijkomstigheid: dat geldt vooral voor de goedkopere wijnen, de instapmodellen zoals deze van Penfolds dat is. Hogerop in het assortiment menen veel producenten toch nog vaak 'm van Jetje te moeten

geven, halen alles uit de kast wat ze bij de basis wegla-
ten en smoren zo de potentiële eigenschappen van
terroir in hout en van alcohol en concentratie. Betere
wijn dan vroeger, dat wel, maar nog steeds overdonde-
rende allesoverheersende ondrinkbare sikkeneurige
'topwijn'. Wij kiene omfietsers op supermarktniveau
genieten echter met plezier van slanke wijn met smoel.
Zoals deze. Jaar in jaar uit een duursmakende chardonnay met alles erop en eraan en van niets te veel. Sjiek,
slank, sappig, spannend. Bloesemgeur en acaciahoning
(dat is honing die ruikt als chardonnay van Concha y
Toro). Rijp fruit, mooie zuren. Lenig, intelligent en heeft
goede tafelmanieren.

CONCHA Y TORO, CASILLERO DEL DIABLO, MAULE VALLEY, € 7,99 ♟♟♟
LATE HARVEST, SAUVIGNON BLANC 2010

Van laat geoogste sauvignonblancdruiven vol
druivensuiker. Te veel suiker om te vergisten:
zo krijg je zoete wijn. Tenminste, zo krijg je
échte zoete wijn. Zoet als gekonfijt fruit, zoet
dat sauvignonachtig voorjaarsfris is, zoet
waaraan ook Mensen Met Smaak zich met
fatsoen te buiten kunnen gaan. Stiekem, als
niemand kijkt.

FRANKRIJK
Bourgogne

ANTONIN RODET, CRÉMANT DE BOURGOGNE BRUT € 12,99

Mijn eerste en zo ongeveer enige baan was bij de plaatselijke supermarkt. De filiaalchef heette Korting, en lang voor mij had Albert Heijn zelluf er z'n vakantiewerk gedaan. Achter, in het magazijn, was een lopende band waarmee je dozen kruidenierswaren uit de kelder naar boven kon halen, waarin ik als ervaren legospeler snel heel bedreven was, en volwassen werd ik toen ik na een paar weken begreep dat chef Korting met poezenpetten 'maandverband' bedoelde. Bij het inklaren van vers pleepapier zei hij immer zuchtend dat ze hier scheten als de beren, waarbij ik onbeholpen probeerde te kijken alsof ik niet tot de hullie van hier in de buurt behoorde, vooral ook omdat mijn vader, weliswaar net als de rest van zijn gezin een oppassend en zuinig wc-bezoeker, graag voorraden aanlegde van toiletrollen en ander nuttigs, want je zal maar zonder zitten, en de Russen konden toen ook nog komen. Mijn werk bestond ondertussen vooral uit het heimelijk verwijderen van door muizen uitgeholde rollen koekjes en beschuiten. Heimelijk, want de klanten mochten anders eens denken. Dat de klanten niet dachten, zelfs niet tijdens al hun Denker van Rodin-uren op de pot, en het supermarktje bleven frequenteren, was een raadsel, want het eerste wat iedereen met een gezond reukorgaan bij het betreden van het filiaal zou moeten opvallen was: 'Ha, hier verkopen ze doje muisjes!' En gestampte, want een rouwdouwer in vaste dienst plette iedere gevangen muis met z'n Spaanse kojbojlaarzen, die toen zo in de mode waren. Nog een *coming-of-age*-moment. Niet veel later heb ik zelf nog een lederen kojbojhoed gedragen.

Kort, want ondanks mijn zeventiende-eeuwse krullen
begreep ik ook toen dat er grenzen zijn. Later is alles
kledingtechnisch gezien nog min of meer goed gekomen,
en ook ben ik wijn gaan drinken die beter was dan de
Pinard-in-pakken die mijn ouders en andere mensen uit
de Pleepapierbuurt en ook elders in Ons Vaderland
kochten bij de Grote Mensenvriend, zoals Onze Volksschrijver de heer Heijn eerbiedig noemde. Wie had
gedacht dat ons Appie ooit nog eens wijn als deze zou
verkopen? Goeddroge bourgogne met prik en de volle
smaak van chardonnay. Zachter en fruitiger dan heel
veel champagne, en goedkoper ook nog. Slechts een paar
dagen vakkenvullen en je kunt gaan denken over
aanschaf van een fles. W

HONORÉ LAVIGNE, BOURGOGNE CHARDONNAY 2012   € 7,99 ♀♀♀

Ook dit jaar weer een eenvoudige, maar zeer
charmante kleine bourgogne, zoals je die in een
echte Parijse bistro hoopt te krijgen, in zo'n
klein lullig glaasje, een *ballon*, volgeplensd
door een norse kroegbaas. Kan ik heel gelukkig
mee zijn, met zulke lulligheid.

MISCHIEF AND MAYHEM,
BOURGOGNE CHARDONNAY 2010

€ 12,99 ‡‡‡‡

Eerst 2009 geproefd, heerlijk nog, mooi rijp, daarna deze 2010 die er ook weer mag wezen. Niet overdreven rijp en weelderig, maar ingetogen, helder van smaak. Luxe fruit, bescheiden wat duur eikenhout. Huiswijnbourgogne voor rijke mensen. Afstandelijk, verleidelijk. Hitchcock, zo dol op koele blondines, zou ervan genoten hebben. Drinken bij *Rear Window*.

Elzas

ZINCK, ALSACE, GEWURZTRAMINER 2012

€ 9,99 ‡‡‡‡

Bloesem, rozengeur en maneschijn. Verder ook dit oogstjaar weer slank en elegant met in de afdronk een mooi bittertje. W

OMFIETSWIJNEN | ALBERT HEIJN

Languedoc-Roussillon

SAINT ROCHE, PAYS DU GARD 2012 € 5,49

Vrolijk pittig kruidig als vanouds. Was altijd zo lekker, tot ze het de laatste jaren bestonden er muscat in te doen. En steeds meer ook nog. Een druif die ongetwijfeld z'n verdiensten heeft, muscat, al zou ik zo gauw niet weten welke, maar gelieve 'm niet toe te voegen aan wijn die ik lekker vind. En hoe dan ook, waar heb je het voor nodig? De collega-druif in deze wijn is de eeuwenoude vermentino die hier in Zuid-Frankrijk 'rolle' wordt genoemd, en wat wil je nog meer? Waarom zou je de frisse, groene, kruidige geur van de rolle wegduwen met muscat? Bovendien komen muscatdrinkers in de hel. En als u nu mompelt, 'kom kom, er zijn erger dingen', nou, noem ze maar eens. Goed, witte leggings met een te kort rokje, ja, Henna-rood kort haar met gelstekeltjes en een olijke bril in feestkleuren, oké. Zeker in combinatie met die legging. Mannen die in de zomerstad in hun blote buik lopen, een man in alleen een zwembroek op de fiets, zelfs in de zomerstad verschrikkelijk. Nordic-walkingmensen met zo'n volkorengezicht. Alle tatoeages voor zover ze niet een anker zijn op de arm van een zeebonk. Allemaal ook erg, toegegeven. Maar niet erger dan muscat. Aan de andere kant: het zijn ook Gods kinderen, en zij drinken de muscat die Gode zij dank niet meer zit in deze wedergeboren opgewekte lentefrisse wijn met de geur van zomer en gelukzaligheid.

Loire

DOMAINE DE LA LEVRAUDIÈRE, € 4,99 ♟♟♟
MUSCADET SÈVRE & MAINE SUR LIE 2012

Fijne, zilte muscadet die doet verlangen naar haring, mosselen, of oesters voor wie ze blieft.

DOMAINE DE LA TOUR AMBROISE, € 5,49 ♟♟♟
TOURAINE SAUVIGNON 2012

Fijn fris als een pasgemaaid bedauwd gazonnetje. Stukken beter dan de gemiddelde sancerre. Daarom, maar ook om de bescheiden prijs, en om u af te leren vage sancerres te kopen, het omfietsen waard. En wilt u toch sancerre: ga naar de firma Bolomey.

OMFIETSWIJNEN | ALBERT HEIJN

ITALIË

AH ITALIA, GARGANEGA, DROOG FRIS FRUITIG (LITER)   € 3,99

Het is crisis, en daaraan moet ieder z'n steentje bijdragen, dus we gaan onze gasten goedkopere wijn schenken. Die huiswijnen van de Rijke-mensenvriend AH schijnen echt prima te zijn, heeft het lagere keukenpersoneel gehoord. Overgieten in een lege dure fles en er kraait geen haan naar. Prima bezuiniging. Maar kijk nou! Drinken we bij het ontbijt behalve onze eigen restjes per abuis ook uit de bijna lege gastenflessen van gister, blijkt die huiswijn echt lekker! We drinken ze nu zelf. En vervelende gasten schenken we onze overjarige muffe meursault. Ook dit jaar weer vriendelijk zachtfruitig, deze bekoorlijke Italiaanse, huiselijk gezellig, toch ook pittig kruidig. Gemaakt van druif garganega, berucht door soave, de wijn die gemeenlijk smaakt als garganega opgevoed door een zedeloze meursaultboer met potloodventerssyn-droom en nordic-walkingneigingen. Mede door de prijs (€ 2,99 omgerekend naar driekwartliterfles!) het omfiet-sen waard.

FONTANAFREDDA, BRICCOTONDO, GAVI 2012   € 7,99

2011 was al wat bejaard, maar op het aller- aller-laatste nippertje, net voordat u deze gids oppakte in de boekwinkel, kwam de verse 2012 binnen. Als immer slank en sympathiek, geurend naar venkel, anijs en frisse berglucht. Van druif cortese, uit Piemonte.

MONCARO, € 4,49 ♀♀♀
VERDICCHIO DEI CASTELLI DI JESI CLASSICO 2012

Sappig fruit met een vleug anijs, wat verse kruiden, de smaak van een zonovergoten reclamefilmpje voor iets authentiek Italiaans met kirrende oude besjes en gelukkige families. En het kost nog niks ook. Heer Heijn heeft het als immer maar wát goed met ons voor.

TERRA VIVA, PINOT GRIGIO DELLE VENEZIE 2012  € 5,99 ♀♀♀

Zie je wel! Altijd al gezegd. Ze kunnen het wel. Als ze maar willen. Ook van pinot grigio kun je sappige vriendelijkfruitige wijn maken, een aperitief voor mooie rijke mensen die schandalig gelukkig zijn. Iets kruidig, vleugje munt, verleidelijke knipoog... En voor pinot grigio nog niet eens duur ook. Het is ongelijk verdeeld in de wereld. Hoewel: als u nou eens in plaats van die misantrope pinot grigio die immer op uw boodschappenlijstje prijkt, omdat u ook gelukkig wilt lijken, deze koopt? Drink iets minder en het leven wordt er niet duurder door. En een stuk rooskleuriger. Want je weet maar nooit: diverse dolgelukkige lezers en lezeressen lieten weten dat ze inmiddels gelukkig getrouwd zijn met een goed gespierde potente hartchirurg met tandpastareclameglimlach en al z'n shampoohaar nog (maar gelukkig niet op z'n rug) die tegelijk met hen naar deze wijn greep en met een stem warm en donker als Guinnessbier vroeg: 'Vindt u dit ook zo lekker...'

NIEUW-ZEELAND

BRANCOTT ESTATE, MARLBOROUGH, € 7,99 ♟♟♟
SAUVIGNON BLANC 2012

Verontrustend vaak krijg ik berichtjes van groothandels die vragen of ze met hun wijnboer bij me langs mogen komen. Alsof ze een nest jonge katjes hebben waar ze netjes van af moeten. Gewoonlijk laat ik weten net overleden te zijn, dus liever geen bezoek. Lijkt de wijn echter wel wat, dan vraag ik of er niet wat te combineren valt met mijn collega's. Hoeft de wijnboer mijn soort niet per persoon af, maar krijgt hij ons met groepskorting. Zo ontvingen concurrent Harold H. en ik collegiaal Patrick Materman van Brancott die helemaal uit Nieuw-Zeeland deze sauvignon kwam brengen. 'Dat had u nou niet hoeven doen,' zei ik. Want z'n wijn staat gewoon hier in het schap. Grassig, mineralig, krijtig, zegt de wijnkenner met z'n gok in het glas. En, kijk aan, een kenmerkend vleugje kattenpis! En blij neemt hij een slok. Hij of zij heeft het over wijn van druif sauvignon blanc, en wat hij ruikt, ondanks z'n poëtische omschrijvingen, is een stofje met de naam 2-methoxy-3-isobutylpyrazine. Sauvignon vind je her en der, maar op z'n best is hij thuis, langs de oevers van de Loire, en in Nieuw-Zeeland. Druif sauvignon houdt van een koel klimaat. Te warm, te rijp en de wijn wordt wee. En dat willen we niet. We willen geen sauvignon als een suffe zomerdag, met de geur van kiwi's en ander snotterig fruit. We willen sauvignon als een frisse voorjaarsochtend, de lucht strak lichtblauw, je gooit de tuindeuren open, ruikt dat het tuinmanshulpje het bedauwde gazon aan het bijpunten is, aait de kat, en denkt: 2-methoxy-3-isobutylpyrazine! Nieuw-Zeeland ligt niet naast de deur en veel wijn maken ze er niet, terwijl wel iedereen die wijn wil hebben, dus is de gemiddelde Nieuw-Zeelander aan de prijs door de wet van vraag en aanbod. Acht euro, zoals hier, is een ongekend koopje. Goedkoper bovendien dan sancerre van twijfelachtig allooi van boeren die nou nooit eens komen buurten.

OOSTENRIJK

BERGER, KREMSTAL, SPIEGEL, RIESLING 2010   € 7,99 🚲🚲🚲🚲

Oostenrijkse riesling. Niet zo mollig als de Elzasser, noch zo streng als de Duitse. Net krek mooi d'r tussenin. Deze begon voorjaarsfris vrolijk vol rijpe rieslingdruiven met een intellectueel-artistieke afdronk. Heeft hij nog steeds. Maar met de jaren kwam bedachtzaamheid, en een vleugje pétrol. Dat is de geur die riesling op leeftijd soms heeft, en volgens de een is dat een gebrek, zoiets als mensenbejaarden die hun gebit niet met regelmaat in de Steradent leggen en ook verder minder proper op 't lijf zijn, volgens de ander is het geen wijnseniliteit maar een teken van gerijpte wijsheid. De waarheid ligt, zoals zo vaak, in 't midden. Nou ja, op een kwart, of eigenlijk nog minder. Pétrol is mooi als 't bij een vleugje blijft. Ⓦ

SPANJE

SOL Y NIEVE, RUEDA, VERDEJO VIURA 2012   € 4,99 🚲🚲🚲

Rueda ligt in Noord-Spanje, de druiven zijn de volkse viura en de aristocratische verdejo, die samen vrolijk wit vol bloesemgeur schenken, met iets stenige, gezellig eigenwijze afdronk. Dat er nog mensen zijn die prosecco drinken.

VERENIGDE STATEN

RAVENSWOOD, VINTNERS BLEND,   € 7,99
CALIFORNIA, CHARDONNAY 2009

Ooit ben ik er geweest, in Californië. Dat is veels te ver weg, maar aanvliegend hetzelfde uitzicht te hebben op de Golden Gate Bridge als de schurk van *A View to a Kill*, dat is wel wat waard. En ook verder blijkt San Francisco echt te bestaan, zelfs die trammetjes en alles uit *What's Up, Doc* en al die andere films. Daarna moesten we helaas het achterland in, waar ze hele dure wijnen maken en een Zwitserse medereizigster aan iedere producent uitlegde dat alcohol van de duivel was terwijl een Zweedse collega overal dwars door alle wijnuitleg heen vroeg waar je hier houten pleebrillen kon bemachtigen. Ja, dat weet wat, zo'n internationale persreis. Het is dat de Zwitserse überhaupt niet doorhad dat ze op wijnexcursie was en de Zweed slechts rook aan alle wijn, anders zou je nog gaan denken dat het toch vreemde dingen met je doet, wijn. Gelukkig bleef ik m'n normale zelf, voor zover dat mogelijk is zonder een week lang iets te drinken, want het was allemaal niet te zuipen, zo gewichtigdoenerig gestookt van pretenties, vuurwater en Oisterwijks meubilair. Wijn als deze is nog steeds uitzonderlijk. Geen geld voor zo'n bekoorlijk gerijpte fruitige chardonnay. Naar Amerikaanse wijnbegrippen zelfs gratis.

ZUID-AFRIKA

BRAMPTON, COASTAL REGION, € 6,99
UNOAKED CHARDONNAY 2013

Van m'n geschiedenisleraar mochten we best tv-kijken in plaats van huiswerk doen, als we maar naar die fijne BBC-serie over Lillie Langtry keken. 'Hij is gewoon verliefd op Lillie met d'r decolleté,' fluisterden de wereldwijzen onder ons, van wie sommigen er zelfs blozend 'roomblank' bij durfden te zeggen. Welnee, op Oscar Wilde, wisten klasgenootjes die het later ver geschopt hebben. Dit is de ondeugende wereldwijze wijn erbij. Zoveel Zuid-Afrikaans wit is nog steeds amechtig obees als Lillies en Oscars vorst Edward VII, dat zo'n ranke uitzondering als deze een verademing is.

OMFIETSWIJNEN | ALBERT HEIJN

ROSÉ

FRANKRIJK

AH HUISWIJN ROSÉ LICHTZOET MILD SOEPEL (LITER) €3,69

'Lichtzoet, mild, soepel' klopt, en is nu eens niet een eufemisme voor 'griezelig mierzoet'. Wel moet gezegd dat het omfietsadvies slechts gericht is aan geperverteerde lieden die goedkope zoete wijn blieven, om hen voor erger – pakken liebfraumilch, graves supérieures, vuilbekkerij, hoerenloperij, overspel met de melkboer – te behoeden.

SAINT ROCHE, PAYS DU GARD 2012 €5,49

De natuur is fijn met wijn erbij, maar er zijn wel fruitvliegjes. Onze Volksschrijver dronk ze onverbiddelijk op: 'Ik zwem toch ook niet in die vlieg z'n wijn?' Ome Gerard was geen fijnzuiper. Ik gooi het glas leeg in de ongerepte natuur: de verzuipende fruitvlieg vermolmt de geur van m'n wijn. Anderen hebben daar geen neus voor. Maar die hebben dan weer hersens, hart of wiskundeknobbel. Onze-Lieve-Heer heeft het wat mooi verdeeld. De mensen met hersens hebben ontdekt dat de vlieg in paniek een enzym ruft, het *drosophila stress odorant*, om z'n evenmin deugende kameraden te waarschuwen dat het hier in de woelige baren van het wijnglas niet pluis is, hoe fijn het bouquet ook. Dat het enzym ook mij waarschuwt, die zo dol op wijn is, doet me wel afvragen aan wie ik genetisch naast verwant ben. Peinzend geniet ik deze fles sublieme Zuid-Franse puur-natuurrosé vol

Turks fruit en opwaaiende zomerjurken. Echt iets voor fijnproevers...

Languedoc-Roussillon

CHÂTEAU COULON, CORBIÈRES 2012   € 5,49

De rode Coulon bracht me tijdens de tweede helft van het Supermarktwijngids-tijdperk steeds weer in ongepaste vervoering, maar verkeert nu in een staat van burgerlijke gehoorzaamheid. Gelukkig is z'n roze kameraadje nog even ondeugend als altijd. Bleekroze, zachtdroog, subtiel fruitig, lichtkruidig. Krek zo'n Provence-rosé. Maar dan voor de helft van 't geld. Wel bekome het u. W

SPANJE

VIÑAS DEL VERO, SOMONTANO,   € 4,99
TEMPRANILLO CABERNET SAUVIGNON ROSADO 2012

Kersenfruit, zonnige kruidige geuren, slank, en pit in z'n donder. Geen geld voor zoveel rooskleurige luxe.

ROOD

ARGENTINIË

AH ARGENTINA, MALBEC, BONARDA,   € 3,99   🍷🍷🍷
VOL KRACHTIG FRUITIG (LITER)

Mijn broertje vroeg voor zijn verjaardag eens 'een aardbeientaart, helemaal voor mij alleen!', en op Moederdag kochten we op zijn aanraden altijd de grootste doos Mon Chéri die ons spaarvarken velen kon, waar snoepkous mijn vader zich goed in kon vinden. Ondertussen onderhielden m'n moeder en ik ons over echt belangrijke moederdagzaken. Varkenshaas of osse? Fijne fricandeau, ook koud zo lekker, een kip, of hele dikke biefstukken voor ons en gehaktballen voor vader en broer, want dat lusten ze tenminste? Of scholletjes, met wortels en erwtjes? Snoepen, dat betekende voor mama en mij dode dieren vreten. Van wijn erbij was helaas nog niet echt sprake. Ik was er te jong voor, en voor volwassenen ging de keus niet verder dan burgermansbordeaux of literpakken van de supermarkt die door Onze Volksschrijver 'De Grote Mensenvriend' werd genoemd. Ik en alle moeders blij dat we tegenwoordig De Grote Wijnvriend hebben met diverse heerlijke huiswijnen! Volbloedrode pezige Argentijnse liter. Gespierde tannines en stoere leergeur van de malbec, fijne kruidengeuren van de bonarda. Goed gezelschap op feesten en partijen. Mede door de prijs (€ 2,99 omgerekend naar driekwartliterfles!) het omfietsen waard. Houdt u ook nog wat geld over voor taart of fijn gebraad.

NORTON, BARREL SELECT, MENDOZA, MERLOT 2010   € 7,99 ♀♀♀

Deze 2010 was het omfietsen waard in gids 2013, en is dat nu nog steeds. Jaartje ouder, geenszins bedaarder. Veel fruit, strak in het leer, spannend als heel pure dure bonbons.

NORTON, MENDOZA, CABERNET SAUVIGNON 2012   € 5,49 ♀♀♀

Cabernet sauvignon, dat is bordeaux, dat is gedistingeerde beschaving. Of rafelige kouwe kak, maar we hebben het nu even over de zeldzame góéde bordeaux. Bij de wijnen van Norton moet ik altijd aan James Bond denken. Heel Engels, dus heel bordeaux, spreekt keurig met twee woorden, zelfs met drie, gaat naar een goede kleermaker – maar in dat strakgesneden pak zit een oermens die het liefst in hemdsmouwen allemaal stoere dingen doet. Vol bessenfruit, kracht en bravoure. En complex, wat wil zeggen dat-ie naar van alles geurt en smaakt waar ik nu even te lui voor ben om dat allemaal op te schrijven. Ga maar lekker zelf proeven, veel leuker.

NORTON, MENDOZA, MALBEC 2012 € 5,49

Ergens eind vorige eeuw. Jacky Marteau laat z'n wijnen proeven. Mmm, lekker hoor, maar de cot? Waar blijft de cot? Rare jongens, die Nederlanders: heb je als Touraine-wijnboer zoveel druivensoorten te bieden (sauvignon blanc zoals in sancerre, gamay voor fris en fruitig à la beaujolais, de cabernet franc die ook in de beroemdste bordeaux zit, de pinot noir van bourgogne...), vragen ze of je ook cot hebt. Valt wel weer mee dat ze weten dat die druif ook hier langs de oevers van de Loire groeit. Dat ze hoe dan ook weten dat die druif bestaat. Want voor zover bekend, kennen kenners 'm als de auxerrois van Cahors. De cot zit in Jacky's *tradition*. Samen met cabernet franc en gamay. Daar verdwijnt ook de cot in, voor kracht en kleur, en omdat-ie te potent is van z'n eigen om in z'n eentje losgelaten te worden. Pure cot, dat is testosteron. Wie drinkt dat nou? Dan grijnst hij en leidt ons naar een achterafhokje, naar een klein vat spetterendpaarse wijn met een ongetemde bessen- en wildgeur. Cot. Honderd procent, puur. Voor eigen gebruik, maar vooruit, omdat wij het zijn... Wij blij. Cot puur zie je bijna nergens. Ja, in cahors zit veel, maar dat is zulke serieuze wijn. En in bordeaux zit soms een drup of wat cot, die daar malbec heet. En, lees ik in een opzoekboek, iemand heeft halverwege de negentiende eeuw wat malbec in Argentinië aangeplant. Toen we Jacky's cot stonden te slurpen hadden we de gulden nog – en geen flauw benul dat Argentijnse malbec op het punt stond de wereld te veroveren. Nee, zo neanderthalig als loirecot is-ie niet, maar hij heeft het naar zin in het land van Onze Konnegin, en levert er wijnen die doen denken aan viriele merlot met borsthaar en echte cowboylaarzen.

NORTON, MENDOZA, MERLOT 2012 € 5,49

Sierlijk slank, elegant, met pittig merlotleer. Een verademing na eindeloze rijen lullige dropmerlots. Want 't is een lieverd, merlot, maar toch ook wel een druif. En dat proef je in veel van z'n wijnen: goedbedoeld, maar nogal sullig en z'n gulp staat open. Zal deze huiswijn van James Bond niet overkomen.

TILIA, MENDOZA, CABERNET FRANC/ MERLOT/PETIT VERDOT 2012 € 6,49

Petit verdot. Dat is een lastige druif. Hij rijpt heel laat. Dus zoals ze in Bordeaux zeiden: als de petit verdot mooi rijp is, zijn de andere druiven dat ook en heb je 'm eigenlijk niet nodig, en als de andere druiven niet mooi rijp zijn en je best wat pittige petit verdot zou kunnen gebruiken, is-ie in de verste verte nog niet rijp. Dus laat maar. Neenee, zeggen anderen nu, petit verdot geeft net dat je-ne-sais-quoi aan de wijn. Dat beetje peperige, die beschaafde kracht, die had de wijn niet zonder die soms maar paar procent petit verdot. En zo is de druif de laatste tijd een beetje in de mode. Ooit was hij alleen te vinden op een enkel akkertje in Bordeaux, nu wereld-wijd op enkele akkertjes. Een geheimtip. Rood fruit, specerijen, een vleug leer, iets minder statig, wat gezelliger dan de 2010. Wel weer met diepgang, want wat zouden we zonder moeten. Gezellig, maar dit is geen wijntje. Dit is wijn. Blijft je lang bij, op een plezierige manier.

TILIA, MENDOZA, CABERNET SAUVIGNON/MERLOT 2012   € 6,49 ♟♟♟

Van de twee beroemde rode bordeauxdruiven,
en elegant en deftig als de betere bordeaux.
Maar dan met zwoel en verleidelijk Argentijns
temperament.

TILIA, MENDOZA, MALBEC/CABERNET SAUVIGNON 2012   € 6,49 ♟♟♟

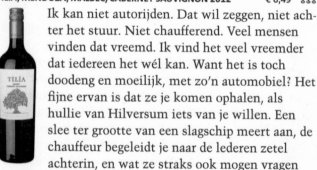

Ik kan niet autorijden. Dat wil zeggen, niet achter het stuur. Niet chaufferend. Veel mensen
vinden dat vreemd. Ik vind het veel vreemder
dat iedereen het wél kan. Want het is toch
doodeng en moeilijk, met zo'n automobiel? Het
fijne ervan is dat ze je komen ophalen, als
hullie van Hilversum iets van je willen. Een
slee ter grootte van een slagschip meert aan, de
chauffeur begeleidt je naar de lederen zetel
achterin, en wat ze straks ook mogen vragen
met hun camera en microfoon, nu ben je de mijnheer. In
de studio twee wijnen (en Felix Meurders en ik): kon ik
proeven welke de dure was? Dat ging goed. Maar dat
hoeft niet. Er zijn heel wat goedkoop smakende dure
wijnen, en anderszins wijnen als deze, vol médocachtig
cabernetfruit en de malbecgeur van handgemaakte
herenschoenen, met de smaak van rijkdom en deftige
luxe. Een omfietswijn met limousine en chauffeur.

AUSTRALIË

AH AUSTRALIA, MERLOT/SHIRAZ/   € 3,99 ♟♟♟
CABERNET SAUVIGNON, VOL KRACHTIG FRUITIG

Ongecompliceerd gezellige aussie vol rijp donker fruit, en met de stoere zadelleergeur van down-undershiraz. Mede door de prijs (omgerekend naar driekwartliterfles € 2,99!) het omfietsen waard.

PENFOLDS, BIN 2, SOUTH AUSTRALIA,   € 14,99 ♟♟♟♟
SHIRAZ/MOURVÈDRE 2009

Stoere shiraz vol donker fruit, met de geur van lange zomeravonden, van de mourvèdregeur van sigaren op de veranda, exotische planten, kruiden, specerijen, de langzaam dovende Weber, de duistere tuin en daarachter de wildernis, waar in de niet eens zo verre verte een beest dat in Blijdorp thuishoort een medebeest als soupertje verslindt.

SOUTH, TASMANIA, PINOT NOIR 2012   € 9,99

Er is van alles mis op de Aarde, die, zoals reisboekenschrijver Bill Bryson overigens terecht opmerkt, beter Water had kunnen heten. En dat al zo'n paar miljard jaar. Want wij hebben het niet makkelijk, maar voor de eerste eencelligen was het leven ook geen lolletje. Zo hebben wij anno nu een ernstig tekort aan zorgeloze wijn. Sinds de Komst van de Oenologen in de jaren zeventig probeert iedereen serieuze wijn te maken, wijn die punten scoort, wijn die concoursen wint en gouden medailles bovendien. Ja, er zijn ook oceanen zachtfruitig vocht, blader maar even in deze gids, maar daar word ik nou juist ook reuze mies van, wijn die zo oppervlakkig niksig naar snoepjes smaakt. Ik wil wijn die echt wijn is – en niet meer pretenties heeft dan dat. Wijn zoals deze, die puur pinot noir is, opgewekt voorzien van fijn fruit en een toefje kruiderij, zacht en meegaand en toch met een standpunt. Zorgeloze wijn waarbij je over serieuzere problemen kunt denken dan: waarom smaakt m'n wijn zo tobberig?

CHILI

AH CHILE, CABERNET SAUVIGNON,   € 3,99
MERLOT, SAPPIG FRUITIG (LITER)

Vol en sappig, met gezellig cabernetfruit (bosbessen en zo) en vrolijk merlotleer (Tods en zo).

CONCHA Y TORO, FRONTERA, VALLE CENTRAL, CABERNET SAUVIGNON/MERLOT 2012

€ 3,99 🍷🍷🍷

Betreurde wijnvriend G. zaliger dronk in zijn jeugd slechts het beste van het beste. Later ook, maar toen was het beste gelukkig wat anders dan de Aloude Vermaarde Grote Namen. Die dronk je in zijn jeugd. 'Niet omdat we zo rijk waren, just well-to-do' (G. was Welsh), maar omdat ze maar een beetje duurder waren dan burgermansbordeaux en -bourgogne. In de jaren zeventig veranderde dat een beetje, in de jaren tachtig meer, nu hebben de prijzen al jaren niks met de werkelijkheid te maken. Ja, die van de wereld van Vraag en Aanbod en Hebberigheid en Snobisme. Château Lafite-Rothschild is heel veel lekkerder dan deze Chileense bordeauxachtige, maar om er nou duizend keer zoveel voor te betalen... De ouders van G. betaalden twee, hooguit drie keer meer voor Lafite dan voor een braaf bourgoisbordeauxtje. Maar ja, toen dronken Russen nog slechts karnemelk te midden van de wuivende graanvelden van de door Joris Ivens ver- filmde Communistische Heilstaat, kom daar eens om. Het Kapitalisme heeft echter onverwacht gezegevierd, en de arbeider is verworden tot een patserige proleet, 't is maar goed dat Marx het niet meer mee hoeft te maken. Een beetje financieel geslaagde Rus van nu zou het liefst Lafite in de tank van z'n met kirrende mokkels volgepakte Hummer gieten, om te laten zien hoe verspillend hij ermee om kan gaan – en om het spul niet te hoeven drinken, want naast wodka is het maar flauw en ook niet zo lekker snoepjesachtig zoet als nachtclub- cocktails. Zulke hebberigheid drijft de prijs op. Wij loonslaven troosten ons maar met wijn als deze, feeste- lijk en onbekommerd geurend naar bessen en andere vruchten, in de vrije natuur vergaard door mooi gespierde en bekoorlijk gebruinde landarbeiders van onbesproken gedrag en met een goed humeur, die tevens, als het zo te pas komt, niet te beroerd zijn om hun medemens een glaasje te schenken, waarna we gezamenlijk uit volle borst het clublied zingen van de Arbeiders Jeugd Centrale. En dat alles gunt ons de Grote Mensenvriend voor een kameradenprijs. Joris Ivens zou er een prachtfilm van gemaakt hebben.

CONCHA Y TORO, FRONTERA, VALLE CENTRAL, CARMENÈRE/CABERNET SAUVIGNON 2011 € 3,99

Roken heb ik nooit lekker leren vinden. Maar tweedehands roken vind ik heerlijk. Zo'n wolkje sigarettenrook, je neus in een pakje zware shag steken... Rookwijn is er niet, maar zo'n vermoeden van tabak, dat wel. In mour-vèdre bijvoorbeeld, en goede carmenère. Ruik maar, daar, naast de peper, tussen het bessen-fruit. Verder ook dit jaar weer chocoladetanni-nes, tevens weer bij de pinken, heerlijk helder van smaak, maar minder gespierd. Meer boezem dan biceps. Geen geld, en het is nog gezonder dan roken ook. Mits in ruime hoeveelheden genuttigd.

CONCHA Y TORO, TRIO RESERVA, MAIPO VALLEY, CABERNET SAUVIGNON/CABERNET FRANC/SHIRAZ 2011 € 7,99

Duo's die het ook niet meer weten denken bij trio aan ondeugendheid, maar niet Concha en Toro. Noch u en ik. Toch? Een intelligent en harmonisch samengaan van drie druiven, daar hebben we het over. Parmantig als betere bordeaux (dankzij de beide cabernets), maar dan met meer fruit en zwier. Plus pit en peper van shiraz.

KOYLE, RESERVA, ALTO COLCHAGUA, CABERNET SAUVIGNON 2011

€ 7,99

Ik ben zo oud, dat toen ik jong was, studenten nog arm waren. Want het waren de jaren tachtig, jaren van crisis en kohlogige punk. Goed, ineens kregen we toch studiefinanciering, waar we nooit om gevraagd hadden maar doldronken van genoten, want zoveel geld, en dan ook nog zonder nachtportier, prostituee of kinderoppas te moeten zijn. Maar voor het zover was, was het armoe troef, en moesten we tijdens onze wijnreizen in de eindeloze vakantiemaanden kamperen. Ja, echt, kamperen. Leven in een tent. Alsof we padvinders waren. Goed, alles went, zelfs een tent. Tot we op een avond, na weken intensief wijnboerbezoek, richting thuis, ergens in de rimboe van Zuidwest-Frankrijk aten in een dorpsrestaurant. En hoe. Het heertje voelden we ons alle drie. Al moesten we wel opbreken, want er moest nog een camping gezocht, die tent opgezet. 'Nog één armagnacje, en dan gaan we echt.' 'Hebben jullie trouwens gezien dat dit ook een hotel is?' 'Weet je nog die camping met rotsgrond? Alle haringen krom en de tent...' 'Wat zou dat nou kosten, een kamer hier?' Minder zelfs dan we hoopten. Zoveel minder dat we niet met z'n drieën samen hoefden slapen, als dat al had gemogen, zelfs met trouwboekje – 'Mais c'est legal aux Pays-Bas, un mariage à trois!' Ieder prinsheerlijk een kamer voor z'n eigen, met doorzakbed, en op iedere muur ander behang en op eentje de vloerbedekking, plus zo'n overstroomdouche zonder drempel. Nooit meer wezen kamperen. Nooit meer op reis geweest. Wat zou je ook, als je hier wijn als deze uit het schap kan trekken? Een bedrijf opgericht in 1885 door een zekere mijnheer Undurraga, en de huidige wijnmaker heet ook Undurraga. Ja, net als de Undur-

OMFIETSWIJNEN | ALBERT HEIJN

raga's van Aliwen en ander lekker Chileens bij Albert
Heijn. Maar de rode wijnen van Koyle zijn meer dan
lekker. Reuze sjiek smaken ze, zo verfijnd en karaktervol, dat je vreest: dat zal me wat kosten. Maar nee dus.
Vast van de liefdadigheid, de Undurraga's van Koyle, dat
ze zoiets lekkers voor zo'n schappelijk prijsje van de
hand doen. En gezellige mensen, dat ze cabernet zo
opgeruimd kunnen laten smaken, vol vrolijk fruit en
rulle tannines. Drinken in het plaatselijke park, denken
aan kamperen, en dan gelukzalig huiswaarts gaan.

KOYLE, RESERVA, ALTO COLCHAGUA, MALBEC 2011   € 7,99 ♀♀♀

Van de familie Undurraga. Getver, dat moet
ook nog: de decemberkilo's wegtrainen. Gaan
we doen. Heus. Maar eerst ter inspiratie zo'n
stoere rode Argentijn van druif malbec, vol
lenig fruit, handtassenmalbecleer en strakgetrainde tannines. En morgen, morgen gaan we
écht naar de sportschool. ⓦ

KOYLE, RESERVA, ALTO COLCHAGUA, SYRAH 2010   € 7,99 ♀♀♀

Van de familie Undurraga. Mooi slank, vrolijk
fruitig en met geuren die doen denken aan
cacao, mokka, peper, het nachtelijke duister
van een mooie zomernacht… Geen geld voor
wijn die zo gedistingeerd en, veel belangrijker
nog, zo lekker smaakt. ⓦ

KOYLE, RESERVA, VALLE DE COLCHAGUA, CARMENÈRE 2011

€ 7,99

Van de familie Undurraga. Druif carmenère is geen familie van, maar lijkt wel wat op cabernet sauvignon, schreef ik ooit. Dat klopt niet. Ja, ze lijken nog steeds op elkaar, maar inmiddels weet men dat ze ook familie zijn, want carmenère is een zoon van cabernet franc, die ook de vader is van cabernet sauvignon. Verder hebben ze verschillende voorouders, carmenère onder andere een Baskische druif en de fer servadou van Marcillac, maar ze zijn dus nauw verwant. Carmenère biedt net als cabernet franc rood fruit, en geurt net als voorouder fer een beetje naar tabak en rook. Sjekkies rollen bij het kampvuur. Een wijnboer die gesnoeide takken verbrandt onder de stralende winterzon.

FRANKRIJK

LA TULIPE DE LA GARDE PRESTIGE, BORDEAUX, MERLOT 2011

€ 6,99

Echte merlot (met 18 procent cabernet sauvignon, en grootgebracht in houten vaten), echte bordeaux. Geen grote bordeaux, wel echte – en dat is groots. Maar, waarde innemers en merlotslempers: het is dus bordeaux, hè, het is niet zo'n zachte zitzakmerlot, deze is voor op de club met deftige mannen in lederen fauteuils, waar ze als student nog zijn ontgroend. Want die Gort met die snor waarmee hij nimmer door de ballotage komt mag dan nog zo hip doen, z'n wijn is gelukkig ouderwets deftig. Mede door de prijs het omfietsen waard.

Languedoc-Roussillon

AH FRANCE, GRENACHE, SYRAH, CARIGNAN, SAPPIG FRUITIG STEVIG (LITER)

€ 3,99

Lekkere liter-van-vroeger. Lekkerder zelfs dan menige liter-van-vroeger, wil ik wedden. In al z'n eerlijke eenvoud een karaktervolle Zuid-Franse rooie, vol vriendelijk fruit en kruidige geuren van een idyllisch Frankrijk uit de tijd van alpinopetten, deux-chevauxs, Gitanes, en een liter bij elke maaltijd.

CHÂTEAU CAMPLONG, CORBIÈRES 'LES SERRES' 2011

€ 4,99

Wat zou je doen als je geen stukjes zou schrijven? vragen de mensen weleens. Tsja, dat zijn van die levensvragen. Ik heb ooit rechtsgeschiedenis gestudeerd, en toen dat af was heb ik weleens bij een universiteit gesolliciteerd, en als ze me niet te dom of anderszins onbekwaam hadden bevonden, had ik nu waarschijnlijk al decennia compleet verstoft in een archief gebivakkeerd, tot ik bij een rondleiding door de keldergangen dood gevonden zou worden, met tussen m'n paperassen wat pogingen tot stukjes over niks plus de rekening van de plaatselijke melkboer. Dan was ik toch liever slijter geworden, denk ik. Zo'n ouderwetse. Ook stoffig, zo te midden van citroenjenever en ouwe klare die bijna niemand meer koopt, maar je hebt wat meer aanspraak. Verder hang je gezellig met een bolknak in je hoofd wat over de toonbank te mijmeren, en schenk je je regelmatig een glaasje in van die ruige landwijn die veel te lekker is om te verkopen. Als de zon schijnt, hang je een bordje aan de deur, WEGENS

GUNSTIGE WEERSOMSTANDIGHEDEN GESLOTEN, en ga je lekker een stukje fietsen. Eigenlijk ben ik daar het best in. In niksen. En drinken natuurlijk. Vooral wijn zonder ijver of pretenties. Ruige corbières met de smaak van haardvuur en eerlijke armoe. Vleug van dat pittoreske boerenerfgeurtje dat zo eigen is aan de ware corbières; verder dit jaar extra veel fruit.

CHÂTEAU MOUREAU, 'LES DEUX FRÈRES', MINERVOIS 2012

€ 5,49 ♟♟♟

Voer voor psychologen, de voorjaarswijnkeus. Rond maart al opgeruimd louter zomerwijnen suggereren, geurend naar rozenvingerige dageraden, dat klinkt gezellig optimistisch. Al te vaak echter wordt de wijnvoorlichter bars gevraagd of hij wel weet dat het crisis is, en nog regent bovendien, dus hij gelieve z'n zonnige kletskoek in z'n... Precies. Menig al te optimistisch ondernemer schuimt dezer dagen berooid langs 's Heren wegen, met nog geen Occupy-tentje om in te schuilen, of kwijnt ongezellig weg in een schimmelige cel, besnuffeld door ratten. Short gaan op wintervast rood kan ook overmoedig zijn, maar troostend is het wel, zo'n hartverwarmende wijn vol fruit, kruiden, zomerzon; zo'n wijn die lang en manhaftig nablijft in de mond, die je behaaglijk achter je ribben voelt zitten, zodat je denkt: nou krijg ik het nooit meer koud. Ze horen hier bij Terra Vitis, wat wil zeggen dat ze niet officieel biologisch zijn, maar wel werken met zorg voor de omgeving. Dat klinkt een beetje als mensen, ik bijvoorbeeld, die zeggen dat ze, nou, nee, eigenlijk niet écht vegetariër zijn, maar: 'Ik eet alleen vlees van de diervriendelijke slager, hoor!' Lekkere wijn trouwens, voor bij een duimdikke entrecote. Extra lekker zelfs, dit jaar. Rood fruit, kruiden, geuren van het woeste woud, haarwild, lenige sportschooltannines. Je hebt zo een flesje leeg terwijl je de barbecue opstookt.

CHÂTEAU TAPIE,
€ 4,99

COTEAUX DU LANGUEDOC QUATOURZE 2011

Wijnen van de wereld, heet het boek uit de jaren vijftig. Het gaat voornamelijk over Europa. Europa, dat is met name Frankrijk, dat uit Bordeaux, Bourgogne en Champagne bestaat. Zuid-Frankrijk? Châteauneuf en Hermitage, verder onbekend. Hugh Johnsons *Wijnatlas*, 1971, idem dito. Pas Hubrecht Duijker gaf in *De Goede Wijnen van de Rhône en het Franse Zuiden* (1983) ruim aandacht aan de oceaan van wijn uit Languedoc, Roussillon, Provence et cetera. Ook toen nog brachten de meeste Zuid-Franse boeren hun druiven naar de plaatselijke coöperatie, die er ruig rood van produceerde voor het uitgebuite lompenproletariaat. Blij dat wij hedendaagse kantoorslaven ons kunnen laven aan de ongerepte natuur in flessen als deze. Fruitig, kruidig, mondvullend rood waarnaast menig aderverkalkte pape verbleekt de biezen pakt. En dubbele namen hebben ze ook, de landwijnen van weleer. Er zijn mensen die 't maar niks vinden, al die appellations – languedoc, coteaux du languedoc, en daarbinnen dan weer gebiedjes als quatourze... Het is maar onoverzichtelijk, en smaken al die gebiedjes nou anders, 't is vast maar aanstellerij en poeha. Rare jongens, die fransozen. Tsja. Ik vind het wel gezellig. Dorps. Zeker als de wijn niet van een anonieme coöperatie of een handelshuis komt, maar knus de naam van de wijnboer draagt: Georges en Suzanne Ortola, aangenaam. En wat hebben ze ook in 2011 weer lekkere wijn gemaakt! Heel subtiel, zonder aanstellerig te zijn, gul voorzien van rood fruit en een gezellige, zonnige

Zuid-Franse geur die doet denken aan kruiden en genoeglijke dorpjes.

Rhône

LES VIGNERONS DE L'ENCLAVE DES PAPES, CÔTES DU VENTOUX 2012

€ 3,49 ♙♙♙

Ouderwets, vol comfortabel rijp fruit. Als immer een pretentieloze, maar heerlijk vrolijke kleine wijn, een kleine wijn die opgewekt geurt en smaakt naar z'n druiven en het landschap waar ze groeien, naar buitenlucht. Sappig roodfruitig en vrolijkkruidig. Een stadse wildwijn, een wilde stadswijn. Niet alleen door de lage prijs ⚲.

ITALIË

AH ITALIA, SANGIOVESE, VOL KRACHTIG KRUIDIG (LITER)

€ 3,99 ♙♙♙

Uit Toscane, dus in feite een pizzafiasco zonder rieten mandje. (Voor wie jong is of een hoogstaand leven heeft geleid: vroeger zat goedkope chianti – ook van druif sangiovese uit Toscane – in dikbuikige flessen met een gezellig rieten beschermjasje eromheen. Fiasco heette zo'n fles, en dat was een treffende omschrijving van de inhoud.) We missen dat mandje hier node, maar de inhoud maakt veel goed. Echt een kleine chianti, huiswijnfiasco van een restaurant dat echte pizza's bakt in de houtgestookte oven, met vrolijk rood fruit, specerijen en eigenwijze tannines (de wijn bedoel ik, niet oven, pizza of restaurant). Mede door de prijs (€ 2,99 omgerekend naar driekwartliterfles!) het omfietsen waard.

FARNESE, FANTINI, MONTEPULCIANO D'ABRUZZO 2012   € 4,99 ♟♟♟

In Abruzzo ben ik ooit op bezoek geweest bij een wijnboer die dacht dat hij Jezus was, en dus alles in goddelijk lekkere wijn kon veranderen. Ook had hij zijn vrouw met drie jaar garantie bij de Oekraïense Wehkamp besteld en vond hij dat niks zo mooi was als poepbruin hardhouten meubilair, en dat zijn wijn daar naadloos bij moest passen. Deze montepulciano lijkt Gode zij dank in genen dele op de zijne. Doe er uw voordeel mee, en tel uw zegeningen bij iedere slok. Ruim voorzien van behaaglijk rijp fruit, met daarnaast wat hooghartige droogkruidige Italiaanse distinctie.

FARNESE, FANTINI, TERRE DI CHETI, SANGIOVESE 2012   € 4,99 ♟♟♟

Ik ken iemand die al decennia tracht Nederland op filosofisch terrein een beetje bij te spijkeren, al wordt hij er wel wat moedeloos van dat ik na al die jaren ook nog steeds niet begrijp waar hij het nou eigenlijk over heeft, en dat terwijl hij per abuis denkt dat ik een IQ heb. Hitler en Napoleon probeerden de wereldheerschappij te grijpen, en er zijn mensen die binnenkort weten hoe Het Al plus aanhangende parallelle universa in elkaar geschroefd zijn, als ze maar even op het juiste idee komen. Zelf hoop ik ooit nog eens de sangiovese van m'n dromen te ontmoeten. Deze doet z'n best. Echt lekkere landwijn uit Toscane voor een weggeefprijs. Een goed vetgemeste 'chianti' vol heel rijp donker kersenfruit.

FONTANAFREDDA BRICCOTONDO,
PIEMONTE, BARBERA 2012

€ 6,99

Niemand die zo romantisch over wijn kon schrijven als wijlen Wina Born. Jaren geprobeerd barolo en barbaresco te vinden die ook echt geurden als goudrode blâren van bomen die dorren in het laat seizoen, geuren als everzwijn, truffel, de mistige heuvels van Piemonte. Maar nop. De naam van hun donkere druif, nebbiolo, komt van *nebbia*, mist. Meestal echter rook ik smog, in beroete wijnen schurend als oudroest. En onverantwoord prijzig ook nog. Ik gaf het op. De druiven waren zuur, en het is toch te hoog gegrepen voor mij, zo'n zondagswijn. Ik stortte me op de alledaagse wijnen dolcetto en barbera. In sagen en legenden klinkt barbera zo vrolijk. De huiswijndruif van Piemonte, de doordeweekse vriendenwijn tussen de zondagen met barolo en barbaresco. Huiswijn voor iedere dag, vrolijk dieppaars, veel fruit, wat tintelende koolzuurbelletjes voor de frisheid, en dat pittige bittertje om je te tonen dat barbera meer is dan de eerste de beste fruitige wijn… heerlijk. Had je gedacht! In de grauwe werkelijkheid word je slechts overhoopgelopen, platgewalst door veel te hard en bekakt pratende barbera's, gewichtig op weg naar belevenissen nog grootser dan de Dag des Heeren, en naar evenementen waar prijzen en punten voor intensiteit en concentratie zijn te verdienen. Want wijnkenners houden niet van domweg lekker. Gelukkig maar. Hebben wij deze barbera voor onszelf. Want lékker! Helemaal zoals-ie zijn moet. Kersenfruitige pittige barbera als de mooiste herfst. Alledaags verrukkelijk. Wina, daar ga je!

OMFIETSWIJNEN | ALBERT HEIJN

MONCARO, MARCHE, SANGIOVESE 2012 € 4,49 ♀♀♀

Sangiovese, daar maken ze chianti van. Smaakt dan ook als een klein gezellig boers chianti'tje. Gul voorzien van rood fruit en wat specerijen. Ze zouden het in zo'n troostende mandfles moeten leveren.

MONCARO, MONTEPULCIANO D'ABRUZZO 2012 € 4,49 ♀♀♀

Heel vol en zacht, dit oogstjaar, zonder z'n stoere karakter te verliezen. Landwijn vol ouderwetse en zeer Italiaanse charme.

MONCARO, ROSSO PICENO 2012 € 4,49 ♀♀♀

Koffietafelboekmooi, inderdaad, het allerfotogeniekste Toscane. Toch, ruige buur Marche mag er ook wezen. Met natuur en zo, en dorpjes en stadjes waar de plaatselijk inboorlingen kroeg, restaurant en gezond wijngebruik in stand houden. En de wijnen mogen er dan minder deftig zijn, ze zijn ook minder duur dan al die sjieke chianti's en brunello's uit Toscane. Terwijl Marches landschap en wijnen zeer charmant zijn. Wat boers, die rosso piceno's, jawel, maar in al hun ruwe eenvoud vaak lekkerder dan zo'n gepolijste miljonairschianti. Doet denken aan Moncaro's sangiovese, maar dan wat voller en donkerder.

SETTESOLI, TERRE SICILIANE, NERO D'AVOLA/SYRAH 2012   € 4,99 ♟♟♟

Sappig fruit, zonnige specerijen, blije tannines. Karaktervol, charmant en bescheiden van prijs. Het zit ook weleens mee.

TERRA VIVA, MARCHE, SANGIOVESE 2012   🚲 € 5,99 ♟♟♟

In de jaren zeventig was het reuze hip, in de jaren tachtig haalde een beetje culinaire snob z'n neus ervoor op, in de jaren negentig kon het écht niet meer, en nu is het je van het want reuze retro: de pizzeria met van die mandflessen chianti. Om te schenken, met kaarsen erin, en aan het plafond in een visnet: fiasco's. Want zo heten die mandflessen. Het mandje was oorspronkelijk echt stro en diende ter bescherming van de mondgeblazen fles met z'n soms zwakke plekken, en om de fles ondanks z'n bolle onderkant toch op tafel te kunnen zetten. In die tijd kon er ook goede chianti in zitten. Toen het stro plaatsmaakte voor plasticimitatie, werd pizzachianti een terecht scheldwoord. Jammer. Ik hoop nog altijd op zo'n kitschfles met echt verrukkelijke chianti erin. De wijn heb ik bij dezen gevonden. Smaakt als de landwijnchianti die ik in Toscane al jaren vergeefs zoek: goedgemutst, slank, rood fruit, kruiden, specerijen, vleug mooie herfstdag. De fiasco denk ik erbij.

NIEUW-ZEELAND

BRANCOTT ESTATE, SOUTH ISLAND, PINOT NOIR 2011   € 7,99   ♟♟♟

Prima zachtfruitige pinot noir – met dit oogstjaar gelukkig weer die verleidelijke ijle geur van herfstbos, kampvuur, rood fruit, pril geluk, onbezonnen dronkenschap die reeds menig rechtschapen jongeling van het smalle pad afbracht. Beter dan menig prijzige bourgogne.

FLAXBOURNE, SOUTH ISLAND, PINOT NOIR 2011   € 7,99   ♟♟♟♟

Cool, suave, stylish. Slank, verleidelijk rood fruit, charmante zuren, gulle afdronk. En dat onmiskenbare je-ne-sais-quoi van de ware pinot noir, dat vleugje stank alsof de wijnboer z'n vuile onderbroek in het vat is kwijtgeraakt, en in het beste geval alsof-ie met diverse geliefden heel ondeugende dingen in het wijnvat heeft gedaan.

PORTUGAL

JOSÉ MARIA DA FONSECA, DOMINI, DOURO 2010 € 7,99 ♀♀♀

Langs de rivier de Douro maken ze port. Wijn voor Britten. Grappig genoeg doen de andere rode dourowijnen denken aan bordeaux. Niet qua smaak, wel qua stijl en structuur. Ook wijn voor mannen van dat regenachtige eiland. Koel, helder, deftig landelijk, ietwat gereserveerd, maar met ouderwetse hoffelijkheid. Voor vrouwen neem je je hoed af, daarna schuifel je eens met je voeten, kucht wat, en vlucht je club in, om samen met soortgenoten tevreden brommerig te zwijgen over de laatstleden cricketwedstrijd. Tevens voorzien van diepgang, rood fruit, landelijke kruiderijen en verdere gemakken.

SYMINGTON, TUELLA, DOURO 2011 € 5,99 ♀♀♀

Portugal, daar komt de port vandaan. Port, dat is wijn waar ze een scheut alcohol bij hebben gegooid. Waarom doen ze dat? vraag je je af, tot je de gewone Portugese rode wijnen proeft. Stoffig, uitgedroogd, geurend naar oude pallets. Tenminste... die zijn er nog steeds, maar er verschijnen ook in rap tempo heel andere Portugese wijnen. Wel van hun talloze eigen druivensoorten (alleen al in port kunnen tachtig verschillende druivenrassen worden gebruikt), maar nu gemaakt met het besef dat wijn naar fruit moet smaken, met al die druiven erin, en niet naar een nooit geleegde asbak. Prachtige stoere wijnen vol karakter levert dat op. De Douro is een mooie kronkelrivier in Noord-Portugal, die uitmondt in het havenstadje Porto. De plaatselijke rode wijn heet dus naar de rivier, port naar het stadje. Vol donker rijp fruit, cacao en tannines van stavast. Charmant ouderwets van karakter.

SPANJE

AH ESPAÑA, TEMPRANILLO,   € 3,99
MILD SOEPEL KRUIDIG (LITER)

Tapas zijn een prachtige uitvinding, maar drijven iedereen die zich ernstig heeft verdiept in de kunst van het wijn & eten combineren tot wanhoop. Zoveel verschillende gerechtjes, zo'n waaier aan smaken, en iedereen kiest nog wat anders ook. Zelfs al zou je iedereen de juiste wijn bij z'n tapa kunnen geven, dan nog merk je bij het schenken van het laatste glas dat de eersten inmiddels vrolijk aan hun derde tapa bezig zijn, ongeacht of de wijn erbij past. De tapastent verdiept zich dan ook niet serieus in wijn-gerechtcombinaties, en schenkt iedereen *clarete*, een koele kruising tussen rosé en rood, geserveerd in limo-nadeglazen. Doe dat ook met deze blije liter uit La Mancha, vol rijp kersenfruit.

ALTOS DE CUCO, JUMILLA, MONASTRELL 2012   € 4,99

Ouwe getrouwen weten het al, maar voor de nieuwelingen dit, want anders blijven ze zich maar tobberig afvragen waarom een wijn in vredesnaam Cuco heet. In Amerikaanse televisieseries die bedoeld zijn om te lachen hebben mannen schuurtjes waarin ze mannen-dingen doen die van hun vrouwen niet mogen, zoals te veel bier drinken, aan hun hobby knutselen of denken dat ze een rockband zijn. Ik heb eigenlijk ook een schuurtje, vindt mijn vrouw. De keuken, vol met flessen die ik leegspuug in de gootsteen. Wijnboeren hebben trouwens ook schuur-tjes. Eentje is zelfs beroemd: Rawson's Retreat, het hutje waar Christopher Rawson Penfold zich af en toe terug-trok om z'n roes uit te slapen, de *Penthouse* door te bladeren of briljante nieuwe wijnen te knutselen. De grote Australische wijnfirma Penfold's heeft z'n prima instapwijnen (te koop bij Albert Heijn en Gall & Gall) naar het voorvaderlijk hutje genoemd. In Europa heten de wijnboerenschuurtjes 'hutje', maar dan in het plaatselijk dialect. Sylvain Fadat uit Zuid-Frankrijk, die niet wereldberoemd is maar het wel zou moeten zijn, heeft een van zijn rode wijnen naar z'n hutje genoemd: *Lou Maset*. Mijn keukenschuurtje staat nog heel veel voller met flessen dan anders, want het is *Omfietswijngids*-proeftijd. Twee lekkere rode heten Cuco. Cuco? Kijk nou! *Cuco* is Zuid-Spaans voor 'hutje'. Het hutje waar de wijnboer niet iets van luciferhoutjes bouwt of speelt dat hij Mick Jagger is, maar waar hij schuilt bij ongunstig weder, luiert, een goed boek leest, iets ondeugends doet met die leuke buurvrouw... Doet deze wijnboer niet, hoor. Die is *rain or shine* in het zweet zijns aanschijns aan het werk in de wijngaard, opdat wij lekkere wijn kunnen zuipen. Stoere donkere wijnen, geurend naar kruiden en specerijen, vol rijp fruit, en met een dikke plak pure chocola in de afdronk. Deze Cuco, van alleen maar de monastrelldruif, ruikt ook nog naar dure sigaren. En is een biocuco. Heerlijk ruig rood waarmee je het zelfs in de strengste winter warm houdt in je cuco. Maar ook de rest van het gezin wat schenken, mannen!

OMFIETSWIJNEN | ALBERT HEIJN

ALTOS DE CUCO, JUMILLA, MONASTRELL/ € 4,99
SYRAH/TEMPRANILLO 2012

Stoer en donker, kruiden en specerijen, dikke plak pure chocola in de afdronk... Met zo'n wijn kunt u zelfs in de strengste winter bivakkeren in uw cuco zonder cv. Maar: ook eens gezellig pimpelen op de bank met moeder de vrouw in het comfortabel Vinex-cucootje, mannen!

BALUARTE, ROBLE, RIBERA DEL DUERO 2012 € 6,99

Van de familie Chivite. Veel wijnen hebben wat grootheidswaanzin, willen de hele planeet veroveren, maar deze is charmant. Beschaafd fruitig, een vleug specerijen uit de wingewesten, piets dure pure chocolade, een zeer bescheiden vleug tropisch hardhout... De leer- en sigarengeur van een Londense club, plus het parfum van een zeer verleidelijke spionne.

VIÑA IJALBA, LIVOR, RIOJA TINTO, TEMPRANILLO 2011 € 4,99

Wat rode rioja betreft, vroeger ging dat zo: vaten van wrakhout, vullen met afgeschreven jam en wat overledenen uit het armenhuis, tien jaar vergeten. Gran reserva, heette dat. Er bestonden ook een paar rioja's gemaakt van echt geplukte tempranillodruiven, die in serieuze houten vaten hadden geleefd. Inmiddels zijn er prestigerioja's die honderden euro's kosten. Ze smaken als het dashboard van zo'n lelijke nieuwe Rolls. Gelukkig zijn er ook riojaproducenten die weten hoe het zit met wijn: wijn maak je van druiven. Proef deze maar eens. Niks reserva of beroemd, gewoon lekker wijn om dronken van te worden, wijn vol fruit en spannende verleidelijke geuren.

VIÑAS DEL VERO, SOMONTANO, TINTO GARNACHA/SYRAH 2012

€ 4,99

Bij grenache en syrah denk je, denk ík in ieder geval, aan côtes du rhône en languedoc, maar in Spanje kunnen ze er ook mee uit de voeten. Terecht, want grenache is van oorsprong Spaans, en heet dan ook eigenlijk garnacha. Net zo vrolijk vol kersenfruitgrenache en pepersyrah als de betere Zuid-Frankrijkwijn, maar dan slanker. Op tuinfeest, straatfeest of andere zonnige hoogtijdag wil je onbekommerd schenken zonder dat het je financieel of anderszins katerig de kop kost, en je wilt ook nog een beetje knap voor de dag komen. Duidelijk: qua rood wordt het deze Spanjaard vol kersenfruit en vrolijke baldadigheid.

VERENIGDE STATEN
RAVENSWOOD, VINTNERS BLEND, CALIFORNIA, ZINFANDEL 2011

€ 7,99

Oude stokken, streng gesnoeid, geen irrigatie, traditionele wijnmaakmanieren met natuurlijke gisten... O jee, Nicolaas heeft in de binnenlanden van Frankrijk weer een knoestig boertje ontdekt, dat ambachtelijke prachtwijn maakt van obscure druiven. Toch niet. Althans niet knoestig Frans. Prachtwijn klopt wel, ambachtelijk ook, en obscure druiven – een beetje. Hoewel, als druif met een officiële fanclub... (www.zinfandel.org, via *Join Now* word je lid van ZAP, *Zinfandel Advocates & Producers*, de zinfanclub). Jawel, zinfandel. De druif die in Zuid-Italië primitivo heet en in Kroatië crljenak. Alle wijndruiven zijn van oorsprong Europees, maar zinfandel wordt toch gezien als de eigen druif van Californië. Eerst omdat men niet wist van z'n Europese connecties, nu omdat hij net als Arnold Schwarzenegger reuze ingeburgerd en populair is, Californischer dan de Californiërs. Niet dat elke zinfandel een Schwarzenegger is. Veel worden gedwongen tot hoge opbrengsten, en verwerkt tot *white zinfandel* oftewel snoepjesrosé, of tot dun rood dat smaakt als aardbeienjam onder invloed. Vermijd ze. Ze deugen niet. Hebben kwaad in de zin. Maak daarentegen eens kennis met de zinfandels van Ravenswood. Hun eerste oogstjaar was 1976. Nog geen vierduizend flessen, 3924 om precies te zijn, produceerde Joel Peterson toen. Nu, dertig jaar later, levert hij ongeveer duizend keer zoveel. De principes zijn echter gehandhaafd: 'koppig vasthouden aan onpraktische, verouderde wijnmaakmethoden en ons motto *No Wimpy Wines!*' Te vertalen als: Wijn Met Ballen. Nee, dat betekent niet domweg macho. Ondanks de soms 15 procent alcohol (deze slechts 13,5), zijn ze niet zwaar of overdonderend. Alles is mooi in evenwicht met het sappige fruit (aardbeitjes van de fruitjuwelier) en de lenige zuren. Deze Vintners Blend is het instapmodel. Deels ♾ omdat het een buitenkansje is voor zo weinig geld kennis te maken met echt goede Californische wijn.

ZUID-AFRIKA

ANURA, FROG HILL, COASTAL REGION, PINOTAGE 2012   € 5,99   🍷🍷🍷

Karaktervolle aardse pinotage vol rood fruit en jolijt: prima. Maar toch altijd weer teleurgesteld als zo'n pinotage gewoon goede wijn blijkt. Ja, in de dagen dat de *Supermarktwijngids*, zoals de *Omfietswijngids* toen heette, nog jong was, bad je daar 's avonds naast je ledikantje voor tot Onze-Lieve-Heer-van-de-Druiven, om ooit nog eens, voor de Wetenschap van de Toekomst vivisectie zou plegen op je honderddrieënvijftig jaar oude lichaam ('de laatste mens op Aarde die zijn hele leven wijn heeft gedronken; ziet u hoe goed hij er nog uitziet, al heeft hij nooit gerookt?'), een pinotage te proeven die aan wijn zou doen denken. Pas op met je wensen: ze kunnen uitkomen. En verdomd: reuze blij natuurlijk met pinotages als deze, die oprecht wijn zijn – maar toch: nooitgedachte heimwee naar de dagen dat pinotage je versteld kon doen staan met z'n verbijsterende aroma's, z'n geestverruimende bouquet, z'n afdronk die je bijblijft tot de Jongste Dag, tot de Vier Ruiters van de Apocalyps je afvoeren naar de vivisectie-tafel, waar je, net voor ze je bloederige, rottende resten in de kiepelton schuiven, als laatste gedachte hebt: 'Zo kon de pinotage van weleer meuren.' ⓦ

INGLEWOOD, WESTERN CAPE,   € 7,99
CABERNET SAUVIGNON 2011

Slank maar goed gespierd, voor geen kleintje vervaard, met onder het sappige bessenfruit stoere aardse geuren van het woeste Zuid-Afrika. Is de Leopard's Leap cabernet sauvignon/merlot een Zuid-Afrikaanse bordeaux, dit is médoc. En gezellig, met al z'n deftigheid.

LEOPARD'S LEAP, WESTERN CAPE,   € 6,99
CABERNET SAUVIGNON/MERLOT 2011

Qua druivenduo bordeaux, qua karakter Zuid-Afrika. Gaat heel charmant samen, en is mooier in balans (dat is wijntaal voor senang in je vel zitten) dan menig onbetaalbare prestige-geweldenaar. Aards, stoer, en vol wellevend fruit en goed opgevoede tannines.

MOOI KAAP, WESKAAP, DROË ROOI 2012   € 2,49

Vol stevig donker fruit, beetje aards oftewel karaktervol Zuid-Afrikaans. Prima in al z'n eenvoud. Mede door de weggeefprijs ⚄.

WEGGIETWIJNEN

WIT

ITALIË

CANEI, VINO FRIZZANTE €2,99 ⊛

Brief van een lezer: 'Beste mijnheer Omfietswijn. De dagen worden korter, de bladeren vallen, ik kan niet meer naar mijn zonnende achterbuurvrouw gluren, en het wordt kouder. En somberder. Herfstregens geselen de kantoorramen, mijn collega heeft al een plastic kerstboompje op z'n bureau staan, iedereen brandt van nieuwsgierigheid wat er dit jaar in ons kerstpakket zal zitten. Het licht schijnt vaal, de natte jassen aan de kapstok ruiken naar eenzaamheid en chefs met ringbaarden die er rond vijf uur stiekem muizenvallen in stoppen. Wat doe ik hier nog? Waarom ben ik niet beroemd want op tv geweest, zoals mijn verre neef die eens voorbijliep op straat tijdens een reportage over incest? Waarom ben ik niet getrouwd, zodat iemand anders eens de pizza ontdooit, of dat ik überhaupt iemand ken?' Gelukkig weten wij van de Omfietswijnerette zulke mismoedige zielen immer op te beuren: 'Kom kom, beste mijnheer Jansma! Niet zo somber! Zoek de lichtpuntjes! Ieder bestaan kent toch ook z'n mooie momenten? Bent u bijvoorbeeld niet laatst (jaja, wij weten alles) mooi in het zonnetje gezet ter gelegenheid van uw vijfentwintigjarig kantoorjubileum? Goed, het was wat pijnlijk dat de chef uw naam even vergeten was, maar er waren gelukkig nauwelijks collega's bij toen hij z'n toespraakje hield. En dat ontslag per 31 december aan het eind van z'n praatje kwam wat onverwacht, maar nu hoeft u niet meer elke dag die mop over die alleenstaande die nog bij z'n dode moeder woont van uw collega's aan te horen, bent u nooit meer de laatste in de rij van de kantine, maar heeft u alle tijd om naar snackbar Tedje te gaan voor een echt warme frikandel, al is het waar dat dat eczeem van Tedje je de eetlust wat ontneemt. En daarna gaat u gezellig naar uw zolderkamertje, en heeft u gelukkig eindelijk tijd om die Pantserkruiser Potemkin van luciferhoutjes af te maken, of wie weet zelfs een heel nieuwe hobby te beginnen! Ach mijnheer Jansma, en zo is er nog zoveel moois. Drink er een glas van uw lievelingswijn voor hoogtijdagen op, deze vrolijk bruisende Canei!' Iets, overigens, wat iedereen eens een keertje zou moeten doen – voorzichtig, weten jullie allemaal het telefoonnummer van de huisdokter en de ambulans? – om te beseffen hoe gelukkig je bent. Drinken bij barbies aan het spit met marshmallowsaus geeft het ultieme Brueghel-in-de-hel-effect. Ook te koop bij Coop, Dekamarkt, Dirk van den Broek, Gall & Gall, Jan Linders, Plus en Poiesz.

ROSÉ

ITALIË

CANEI, VINO FRIZZANTE MELLOW ROSÉ € 2,99 ✇

'Ik zeg altijd: "Dé Vierdaagse lopen? Canei tussen je tenen en je hebt nergens last van!"' Aldus een van de vele handgeschreven brieven die getuigen van de kwaliteit van dit prachtproduct, tot heil en zegen van de mensheid in 1936 ontdekt door de zevende markies de Canei e Chlamydia toen die per abuis het lagere terras van de westelijke vleugel kuiste met de familiewijn. 'Verwijdert onkruid en naaktslakken nu nog effectiever!' was dan ook jarenlang de slagzin waarmee Canei werd aangeprezen. Zijn zoon, een rokkenjager en persoonlijke vriend van onze prins Bernhard zaliger, verkwistte het familiefortuin, maar won het ook ruimschoots weer terug toen hij in zijn failliete wanhoop een fles rattenverdelger dronk. Gehard door jarenlang Canei drinken stond hij de volgende ochtend levend en zelfs fris weer op en deed de ontdekking die Canei wereldberoemd maakte: verkoop het niet als landbouwgif maar als feestelijke wijn! Hij leefde tot zijn achtennegentigste, en velen bezoeken dagelijks dankbaar zijn graftombe. In zo ongeveer iedere supermarkt te koop, meestal naast het schap wc-verfrisser, waar het qua geur nauw aan is verwant.

PORTUGAL

LANCERS, ROSÉ TABLE WINE € 3,99 ⊛

Een mirakel dat dit nog verkocht wordt. Vroeger, ja vroeger, toen de moeder van Frits van Egters nog bessen-appel kocht, toen waren er mensen die dit op hoogtijda-gen schonken, want het schuimt zo feestelijk en ruikt vertrouwd naar het werk in het abattoir. De hoge dames en heren mochten dan dagelijks al bij het ontbijt aan de champagne zitten, wij hadden dit! Ach ja. Breek me de bek niet open. Dat waren me tijden. De geknechte hor-den, doldriest na het kraken van een kruikje Lancers, in optocht barrevoets achter de rode vlag, de Internationale zingend, in lompen, maar trots en hoopvol, in afwach-ting van de dageraad, vol visioenen van de kapitalisten bengelend aan lantaarnpalen of afgeslacht op het trot-toir, hun bloed kolkend door de goot... En dan de politie te paard, met de blanke sabel... Tsja, kameraden, al voelt menigeen de crisis als de wederkomst van de verelen-dung, het zit er niet meer in. Gelukkig is er nog Lancers, troost in bange dagen. Wordt verder ook veel gebruikt om poedels te marineren.

WEGGIETWIJNEN | ALBERT HEIJN

OVERIGE WIJNEN

WIT

Aliwen reserva, leyda valley en curico valley, sauvignon blanc 2012 (CL) — € 5,49 ♟♟♟
Van de firma Undurraga. Een Chileens sancerretje!

Antonin Rodet, chablis 1er cru montmains 2012 (FR) — € 16,99 ♟♟♟
Strakdroog, zoals 't hoort.

Antonin Rodet, château de Mercey, hautes-côtes-de-beaune 2011 (FR) — € 11,99 ♟♟♟
Zacht, weelderig, vol rijp fruit.

Antonin Rodet, rully blanc 2012 (FR) — € 12,99 ♟♟♟
Deftig fruit, beschaafd wat hout. �W

Anura, private cellar, western cape, chardonnay 2012 (ZA) — € 7,99 ♟♟♟
Deftige bekvol fruit en hout.

Berger, kremstal, lössterrassen, grüner veltliner 2012 (AT) — € 8,99 ♟♟♟
Fruit, bloesem, fijne zuren. Een welopgevoede dorstlesser.

Blind river, marlborough, sauvignon blanc 2012 (NZ) — € 11,99 ♟♟♟
Strakdroge, sappigfruitige sauvignon.

Brampton, coastal region, sauvignon blanc 2013 (ZA) — € 6,99 ♟♟♟
Lentefris sappig fruitig.

Cellier des Brangers, menetou-salon, les folies 2012 (FR) — € 11,99 ♟♟♟
Druivig, krijtig, sappig. Strak zonder zuur te zijn. �W

Christophe Cordier, vieilles vignes mâcon-charnay 2012 (FR) — € 11,99 ♟♟♟
Sierlijk en sappig. Jong nog. �W

Concha y Toro Trio reserva, casablanca valley, chardonnay, pinot grigio, pinot blanc 2012 (CL) — € 7,99 ♟♟♟
Slank wit vol exotisch fruit.

Domaine du Moulin Granger, sancerre 2012 (FR) — € 9,99 ♟♟♟
Correcte lentefrisse kruisbessensauvignon. Duur.

Dourthe Grands Terroirs, sauternes 2011 (half flesje) (FR) — € 8,99 ♟♟♟
Braafburgerlijk zoet.

Honoré Lavigne, chablis 2012 (FR) — € 8,99 ♟♟♟
Fruitig en strakdroog.

Honoré Lavigne, mâcon villages 2012 (FR) — € 6,99 ♟♟♟
Fruitig en charmant.

Inglewood, Neil Ellis, western cape, chardonnay 2012 (ZA) — € 7,99 ♟♟♟
Mooie slanke chardonnay. Vol fruit, goed droog.

Lapostolle, casa, casablanca valley, chardonnay 2012 (CL) € 8,99 ♟♟♟
Doorsnee vriendelijk fruitig, ondoorsneeachtig duur.

Maycas del Limarí quebrada seca, ovalle, € 16,99 ♟♟♟
valle del limarí, chardonnay 2010 (CL)
Knap gemaakte prestigechardonnay. ⊞

Maycas del Limarí reserva especial, € 12,99 ♟♟♟
limarí valley, sauvignon blanc 2011 (CL)
Uitgevoerd in strakke, frisse Nieuw-Zeelandstijl. ⊞

Moncaro, € 6,99 ♟♟♟
verdicchio dei castelli di jesi classico superiore 2012 (IT)
Verfijnd fruitig en kruidig. ⊞

Nederburg, The Winemasters Reserve, western cape, € 7,99 ♟♟♟
noble late harvest 2012 (375 ml) (ZA)
Niet heel sjiek zoet, maar vol rijpe abrikozen
en voor goed zoet bescheiden van prijs.

Norton Barrel Select, mendoza, chardonnay 2013 (AR) € 7,99 ♟♟♟
Sappige machochardonnay met wat hout.

Penfolds, rawson's retreat, € 7,99 ♟♟♟
south eastern australia, riesling 2012 (AU)
Riesling met Australische sjeu.

South, tasmania, sauvignon blanc 2012 (AU) € 9,99 ♟♟♟
Strakdroog druivig, voorjaarsfris.

Tamboerskloof, stellenbosch, viognier 2012 (ZA) € 12,99 ♟♟♟
Vol zwoel zacht fruit. ⊞

Thierry vaute, € 8,99 ♟♟♟
muscat de beaumes de venise 2011 (halveliter) (FR)
Verfijnd zoet van muskaatdruiven. Mooi
excuus voor aanschaf: 't is een beetje bio.

Tilia, mendoza, chardonnay 2012 (AR) € 6,49 ♟♟♟
Slank, met plezant wat frisgewassen citroentjes.

Vondeling, voor-paardeberg paarl, babiana 2010 (ZA) € 9,99 ♟♟♟
Weelderig wit vol exotische babianabloesemgeuren.

Vondeling, voor-paardeberg, petit blanc 2011 (ZA) € 8,99 ♟♟♟
Weelderig fruit, bloesemgeur, frisse zuren. ⊞

Zinck, alsace, pinot blanc 2012 (FR) € 8,99 ♟♟♟
Duidelijk familie van chardonnay.

Zinck, alsace, pinot gris 2012 (FR) € 8,99 ♟♟♟
Weelderige nicht van pinot blanc.

Zinck, alsace, riesling 2012 (FR) € 8,99 ♟♟♟
Prima druivige riesling. ⊞

AH Argentina, torrontés chardonnay, € 3,99 🍷
droog zacht fruitig (liter) (AR)
Sappig fruit, met muskaatgeur van druif torrontés.

AH Australia, € 3,99 🍷
sémillon chardonnay droog zacht fruitig (liter) (AU)
Vol eenvoudig doch oplettend fruit. Niet gek voor 't geld.

AH Chile, sauvignon blanc droog fris fruitig (liter) (CL) € 3,99 🍷
Zacht met een fris briesje sauvignon.

AH Deutschland, silvaner, müller thurgau, € 3,99 🍷
lichtzoet frisfruitig (liter) (DE)
Lichtzoet, druivig, sappig. Voor
geschoolde liebfraumilchdrinkers.

AH France, chardonnay viognier droog zacht fruitig (liter) (FR) € 3,99 🍷
Vriendelijk zachtfruitig.

Aliwen reserva, curico valley en maipo valley, € 5,49 🍷
chardonnay 2012 (CL)
Van de firma Undurraga. Vriendelijk zachtfruitig.

Antinori, Santa Cristina, terre siciliane, pinot grigio 2012 (IT) € 7,99 🍷
Beetje kruidig, beetje kaal, maar zachtfruitig
en zingt in het kerkkoor.

Antinori, Villa Antinori, toscana 2012 (IT) € 8,99 🍷
Zachtfruitig, beetje kruidig. Oftewel: 'te
drinken, maar waarom zou je'.

Antonin Rodet, chablis 2012 (FR) € 12,99 🍷
Beetje tam strakdroog. Ⓦ

Arousana, 'Alba Signature', rías baixas, albariño 2012 (ES) € 7,99 🍷
Druiven, bloesem, fris en opgewekt.

Brancott estate, marlborough, pinot grigio 2012 (NZ) € 7,99 🍷
Vriendelijker en fruitiger dan menig Italiaanse pg.

Cave de Beblenheim, alsace, pinot blanc prestige 2012 (FR) € 6,49 🍷
Zachtfruitig.

Chivite, Baluarte, rueda, verdejo 2012 (ES) € 6,99 🍷
Braaf en tam dit jaar.

Concha y Toro Trio reserva, sauvignon blanc 2012 (CL) € 7,99 🍷
Frisfruitig en prijzig.

Concha y Toro, casillero del diablo, € 9,99 🍷
limarí valley, brut chardonnay (CL)
Correcte strakfruitige schuimwijn.

Concha y Toro, casillero del diablo, valle casablanca/ € 6,49 🍷
limari/rapel, pinot grigio 2013 (CL)
Bescheiden doch welwillend zachtfruitig.

Concha y Toro, casillero del diablo, valle casablanca/limari/rapel, sauvignon blanc 2012 (CL) € 6,49
Keurige frisfruitige sauvignon.

Emiliana, adobe reserva, casablanca valley, chardonnay 2012 (CL) € 5,49
Vriendelijk zachtfruitig met wat citrus.

Emiliana, adobe reserva, casablanca valley, sauvignon blanc 2012 (CL) € 5,49
Strafdroog druivig.

Fairhills, western cape, chardonnay pinot grigio 2012 (ZA) € 4,99
Fair trade. Menslievend zacht (snoepjes)fruitig.

Fontanafredda, le fronde, moscato d'asti 2012 (IT) € 7,99
Mousserend, heel fris lichtzoet. Mist pit.

Hardys, bin 141, colombard chardonnay 2012 (AU) € 3,99
Eenvoudig vrolijk fruitig.

Jacob's Creek reserve, south australia, chardonnay 2012 (AU) € 9,49
Keurige fruitige kantoorchardonnay met wat hout.

Jacob's Creek, south australia, chardonnay 2012 (AU) € 6,49
Keurige fruitige kantoorchardonnay.

Jacob's Creek, south eastern australia, chardonnay pinot noir brut cuvée (AU) € 10,99
Fruitige droge schuimwijn.

Kuentz-Bas, tradition, alsace, pinot blanc 2012 (FR) € 7,99
Mollig fruitig.

Kuentz-Bas, tradition, alsace, pinot gris 2012 (FR) € 8,99
Zachtfruitig.

La motte, western cape, sauvignon blanc 2012 (ZA) € 9,99
Beschaafde en bescheiden doch prijzige sauvignon.

La Tulipe de la Garde, bordeaux sauvignon 2012 (FR) € 5,99
Sappige sauvignon van Krul Snor.

La Tulipe de la Garde, pays d'oc, chardonnay 2012 (FR) € 5,99
Vriendelijk fruitige chardonnay van de Man met de Vreemde Snor.

Leopard's Leap, lookout, western cape, chenin blanc chardonnay 2013 (ZA) € 4,99
Vriendelijk zacht perenfruit.

Leopard's Leap, western cape, chardonnay viognier 2013 (ZA) € 6,99
Slank en frisfruitig.

Lindeman's, bin 90, moscato 2012 (AU) € 6,49
Muskaatwijn voor zoetekauwen.

Lindeman's, western cape, sauvignon blanc/chardonnay 2012 (ZA)   € 4,99
Vol fruit.

Miolo Family Vineyards, campanha, chardonnay 2012 (BR)   € 6,99
Goedbedoelende doch ietwat dorre, nuffige chardonnay.

Nederburg, Foundation, Lyric, western cape, sauvignon blanc/chenin blanc/chardonnay 2013 (ZA)   € 4,99
Vol rijp fruit.

Nederburg, Winemasters Reserve, western cape, sauvignon blanc 2013 (ZA)   € 6,49
Keurige strakke lentefrisse sauvignon.

Norton, mendoza, chardonnay 2013 (AR)   € 5,49
Sappige machochardonnay.

Norton, mendoza, torrontés 2013 (AR)   € 5,49
Met de frisse muskaatgeur van torrontésdruiven.

Picpoul de Pinet 'les Mouginels', coteaux du languedoc 2012 (FR)   € 5,49
De Zuid-Franse lichtkruidige muscadet.

Rustenberg, stellenbosch, chardonnay 2012 (ZA)   € 11,99
Keurige chardonnay-met-hout die smaakt zoals alle andere chardonnay-met-hout.

Santa Julia, mendoza, organic chardonnay 2013 (AR)   € 5,99
Bio, doch niet meer dan domweg zachtfruitig.

Santa Julia, mendoza, organic torrontés 2013 (AR)   € 5,99
Kijk nou toch: met de frisse muskaatgeur van torrontésdruiven.

Thandi, stellenbosch, sauvignon blanc 2012 (ZA)   € 5,99
Fair trade. Opgewekt frisfruitig.

Torres Viña Brava, catalunya, chardonnay parellada 2012 (ES) € 5,99
Zachtfruitig.

Undurraga, valle central, chardonnay 2012 (CL)   € 4,99
Zachtmoedig zachtfruitig.

Undurraga, valle central, sauvignon blanc 2012 (CL)   € 4,99
Onbeholpen frisfruitig.

Viñas del Vero, somontano, chardonnay 2012 (ES)   € 5,99
Slank, fruitig, iets kruidig.

Viñas del Vero, somontano, macabeo chardonnay 2012 (ES)   € 4,99
Zachtfruitig, zonnig kruidig.

Welmoed, coastel region, sauvignon blanc 2013 (ZA)   € 5,49
Opgewekt frisfruitig.

Welmoed, western cape, chardonnay 2013 (ZA)   € 5,49   🍷🍷
Opgewekt zachtfruitig.

Welmoed, western cape, viognier 2012 (ZA)   € 5,49   🍷🍷
Vriendelijk zachtfruitig.

Wild Pig, pays d'oc, sauvignon blanc 2012 (FR)   € 5,49   🍷🍷
Frisfruitig.

Wild Pig, pays d'oc, viognier 2012 (FR)   € 5,49   🍷🍷
Bescheiden zachtfruitig.

AH huiswijn wit droog fris fruitig (liter) (FR)   € 3,69   🍷
Zuur fruit uit Gascogne.

AH huiswijn wit lichtzoet zacht fruitig (liter) (FR)   € 3,69   🍷
Lichtzoet voor simpele zielen.

AH Suid-Afrika, chardonnay, droog fris fruitig (liter) (ZA)   € 3,99   🍷
Zacht snoepjesfruit.

AH Suid-Afrika, droë steen, droog zacht fruitig (liter) (ZA)   € 3,99   🍷
Zoetig zuurtjesfruit.

Campagnola, soave classico 2012 (IT)   € 5,99   🍷
Simpel zachtfruitig. En prijzig.

Cave de Beblenheim, alsace, gewurztraminer 2012 (FR)   € 7,49   🍷
Hoerig zachtfruitig.

Cave de Beblenheim, alsace, pinot blanc 2012 (FR)   € 4,99   🍷
Ietwat hardvochtig fruitig.

Cave de Beblenheim, alsace, pinot gris 2012 (FR)   € 6,49   🍷
Ietwat geparfumeerd zachtfruitig.

Cave de Beblenheim, alsace, riesling 2012 (FR)   € 5,49   🍷
Druivenfruit met citruszuur.

Codorníu, clasico, cava brut (ES)   € 8,99   🍷
Bescheiden fruitige droge cava.

Codorníu, clasico, cava semi seco (ES)   € 8,99   🍷
Lichtzoet fruitig met prik.

Contarini, prosecco treviso vino frizzante (IT)   € 4,99   🍷
Prikwijn voor wie niets van het leven verwacht.

Contarini, vino frizzante bianco (IT)   € 3,99   🍷
Grofgebekte prikwijn. Er is erger in deze prijsklasse.

Famille Castel, réserve de france,
côtes de gascogne, sauvignon blanc 2012 (FR)   € 4,99   🍷
Lullige kantoorpikkensauvignon.

Famille Castel, réserve de france,
pays d'oc, chardonnay 2012 (FR)   € 4,99   🍷
Snoepjesfruitchardonnay.

Fontanafredda, asti dolce millesimato 2011 (IT)   € 8,99   🍷
Wat grofgebekte zoete schuimwijn.
Neem toch F.'s moscato d'asti!

Jacob's Creek, moscato (AU)   € 6,49   🍷
Dure zoete priklimonaad van Jacob's Creep.

Jacob's Creek, moscato sparkling (AU)   € 8,99   🍷
Dure zoete schuimlimonaad van Jacob's Creep.

Jacob's Creek, south eastern australia,
sauvignon blanc 2013 (AU)   € 6,49   🍷
Fris legofruit.

Lapostolle, casa, rapel valley, sauvignon blanc 2012 (CL)   € 8,99   🍷
Onbeholpen sauvignon met verlepte-prei-aroma.

Lindeman's, bin 65, australia, chardonnay 2012 (AU)   € 6,49   🍷
Zacht en snoepjesachtig.

Lindeman's, bin 85, pinot grigio 2013 (AU)   € 6,49   🍷
Echte pinot grigio: karakterloos lichtfruitig.

Lindeman's, cawarra, chardonnay 2012 (AU)   € 4,99   🍷
Ietwat benepen fruitig.

Lindeman's, reserve, padthaway, chardonnay 2012 (AU)   € 8,99   🍷
Slank en deftig, maar smaakt ook wat naar designplastic.

Lindeman's, western cape, chardonnay/
sauvignon blanc/viognier 2012 (ZA)   € 4,99   🍷
Snoepjesfruitig.

Mooi Kaap, weskaap, droë steen 2013 (ZA)   € 2,49   🍷
Fris snoepjesfruitig.

Moselland, mosel, riesling 2012 (DE)   € 3,49   🍷
Lichtzoet met zuurtjesfruit.

Moselland, mosel, riesling classic 2012 (DE)   € 4,99   🍷
Fruitig maar scherp.

Moselland, mosel, riesling spätlese 2012 (DE)   € 3,99   🍷
Zoetig en scherp.

Norton, mendoza, sauvignon blanc 2013 (AR)   € 5,49   🍷
Zuurtjesfruitig, het is niet anders.

Pullus, furmint 2012 (SI)   € 5,99   🍷
Maar er is toch al heel veel onbekwaam frisfruitig?

Rosemount Estate, south eastern australia, € 5,99
sémillon-sauvignon blanc 2012 (AU)
Zuurtjesfruit voor lastpakken.

Settesoli, terre siciliane, fiano 2012 (IT) € 4,99
Zachtfruitig, dat dan nog wel.

Settesoli, terre siciliane, pinot grigio 2012 (IT) € 4,99
Fruit met bruinkleurende venkel.

Slurp! pays de l'herault, chardonnay 2012 (FR) € 4,99
Onbestemd zachtfruitig.

Thierry & Guy, fat bastard, pays d'oc, chardonnay 2012 (FR) € 5,99
Geurt als een plastic bruidsboeket bij
een wanhoopshuwelijk.

Torres Viña Brava, catalunya, € 5,99
parellada garnacha blanca 2012 (ES)
Zacht snoepjesfruitig.

Trivento amado sur, mendoza, € 8,99
torrontés viognier chardonnay 2012 (AR)
Frisfruitig voor veel geld.

Trivento mixtus, mendoza, chardonnay torrontés 2012 (AR) € 3,99
De citroenen overdonderen zelfs de
muskaatgeur van druif t.

Trivento reserve, mendoza, chardonnay 2012 (AR) € 6,49
Krachtig fruitig met flink wat citroentjes.

Valmas, pays d'oc, chardonnay 2012 (FR) € 3,99
Armetierig vroegkalend chardonnaytje
met roos en horrelvoet.

Wild Pig, pays d'oc, chardonnay 2012 (FR) € 5,49
Zacht (snoepjes)fruit. Drinken bij een
Sintvarkentje van marsepein.

AH puur&eerlijk, biologische chardonnay 2012 (CL) € 3,99
Puur? Eerlijk?

AH puur&eerlijk, biologische riesling 2012 (DE) € 3,99
Gemaakt van uitgebuite onrijpe druifjes op Birckenstocks.

AH puur&eerlijk, biologische sauvignon blanc 2012 (CL) € 3,99
Pas op! Bijtgrage zuren.

Beringer, california, chardonnay 2011 (US) € 5,99
Riekt naar een overjarige barbiepop.

Ca' Mutti, soave 2012 (IT) € 3,49
Zuur en zompig. Drinken bij licht gegaarde crocks.
Liefst felblauwe.

Cecchi, orvieto classico 2012 (IT)   € 4,49
Sjofel kruidig met zuurtjesfruit.

Famille Castel, réserve de france, pays d'oc,   € 4,99
medium sweet, chardonnay-muscat 2012 (FR)
Zoet voor de zelfkant.

Garrett, vinho verde (PT)   € 3,99
Ik wist niet dat het zó slecht ging met Portugal.

Jacob's Creek, south eastern australia, pinot grigio 2013 (AU)   € 6,49
Zuurtjesfruit met een hint afbijtmiddel.

Lenz Moser selection, niederösterreich,   € 4,99
grüner veltliner 2012 (AT)
Zuurtjesachtige achterbuurtveltliner.

Lindeman's, bin 95, sauvignon blanc 2013 (AU)   € 6,49
Eng fris zuurtjesfruit. Drinken bij aangespoelde potvis.

Maycas del Limarí reserva especial,   € 12,99
limarí valley, chardonnay 2009 (CL)
Duursmakende, helaas bejaarde,
chardonnay. Was jong 🍷🍷🍷🍷.

Moselland, mosel, piesporter michelsberg 2012 (DE)   € 3,49
Zwavelig zoet. Drinken in het voorgeborchte.

Moselland, mosel, pinot blanc classic 2012 (DE)   € 4,99
De doodse geur van een veldhospitaal.

Rosemount Estate, bright and aromatic,   € 5,99
chardonnay sémillon 2012 (AU)
Plasticfruit en gekners der tanden.

Stormhoek, western cape, chardonnay/viognier 2013 (ZA)   € 3,99
Prikkeldraadafdronk.

Stormhoek, western cape, moscato 2013 (ZA)   € 3,99
B-merkaftershave.

Stormhoek, western cape, pinot grigio 2013 (ZA)   € 3,99
Zuurtjesfruit.

Stormhoek, western cape, sauvignon blanc 2013 (ZA)   € 3,99
Scherp en grof.

ROSÉ

Domaine de Saint-Ser, cuvée prestige,   € 9,99   🍷🍷🍷
côtes de provence, sainte victoire 2012 (FR)
Sjiek en verfijnd.

Château la Gordonne, côtes de provence 2012 (FR)   € 5,99   🍷🍷
Simpel sappig fruit.

Château Ventenac, 'Le Carla', cabardès 2012 (FR) — € 5,49
Fruitig, kruidig.

Concha y Toro, reserva, casillero del diablo, valle central, shiraz rosé 2013 (CL) — € 6,49
Stevigfruitige machorosé.

Gabriel meffre, 'saint-ferréol', tavel 2012 (FR) — € 8,99
Zwaarmoedig fruitig, kruidig.

Jacob's Creek, south eastern australia, shiraz rosé 2012 (AU) — € 6,49
(Snoepjes)fruitig.

Jacob's Creek, sparkling rosé (AU) — € 10,99
Milddroge schuimwijn vol rood fruit.

La Tulipe de la garde, bordeaux rosé 2012 (FR) — € 5,99
Dat iemand met zo'n snor toch zulke fatsoenlijke rosé kan maken! Sappig en fruitig.

Norton, mendoza, cabernet sauvignon rosado 2013 (AR) — € 5,49
Stoer, stevig, sappig.

Slurp! pays de l'herault rosé 2012 (FR) — € 4,99
Vrolijk fruitig, zonnig kruidig.

Thierry & Guy, fat bastard, pays d'oc blushing bastard rosé 2012 (FR) — € 5,99
Vol rood fruit.

AH Africa, pinotage rosé, droog sappig fruitig (liter) (ZA) — € 3,99
Eenvoudig fruitig.

AH huiswijn rosé droog sappig fruitig (liter) (FR) — € 3,69
Beperkt fruitig.

Aliwen reserva, colchagua valley, rosé 2012 (CL) — € 5,49
Stevig snoepjesfruit.

Berberana Pink Dragon, vino de la tierra de castilla, tempranillo 2012 (ES) — € 5,49
(Snoepjes)fruitig.

Lindeman's, bin 35, south eastern australia, rosé 2013 (AU) — € 6,49
Duur zoetig snoepjesfruit.

Lindeman's, western cape, rosé 2012 (ZA) — € 4,99
Stoffig snoepjesfruit.

Listel tête de cuvée, grain de gris, sable de camargue (FR) — € 3,99
Wat bedompt fruit met zuurtjes.

Nederburg, winemaster's reserve, cabernet sauvignon rosé 2013 (ZA) — € 6,49
Stevig zuurtjesfruit.

OVERIGE WIJNEN | ALBERT HEIJN

Rémy Pannier, rosé d'anjou 2012 (FR) € 3,99 🍷
Zoetig snoepjesfruit.

Stormhoek, L!FE, PURE rosé 2013 (ZA) € 5,99 🍷
L!FE? &%#@*!! Niks puur, doorsnee snoepjesfruitrosé.

Torres Viña Brava, catalunya rosado 2012 (ES) € 5,99 🍷
Zwaarmoedig fruitig.

Undurraga, valle central, rosé 2012 (CL) € 4,99 🍷
Zacht (zuurtjes)fruit.

Welmoed, heritage selection, stellenbosch, rosé 2013 (ZA) € 5,49 🍷
Stevig zuurtjesfruit.

Wild Pig, pays d'oc, syrah rosé 2012 (FR) € 5,49 🍷
Benepen fruitig.

AH America, white zinfandel lichtzoet fruitig (liter) (US) € 3,99
Gesmolten winegums.

AH puur&eerlijk, biologische rosé 2012 (ZA) 🍃 € 3,99
Door zuur uitgebeten linoleum.

Beamonte, navarra, rosado 2012 (ES) € 3,99
Grof en ruw.

Beringer, california, zinfandel rosé 2012 (US) € 5,99
Zoetig snoepjeswater.

Contarini, vino frizzante rosato (IT) € 4,99
Snoepjes met schuim.

Echo Falls, california, white zinfandel 2012 (US) € 4,49
Limonade uit een roestige fabriek.

Jacob's Creek, moscato rosé sparkling (AU) € 8,99
Dure schuimlimonaad van Jacob's Creep.

**Jacob's Creek, south eastern australia,
moscato rosé 2012** (AU) € 6,49
Dure priklimonaad van Jacob's Creep.

Julian Chivite, navarra, gran feudo rosado 2012 (ES) € 4,99
Suf en wat stoffig.

Mooi Kaap, weskaap, rosé 2012 (ZA) € 2,49
Kaal en vaal.

Rosemount Estate, rosé 2012 (AU) € 5,99
Riekt naar gympies. Nieuwe, dat wel.

Stormhoek, sparkling rosé (ZA) € 7,99
Bijterige zuurtjesrosé met prik.

Stormhoek, western cape, merlot rosé 2013 (ZA) € 3,99
Bijterige zuurtjesrosé.

ROOD

Château Juguet, saint-émilion grand cru 2011 (FR) € 16,99
Sympathieke sjieke bordeauxmerlot.

Château l'Argenteyre, médoc cru bourgeois 2010 (FR) € 9,99
Fruit, hout, vleug espresso: prima médoc.

Château la Marzenac, lussac saint-émilion 2010 (FR) € 9,99
Immer vol deftige ouderwetse charme.

Maycas del Limarí reserva especial, limarí valley, cabernet sauvignon 2009 (CL) € 12,99
Afstandelijke Chileense médoc.

Maycas del Limarí reserva especial, limarí valley, pinot noir 2011 (CL) € 12,99
Verfijnd soepel fruitig.

Partage de L'Argenteyre, médoc 2011 (FR) € 8,99
Duur leer, herfst, fruit, sigarenkistjes. Straffe tannines.

Penfolds, Bin 28, south australia, kalimna, shiraz 2009 (AU) € 19,99
Peperige prachtshiraz. Slechts door prijs niet 🚲.ⓦ

Penfolds, Bin 8, south australia, cabernet/shiraz 2010 (AU) € 19,99
Karaktervolle Australische Max-Schubertmédoc.
Slechts door prijs niet 🚲.ⓦ

Tamboerskloof, stellenbosch, syrah 2007 (ZA) € 16,99
Peperige Zuid-Afrikaanse 'châteauneuf-du-pape' vol fruit.

Aliwen reserva, central valley, cabernet sauvignon/merlot 2011 (CL) € 5,49
Slanke fruitige Chileense bordeaux.

Aliwen reserva, rapel valley, cabernet sauvignon/syrah 2011 (CL) € 5,49
Rood fruit, peper, specerijen.

Aliwen, reserva, maipo valley, pinot noir 2012 (CL) € 5,49
Van de firma Undurraga. Zacht en fruitig.

Aliwen, reserva, rapel valley, cabernet sauvignon/carmenère 2011 (CL) € 5,49
Verfijnd fruitig.

Anura, simonsberg paarl, merlot 2011 (ZA) € 8,99
Deftige merlot met veel fruit en wat aktetassenleer.

Berger, niederösterreich, blauer zweigelt 2009 (AT) € 9,99
Verfijnd fruitig, spannend rokerig. ⓦ

Beringer, california, zinfandel 2011 (US) € 5,99
Zwoele zinfandel vol zacht fruit.

Cantos de Valpiedra, rioja crianza 2009 (ES)　　€ 9,99　♟♟♟
Deftige rioja met slank fruit en fiks hout.

Château Coulon, corbières 2012 (FR)　　🍃 € 5,49　♟♟♟
Braaffruitig, keurigkruidig. Was ooit ♟♟♟♟♟-overheerlijk…

Château Ventenac, 'Le Carla', cabardès 2011 (FR)　　€ 5,49　♟♟♟
Zonnig fruitig en kruidig.

Christophe Cordier, morgon, côte du py,　　€ 11,99　♟♟♟
vieilles vignes 2011 (FR)
Keurige stevige beaujolais vol rijp fruit.

Clos de los Siete, mendoza 2008 (AR)　　€ 16,99　♟♟♟
Duursmakende gladjakker met veel van alles.

Concha y Toro reserva, casillero del diablo,　　€ 6,49　♟♟♟
central valley, cabernet sauvignon 2012 (CL)
Bessenfruit met goedgemutste tannines.

Concha y Toro reserva, casillero del diablo, merlot 2012 (CL)　€ 6,49　♟♟♟
Heerlijk rijp merlotfruit met manhaftige tannines.

Concha y Toro reserva, casillero del diablo, shiraz 2012 (CL)　€ 6,49　♟♟♟
Vriendelijk fruitig.

Concha y Toro, Marques de Casa Concha,　　€ 13,99　♟♟♟
puente alto, cabernet sauvignon 2011 (CL)
Duur en deftig, maar karakterloos.

Concha y Toro, reserva, casillero del diablo,　　€ 6,49　♟♟♟
carmenère 2012 (CL)
Fruit en vleug kampvuur.

Concha y Toro, trio reserva, rapel valley,　　€ 7,99　♟♟♟
merlot/carmenère/syrah 2012 (CL)
Sjiek maar niet spannend. Bessenfruit, leer.

Domaine du Grand Tinel, châteauneuf-du-pape 2010 (FR)　€ 21,99　♟♟♟
Kersenfruit, cacao, specerijen, zomerzon,
rijpe tannines. Prijzig.

Emiliana Coyam, colchagua valley 2010 (CL)　　🍃 € 14,99　♟♟♟
Meer knap gemaakt dan retelekker.

Emiliana, adobe reserva, rapel valley,　　🍃 € 5,49　♟♟♟
cabernet sauvignon 2012 (CL)
Prima biocabernet vol fruit.

Emiliana, adobe reserva, rapel valley,　　🍃 € 5,49　♟♟♟
carmenère 2012 (CL)
Sappige biocarmenère vol fruit.

Emiliana, adobe reserva, valle central, syrah 2010 (CL)　🍃 € 5,49　♟♟♟
Vol rijp donker fruit, maar nou niet
bepaald karaktervolle syrah.

Eugène Loron, fleurie 2011 (FR)   € 9,99
Burgermansbeaujolais vol fruit.

Farnese, Fantini, puglia, primitivo 2012 (IT)   € 4,99
Vol heerlijk rijp kersen- en bramenfruit.

Flaxbourne, gisborne, merlot 2011 (NZ)   € 7,99
Modieuze merlot met geen onsje fruit te
veel, lenige leertannines, slank.

Fontanafredda, barolo 2008 (IT)   € 24,99
Ernstig voorzien van tannines, maar
kijk aan: ook veel fruit.

**Gabriel meffre, plan de dieu, 'saint-mapalis',
côtes du rhône villages 2012** (FR)   € 5,99
Bekvol kersenfruit, cacao en Zuid-Franse kruidigheid.

Honoré Lavigne, bourgogne pinot noir 2011 (FR)   € 7,99
Slank en sierlijk fruitig.

La motte, millennium, western cape 2011 (ZA)   € 12,99
Deftige Zuid-Afrikaanse médoc.

**Lapostolle, Casa, rapel valley,
cabernet sauvignon 2011** (CL)   € 8,99
Deftig maar onpersoonlijk.

Lapostolle, Casa, rapel valley, merlot 2012 (CL)   € 8,99
Slank en sympathiek.

**Leopard's Leap, lookout, western cape,
cabernet sauvignon/shiraz/cinsault 2012** (ZA)   € 4,99
Vol vrolijk stevig fruit.

Les Vignerons de l'Enclave, côtes du rhône 2012 (FR)   € 4,49
Vrolijk fruitig en kruidig.

Les Vignerons de l'Enclave, côtes du rhône villages 2012 (FR)   € 4,99
Fruit, kruiden en cacao.

Lindeman's, reserve, padthaway, shiraz 2012 (AU)   € 8,99
Bekvol zwoel fruit met pepershiraz.

Moncaro, rosso conero 2011 (IT)   € 6,99
Stevig rijp fruit-met-hout. ⓦ

**Nederburg, Winemasters Reserve,
western cape, merlot 2012** (ZA)   € 6,49
Deftig rijp donker fruit, tikkie hout, iets aards, vleug leer.

Norton Barrel Select, mendoza, cabernet sauvignon 2010 (AR)   € 7,99
Vol rijp bessenfruit; stoere maar vriendelijke tannines.

Norton, Barrel Select, mendoza, malbec 2010 (AR)   € 7,99
Vol stevig fruit.

Norton, Barrel Select, mendoza, syrah 2009 (AR)   € 7,99   🍷🍷🍷
Vol rijp donker fruit. Stoer maar vriendelijk.

Norton, mendoza, syrah 2012 (AR)   € 5,49   🍷🍷🍷
Rijp donker fruit, cacao, mokka en een beetje pepersyrah.

Norton, Ofrenda, mendoza 2010 (AR)   € 11,99   🍷🍷🍷
Kamerbreed rijp fruit en luxueuze weelde. Argentijnse
pomerol. Wel te duur om voor om te fietsen.

**Penfolds, rawson's retreat, south eastern australia,
cabernet sauvignon 2012** (AU)   € 7,99   🍷🍷🍷
Sympathieke slanke cabernet.

**Penfolds, rawson's retreat,
south eastern australia, merlot 2012** (AU)   € 7,99   🍷🍷🍷
Keurige slanke merlot.

**Penfolds, Thomas Hyland, south australia,
cabernet sauvignon 2009** (AU)   € 13,99   🍷🍷🍷
Ook een sympathieke slanke cabernet. Ⓦ

Penfolds, Thomas Hyland, south australia, shiraz 2011 (AU)   € 13,99   🍷🍷🍷
Rul donker syrahfruit, cacao, specerijen, peper.

Saint Roche, pays du gard 2012 (FR)   🌿 € 5,49   🍷🍷🍷
Prima biowijn vol fruit en kruiderij.

Undurraga, valle central, cabernet sauvignon 2012 (CL)   € 4,99   🍷🍷🍷
Sympathieke slanke cabernet met cassisfruit.

Undurraga, valle central, carmenère 2012 (CL)   € 4,99   🍷🍷🍷
Vol fruit, plus wat spannende rokerige carmenèregeur.

**Vondeling, voor-paardeberg paarl,
cabernet sauvignon/merlot 2005** (ZA)   € 12,99   🍷🍷🍷
Bedachtzame Zuid-Afrikaanse médoc op leeftijd. Ⓦ

Vondeling, voor-paardeberg, baldrick, shiraz 2008 (ZA)   € 9,99   🍷🍷🍷
Welopgevoede macho vol fruit.

Welmoed, stellenbosch, pinotage 2012 (ZA)   € 5,49   🍷🍷🍷
Aards, en vol rijp rood fruit.

AH puur&eerlijk, biologische carmenère 2012 (CL)   🌿 € 3,99   🍷🍷
Stevigfruitig.

AH puur&eerlijk, biologische tempranillo 2012 (ES)   🌿 € 3,99   🍷🍷
Vriendelijk fruitig.

AH Suid-Afrika, droë rooi sappig fruitig (liter) (ZA)   € 3,99   🍷🍷
Stevigfruitig, aards.

Antinori, Santa Cristina, chianti superiore 2011 (IT)   € 8,99   🍷🍷
Stevige fruitige chianti.

Antinori, Santa Cristina, toscana 2012 (IT) € 7,99
Fruitig landwijnchianti'tje.

Antonin Rodet, château de Mercey, € 11,99
hautes-côtes-de-beaune 2011 (FR)
Lichtfruitig en bescheiden kruidig.

Beamonte, navarra, tempranillo 2012 (ES) € 3,99
Vrolijke landelijke slobber vol sappig kersenfruit.

Berberana, T&T tempranillo & tapas, rioja 2012 (ES) € 4,99
Vriendelijk fruitig.

Beringer, california, cabernet sauvignon 2011 (US) € 5,99
Correcte doorsneecabernet.

Bodegas Fontana, la mancha, cabernet sauvignon 2012 (ES) € 3,99
Sappige cabernet.

Bodegas Fontana, la mancha, merlot 2012 (ES) € 3,99
Sappige merlot.

Bodegas Fontana, la mancha, tempranillo 2012 (ES) € 3,99
Fruitig en vrolijk. Voor de betere barbecue.

Campagnola, valpolicella classico superiore 2011 (IT) € 5,99
Vol nogal somber kersenfruit.

Campo Viejo, rioja, cosecha 2011 (ES) € 4,99
Zachtfruitig.

Campo Viejo, rioja, tempranillo 2011 (ES) € 6,99
Vriendelijke zachte wijn die karakteristiek
naar rioja geurt.

Château de Bezouce, costières de nîmes 2012 (FR) € 5,49
Sappig fruitig en kruidig, iets hard.

Château de Bon Ami, bordeaux 2012 (FR) € 4,99
Keurig bescheiden bordeauxtje.

Château Haut-Monplaisir, cahors, malbec 2011 (FR) € 8,99
Nurkse neef van bordeaux.

Eugène Loron, beaujolais-villages 2011 (FR) € 5,99
Vol rood fruit.

Eugène Loron, brouilly 2011 (FR) € 7,99
Vol fruit.

Fairhills, western cape, merlot/cabernet sauvignon 2012 (ZA) € 4,99
Fair trade. Fruitige Zuid-Afrikaanse bordeaux.

Gabriel meffre, gigondas 'sainte-catherine' 2011 (FR) € 12,99
Kersenfruit en kruidigheid.

Gabriel meffre, vacqueyras 'saint barthélemy' 2011 (FR) € 9,99 🍷🍷
Côtes-du-rhône met poeha.

Hardys, bin 343, south eastern australia, € 3,99 🍷🍷
cabernet/shiraz 2012 (AU)
Vol soepel fruit.

Honoré Lavigne, mâcon 2012 (FR) € 6,99 🍷🍷
Lichtvoetig fruitig.

Jacob's Creek reserve, barossa, shiraz 2011 (AU) € 9,49 🍷🍷
Gladjakker met hout.

Jacob's Creek reserve, coonawarra, € 9,49 🍷🍷
cabernet sauvignon 2012 (AU)
Keurig cassiscabernetfruit met een vleugje munt.

Jacob's Creek, south eastern australia, merlot 2012 (AU) € 6,49 🍷🍷
Correct maar saai.

Jacob's Creek, south eastern australia, pinot noir 2012 (AU) € 6,49 🍷🍷
Soepel zachtfruitig.

José Maria da Fonseca, periquita, € 4,99 🍷🍷
península de setúbal 2011 (PT)
Zonnig fruitig, kruidig.

La Tulipe, bordeaux, merlot 2012 (FR) € 5,49 🍷🍷
Correcte goed opgevoede merlot.

Leopard's Leap, western cape, pinotage/ € 6,99 🍷🍷
cabernet/shiraz 2011 (ZA)
Vol sappig fruit.

Les pralets, saint-saturnin, coteaux du languedoc 2012 (FR) € 5,49 🍷🍷
Rijp donker fruit, stevige tannines.

Lindeman's Bin 40, south eastern australia, merlot 2012 (AU) € 6,49 🍷🍷
Correct maar sullig.

Lindeman's Bin 45, south eastern australia, € 6,49 🍷🍷
cabernet sauvignon 2012 (AU)
Slank bessenfruit, gemoedelijke tannines.

Lindeman's Cawarra, south eastern australia, € 4,99 🍷🍷
shiraz/cabernet 2012 (AU)
Vol rijp fruit.

Lindeman's, western cape, € 4,99 🍷🍷
cabernet sauvignon/merlot 2012 (ZA)
Stevigfruitig met wat merlotleer.

Lindeman's, western cape, shiraz/ € 4,99 🍷🍷
cabernet sauvignon 2012 (ZA)
Stevigfruitig met wat shirazpeper.

Miolo family vineyards, fronteira-campanha, merlot 2011 (BR) € 6,99
Ietwat oudmodische, boerse merlot.

Mischief and Mayhem, bourgogne pinot noir 2010 (FR) € 12,99
Zachtfruitig, maar moe en vroegoud.

Nederburg, Foundation, Duet, western cape, shiraz/pinotage 2012 (ZA) € 4,99
Fruit, hout, koffiebrandersgeuren. Stevige tannines.

Nederburg, Manor House, western cape, cabernet sauvignon 2011 (ZA) € 9,99
Keurige cabernet-met-hout zonder karakter. ⓦ

Nederburg, Manor House, western cape, shiraz 2011 (ZA) € 9,99
Slanke syrah-met-hout zonder karakter. ⓦ

Santa Julia, mendoza, organic cabernet sauvignon 2013 (AR) € 5,99
Stevig bessenfruit.

Santa Julia, mendoza, organic malbec 2013 (AR) € 5,99
Stevig fruit plus leer.

Thandi, western cape, shiraz 2011 (ZA) € 5,99
Fair trade. Stevig donker fruit.

Thierry & Guy, fat bastard, pays d'oc, cabernet sauvignon 2012 (FR) € 5,99
Fat noch *bastard*. Meer *Saaie Sul.* Grijzemuizenfruit.

Thierry & Guy, fat bastard, pays d'oc, merlot 2012 (FR) € 5,99
Wat sullige merlot.

Torres Viña Brava, catalunya, merlot/syrah 2012 (ES) € 5,99
Burgermansmerlot. Degelijk fruitig.

Torres Viña Brava, catalunya, tempranillo 2012 (ES) € 5,99
Braaf fruitig.

Trivento, amado sur, mendoza, malbec/bonarda/syrah 2011 (AR) € 8,99
Modieuze gladjakker met fiks fruit en kruiderij.

Trivento, mixtus, mendoza, merlot/malbec 2012 (AR) € 3,99
Stevigfruitig.

Trivento, reserve, mendoza, cabernet sauvignon 2012 (AR) € 6,49
Stevigfruitig.

Undurraga, valle central, merlot 2012 (CL) € 4,99
Wat timide maar sappigfruitige merlot.

Viña Albali, valdepeñas, reserva 2009 (ES) € 4,99
Traditionele hout-en-vanillespanjool.

Viñas del Vero, somontano, cabernet sauvignon 2011 (ES)   € 5,99   🍷🍷
Stevig en sappig fruitig.

Welmoed, stellenbosch, cabernet sauvignon 2012 (ZA)   € 5,49   🍷🍷
Veel fruit, weinig karakter.

Welmoed, stellenbosch, merlot 2012 (ZA)   € 5,49   🍷🍷
Vriendelijke rijpe merlot.

Welmoed, stellenbosch, shiraz 2011 (ZA)   € 5,49   🍷🍷
Pepershiraz met rijp donker fruit.

**AH America, ruby cabernet/
cabernet sauvignon sappig fruitig stevig (liter)** (US)   € 3,99   🍷
Droppig.

AH huiswijn rood mild soepel (liter) (FR)   € 3,69   🍷
Grof fruitig.

**AH puur&eerlijk,
biologische cabernet sauvignon 2011** (FR)   € 3,99   🍷
Nurks fruit.

AH puur&eerlijk, biologische syrah 2011 (FR)   € 3,99   🍷
Bescheiden fruitig.

Antinori, Villa Antinori, toscana 2010 (IT)   € 12,99   🍷
Fruit plus hout. Ietwat aangebrand.

Berberana Red Dragon, tempranillo 2011 (ES)   € 5,49   🍷
Rood fruit met een randje hout.

Berberana, carta de oro, rioja crianza 2010 (ES)   € 5,99   🍷
Doorsnee houtrioja.

Berberana, carta de oro, rioja reserva 2008 (ES)   € 8,99   🍷
Doorsnee houtreserva.

Cantele, Cenobio, salice salentino 2010 (IT)   € 5,99   🍷
Knorrig en slechtgemutst.

Cecchi, chianti 2012 (IT)   € 4,99   🍷
Bescheiden fruitig.

Cecchi, chianti classico 2011 (IT)   € 6,99   🍷
Wrang en droefgeestig.

Cecchi, La Mora, morellino di scansano 2012 (IT)   € 5,99   🍷
Somber kersenfruit.

Chivite, navarra, gran feudo crianza 2008 (ES)   € 5,99   🍷
Fruit met zaagsel.

Chivite, navarra, gran feudo reserva 2007 (ES)   € 7,99   🍷
Ongewassen fruitig.

Dourthe Grands Terroirs, bordeaux 2012 (FR)   € 4,99 ♇
Wrang en riekend naar remweg.

**Famille Castel, réserve de france, pays d'oc,
cabernet sauvignon 2012** (FR)   € 4,99 ♇
Sullig cassisfruit.

**Famille Castel, réserve de france, pays d'oc,
medium sweet, syrah-grenache 2011** (FR)   € 4,99 ♇
Kruising tussen landwijn en verlopen port.

Famille Castel, réserve de france, pays d'oc, merlot 2012 (FR)   € 4,99 ♇
Dropmerlot.

**Famille Castel, réserve de france,
pays d'oc, syrah rouge 2011** (FR)   € 4,99 ♇
Somber donker fruit.

Fattoria del Cerro, vino nobile di montepulciano 2010 (IT)   € 13,99 ♇
Donker fruit, sombere tannines.

Lavergne, bordeaux 2012 (FR)   € 3,99 ♇
Wrang en dun.

**Lenz Moser selection, neusiedlersee,
blauer zweigelt 2012** (AT)   € 4,99 ♇
Dropwijn.

Lindeman's Bin 50, south eastern australia, shiraz 2012 (AU)   € 6,49 ♇
Dun fruit met wat shirazpeper.

**Lindeman's Bin 99, south eastern australia,
pinot noir 2012** (AU)   € 6,49 ♇
Niks pinot noir, gezapig droppig.

**Lindeman's Cawarra, south eastern australia,
cabernet/merlot 2012** (AU)   € 4,99 ♇
Zacht en onbenullig fruitig.

Pullus, blaufränkisch 2011 (SI)   € 5,99 ♇
Dunfruitig.

**Rosemount Diamond Label, south eastern australia,
cabernet sauvignon 2011** (AU)   € 8,99 ♇
Cassisfruit met dropafdronk.

**Rosemount Diamond Label,
south eastern australia, shiraz 2012** (AU)   € 8,99 ♇
Donker fruit met dropafdronk.

Rosemount, fruity and fulsome, grenache/shiraz 2012 (AU)   € 5,99 ♇
Zacht fruit plus een pond drop.

Rosemount, soft and smooth, cabernet/merlot 2012 (AU)   € 5,99 ♇
Wrange dropwijn.

OVERIGE WIJNEN | ALBERT HEIJN

Rosemount, spicy and balanced, shiraz/cabernet 2012 (AU) € 5,99 🍷
Cassisfruit met droptannines.

Slurp! Pays d'oc 2012 (FR) € 4,99 🍷
Fruitig. Fiets om naar elders voor het ware slurpen.

Stormhoek, cabernet sauvignon/merlot 2012 (ZA) € 3,99 🍷
Fruitig, maar nogal dun.

Stormhoek, western cape,
cabernet sauvignon shiraz 2012 (ZA) € 3,99 🍷
Fruitig, maar 'n beetje dun.

Valmas, collection, pays d'oc, cabernet merlot 2012 (FR) € 3,99 🍷
Vroegkalende Zuid-Franse bordeaux.

Wild Pig, pays d'oc, cabernet sauvignon 2012 (FR) € 5,49 🍷
Voor bij kiloknallervarken.

Wild Pig, pays d'oc, merlot 2012 (FR) € 5,49 🍷
Droppig lullig.

Wild Pig, pays d'oc, syrah 2012 (FR) € 5,49 🍷
Wrang en ongezellig.

AH puur&eerlijk, biologische merlot 2012 (CL) € 3,99
Ongezellige dropmerlot.

Ca' Mutti, bardolino 2012 (IT) € 3,99
Kaal en vaal.

Cantele, salento, negro amaro 2010 (IT) € 7,99
Was jong oké, nu bejaard. Ⓦ

Cantele, salento, primitivo 2008 (IT) € 7,99
Was jong oké, wasemt nu oud fruit en maggidampen. Ⓦ

Cantele, salice salentino reserva 2008 (IT) € 7,99
Was jong oké, nu ernstig bejaard. Ⓦ

ALDI

▷ Spreiding: landelijk

Aldi wilde dit jaar niet meewerken aan De Gids,
al hield de firma zich aanbevolen voor een volgende
editie. Toch werden deze twee wijnen opgestuurd.

OVERIGE WIJNEN

ROOD

El Árbol, valle central, cabernet sauvignon 2012 (CL)   € 3,29   🍷
Cassisfruit.

Kaapse Pracht, western cape, cinsault/pinotage 2012 (ZA)   € 2,39   🍷
Soepel fruitig. Voor de prijs best aanvaardbaar.
Alles is veel, voor wie...

BY THE GRAPE

▷ Spreiding: Amsterdam, Utrecht en Velp
▷ Aantal filialen: 3
▷ Voor meer informatie: www.bythegrape.nl

OMFIETSWIJNEN

WIT

FRANKRIJK
Languedoc-Roussillon

CHÂTEAU DE CARAGUILHES, BLANC, CORBIÈRES 2012   € 8,00

Oktober is de maart van de herfst. Het kan gieten, het kan mooien. Dus zetten we vrolijk zacht wit klaar. Wit vol rijp fruit dat in alle weersomstandigheden onze vriend is. Wit met de gulle volheid van de beste witte bourgogne, wit met de warmte van het zonnige zuiden, wit met de geur van venkel, anijs, een vleugje tijm of rozemarijn. Ja, dat zijn clichés, maar ze zijn wel waar. In de beste Zuid-Franse witte wijnen proef je het terroir, de wijngaard, de bodemsoorten, de ligging, de garrigue, de kruiden in de akkers eromheen, de zon, de wind... De kruidige geur van druif marsanne, de verfijning van roussanne, de weelderige luxe fruitmandgeur van grenache blanc... Zuid-Frans wit is het jaar rond m'n lievelingswit.

COCHON VOLANT, CORBIÈRES 2012   € 7,50

Het probleem met Argentinië, Australië, Chili en de rest van de Nieuwe-Wereld-wijnlanden is dat ze serieus genomen willen worden. Een echte wijnboer interesseert dat geen rode biet. Die wil gewoon lekkere wijn maken. Vrolijke, karaktervolle wijn met de smaak van ouderwets plezier uit de tijd dat iedereen nog fietste en een pet droeg, en de radio een wonder was. Zacht zonnig wit van druiven viognier, grenache blanc en roussanne, vol rijp fruit met een pittig fris vleugje venkelgeur. Wijn die je kan savoureren bij een hoogstaand diner waar de president-directeur-generaal of de Koning een vorkje meeprikt, zeker, maar die zich beter thuis voelt in bistro of dorpsherberg, waar de uitbater een koelparelende fles met een klap op tafel zet: 'Er staat allemaal lekkers op tafel, en dít drinken we erbij!' En daarna de rode.

ITALIË

IL MERIDIONE, TERRE SICILIANE, CATARRATTO 2012   € 5,75

Prosecco is nog steeds reuze in de mode. Waarschijnlijk doordat het schuimt, Italiaans is dus in een goed gedesignde fles met hip etiket zit, en toch goedkoop is. Achteloos vragen: 'Wil je een glas prosecco?' en dan na een knal de flûtes volschenken, dat doet het goed. Jammer alleen dat het zelden te zuipen is. Schuimt je neus uit, smaakt naar die grote brokken roze Donald-Duckkauwgum van vroeger en tatoeeert ten slotte met scheermesscherpe zuren de slokdarm. Tenminste, zo is de gemiddelde prosecco. Er is erger, ruikend naar die doje kippen die de wijnboer al een jaar kwijt was, en er is gelukkig ook wat beter. Maar zelfs de beste komt niet in de buurt van het plezier dat deze witte Italiaan biedt. Ja, hij heeft geen belletjes. Nou en? Daarentegen is hij vrolijk fruitig en kruidig zonder pretenties. Eerlijke eenvoud. En als u toch schuim in uw glas wilt, neemt u maar een pilsje. Oók meer karakter dan prosecco.

SPANJE

BY THE GRAPE, ALICANTE, AIRÉN/MACABEO 2012 € 5,00

Van La Bodega de Pinoso. Huiswijn van de idyllische landloper. Geurend naar korenbloemen, hooibergen, blauwe luchten, munt (het kruid, niet pecunia) en de harde stenen onder je kapotte schoenen.

PARRA BY THE GRAPE, LA MANCHA, VERDEJO 2012 € 6,00

Harminke, tot voor kort werkzaam bij deze fijne uitgeverette, nu op zoek naar nieuwe uitdagingen, want zo is de jeugd, altijd maar vleugels uitslaan, is nooit mijn redacteur geweest. Daar heeft ze veel aan gemist. Mijn *Elsevier*-redacteur Anouk wist het wel: 'Zullen we nog effe overleggen over je vurrukkullukku-witte-wijnen-uit-Zuid-Frankrijkstukje? Nee hoor, ik kom wel naar jou. Uurtje of vijf?'

Podium is bij mij om de hoek, dus de flessen komen naar je toe, als je daar redactrice bent. Hoe stilletjes ik mijn goede daden ook doe, iedereen in het pand, tot Harminke van heel hoog met geknakte enkel, moet dan in enen beneden Jessica iets dringends vragen. Harminke is dus nooit mijn redacteur geweest, maar ze heeft weleens mijn leven gered. Lang geleden en in Rotterdam. Daar was een Feest Van Het Boek, en omdat literatuur mooi is maar je er wel iets bij te drinken moet hebben, was ik neergezet in een kraam met m'n drinkleesboeken en fiks wat flessen. Later op de avond zouden de heren R. Giphart en P. Wind me doorzagen

over wijn en me met een kous over de kop laten blindproeven. Dat laatste leek me nogal genoeglijk en bleek
het ook, maar zo achter een tafel vol met de werkjes
mijner handen voel ik me altijd ernstig opgelaten, dus
tracht ik net als de uil van Merlijn te kijken alsof ik
afwezig ben. Dat lukt goed. Ik hoef niet met wildvreemden over m'n boekjes te praten, niemand ziet ze. 'Twee
wit, twee rood!' 'Een rode wijn, drie rosé!' 'Zes bier!'
Was ik m'n *Elsevier*-redacteur, ik was riant binnengelo-
pen, maar ik ben ik, dus leg gans de feestelijke avond en
nacht 4711 keer sullig uit dat ik niet de horeca, maar van
de boekjes ben en dat de wijn om te proeven en dus
gratis is. 'Maar waarom heb je geen bier dan?' Ik zou me
graag verhangen in de toiletten, maar weet niemand te
vragen waar die zijn en bovendien, hoe moet dat dan
later met Ronald en Pierre? En dan wervelt daar ineens
m'n beschermengel binnen, voor deze keer getooid met
glanzend roodbruin haar en stralende ogen en hartverwarmende glimlach en overrompelend enthousiasme.
Tien minuutjes later danst ze weer weg, en ik kan de
wereld weer aan. Harminke. Je leek op m'n schoolvrien-
dinnetje ook nog, die avond. Bij je afscheidsborrel
dronken we deze wijn vol verlangen naar een nieuwe
lente, een nieuw begin.

QUADERNA VIA BY THE GRAPE, NAVARRA, € 7,00
GARNACHA BLANCA 2012

Zuid-Spaans wit, zo vol van smaak, zo zonnig geurend naar fruit, anijs, venkel, een vleugje tijm of rozemarijn: zo lekker, zo onbegrijpelijk dat het zo onbekend is.

ROSÉ

FRANKRIJK

CHÂTEAU DE CARAGUILHES, CORBIÈRES ROSÉ 2012 🚲 € 8,00 🍷🍷🍷🍷

Geregeld vind ik ze op m'n pad. Afgetrapte lieverds die tevergeefs de binnenweggetjes naar het geluk hebben bewandeld, en nu sukkels als ik met een vaag lulverhaal wat euro's trachten af te troggelen. Geen probleem. Je zou maar zo aan de kost moeten komen. Iedere buurtzwerver die z'n oma moet begraven en zodoende ook deze week weer een treinkaartje naar Groningen moet bekostigen, kan op mijn sympathie en wat drinkgeld rekenen. Maar ik ga geen vieze wijn drinken. Geestverwanten van de buurtzwerver, gladjes in te groot colporteurspak en met nylon strop voor, adverteren met fijne wijn. En zulke beroemde wijnen ook nog. We zijn gek als we niet profiteren. Echte chablis/châteauneuf/barolo/noemtumaareenbekendewijnnaam uit een TOPJAAR! Voor bijna niks! Ja, daar moet je kenner voor zijn, om zulke koopjes te weten spotten! Wat? Tuurlijk is het goed! Echte appellation/cru/classico/riserva! Nogal wat mensen (bijna altijd mannen, lijdend aan poeha) geloven daarin. Ze sterven eenzaam en ruiken al lang voordien teleurgesteld uit hun mond. Ja, het kan een kostelijke vondst zijn, wijn uit zo'n fijne advertentie. Maar heel waarschijnlijk is het niet. Want een echt kostelijke vondst kun je goed verkopen. Die hoeft niet weg met de voet tussen de deur, voor de helft van het geld en met voor de snelle beslissers ook nog een kortingsbon als we meteen per dozijn gaan inslaan. Dat mensen erin trappen, komt omdat ze denken dat chablis/châteauneuf/enzovoort een kwaliteitsmerk is. Altijd goed. Maar de chablis uit de aanbieding is niet goedkoop omdat de handelaar zo kien is, maar doordat de chablis zo beroerd is. Wilt u lekkere wijn voor niet te veel geld? Zoek buiten de gebaande paadjes bij de beste importeurs. Ja, dat lijkt aan de prijs, maar is voor de kwaliteit een koopje. Neem nou deze rosé. Kiest menig zogenaamd vermaarde Provence-rosé het hazenpad voor.

ROOD

FRANKRIJK
Languedoc-Roussillon

CHÂTEAU DE CARAGUILHES, CORBIÈRES 2012 € 8,00

Nee, dit is geen vergissing. Het is de Caraguilhes die jaren bij Appie te koop was. En nu
dus hier. Overgelopen, weggekocht als een
voetballer, ontvoerd, verleid door liefde? De
wijnwereld zwijgt. Ook dit oogstjaar, ook bij
z'n nieuwe baas/liefde/onderdrukker, wederom
heerlijke pure wijn van Zuid-Franse wijnranken. Opgewekt landelijk. Verfijnd van smaak,
vol donker fruit, met wat kreupelhout en een
geurspoor van wild everzwijn. Smaakt wel heel
deftig, dit jaar. Meer grootgrondbezitter dan keuterboer.
Ik houd meer van de keuterboer, zoals de corbières van
Domaine des 2 Ânes, maar ieder z'n meug. En het fijne
van deze is dat hij ondanks al z'n deftigheid reuze
gezellig is gebleven.

COCHON VOLANT, CORBIÈRES 2011 € 7,50

Charmant fruitig-kruidige corbières. Minder
deftig en complex dan de Caraguilhes. Wel zo
gezellig. Ze maken het voor ons wel onoverzichtelijk, The Bijdedruivers, met al die corbières die allemaal zo goed als even lekker zijn.

ITALIË

BARBERA DA VINE, PIEMONTE 2009   € 8,50

Dit is barbera zoals ik 'm wil. Vrolijk paars, een piets koolzuur, veel vrolijk kersenfruit, frisse zuren en een klein bittertje dat ervoor zorgt dat het niet onopgemerkt blijft. De Italiaanse beaujolais? Mja, maar dan wel een goede, en met de nadruk op het onmiskenbaar Italiaanse karakter. Met pin-up op wijnvat als etiket, ook nog. Koelen!

OOSTENRIJK

MEINKLANG BY THE GRAPE, ZWEIGELT 2012   € 9,75

Zweigelt, ook wel Zweigeltrebe of Blauer Zweigelt, is de populairste rode druif van Oostenrijk. Hij heet naar z'n schepper, dr. Zweigelt, een leerling en goede vriend van prof. dr. Frankenstein, die 'm in 1922 deed ontstaan uit een kruising tussen st-laurent en blaufränkisch. Wat bezielt zo'n man, denk je. Moet-ie niet de charleston dansen met een travestiet in een obscure Berlijnse nachtclub?

Zo vaak is het niet de roaring twenties, en zeker niet in toen überhip Berlijn. Neen. Heer professor arbeidde kloek voort. De pit en beet van de laatste (blaufränkisch, niet de travestiet) wou hij in z'n druif, plus, was het idee, de verleidelijke fruitige charme van st-laurent. Is in deze wijn nou ook eens echt te proeven. Stoer en charmant rood, welgemanierd, ondeugend, geurend naar verboden fruit en dure sigaren. Peperig, spannend als een boek voor grote jongens. En puur en zuiver, want gefabriekt 'nach dem Rhythmus der Gestirne', oftewel biodynamisch.

SPANJE

BY THE GRAPE, ALICANTE, MONASTRELL 2011   € 5,00

Ik heb een oudtante die de toekomst voorspelt. Gut, da's nou handig zult u zeggen, maar nee. Ze leest geen hand om te zeggen in welke louche kroeg ik nou eindelijk eens een willig blond mokkel op m'n levenspad kan verwachten, van alle gemakken voorzien, en nog gefortuneerd en op de hoogte van de betere sherry's bovendien, noch vertelt ze welk lottobriefje ik moet kopen of op welk paard ik moet gokken. Ze grossiert liever in doem en verderf. Dat valt vooralsnog – Gode zij dank – onder het leed dat nooit op komt dagen, doch doet me soms twijfelen aan oudtantes gaven. En die van haar collega's. Niet dat ik nou zo veeleisend ben, maar als je de toekomst kunt voorspellen, oudtante en aanverwante beroepsgroep, dan had je mij en de rest van de mensheid toch ruim op voorhand kunnen verwittigen van de naderende abdicatie van Hare Majesteit, Zijne Heiligheid en Onze Emmelie van de uitgeverij van m'n boekjes? En ons allen bijtijds waarschuwen voor 11 september 2001, tsunami's, aardbevingen, koersval? Inbegrepen het kwalijke kindeke Hitler, de pest, Nero, de meteoriet die de dino's op hun kop kregen en de bijsluiter dat helderzienden zunig zijn met zinnige informatie? Had ik op z'n minst een paar keer per eeuw een goede beurt kunnen maken bij de redactie van de courant waar ik voor schrijf. Ik moet het allemaal weer zelf doen. Bij deze dan. Ik heb diep in de kelk gekeken en voorzeg u: daar gaat de wereldbevolking gelukkig van worden, van die nieuwe huiswijn van By the Grape. Een monastrell (mourvèdre, zeggen ze in Frankrijk) uit Alicante, Zuidoost-Spanje, waar het zonnig en arm is. Afkomstig uit de kelders van Bodega la Pinoso (vanaf vijf euro bij denieuweband.nl), hofleverancier van omfietswijnen voor de *Omfietswijngids*. Arm en warm is goed voor wijn. Dan gaat de wijnboer geen aanstellerij maken, maar lekkere wijn zonder poespas. Gespierd charmant rood in dit geval, gezellig geurend naar een Spaans Asterix-dorpje waar zo meteen het feest gaat beginnen. Het beste van vroeger en nu, dat is lekker, zie ik in de toekomst.

PARRA BY THE GRAPE, LA MANCHA, TEMPRANILLO 2012 € 6,00

Ook dit oogstjaar weer goedgemutst en blij van zin, gul voorzien van bessen en kersen en ander vrolijk zonnigs van Moeder Natuur, plus wat opstapjes tot mooie gedachten over geld geven aan goede doelen, het morsig proletariaat en andere behoeftigen, nu écht eens braaf het afval gaan scheiden, gezinsleden minder vaak slaan, het voornemen koesteren ook andere groenten dan friet te gaan eten, proberen te stoppen voor rood, ook als er mensen oversteken, en het leiden van een reiner leven in het algemeen. Maar vooraleerst: hier ruim van inslaan.

QUADERNA VIA BY THE GRAPE, NAVARRA, TEMPRANILLO, MERLOT, CABERNET SAUVIGNON 2011 € 7,00

Black label, dat is toch whisky, en die suffe Spaanse wijn van, hoe heet-ie, Torres? Ja. Maar ook elders geeft zo'n smokingkleurig etiket aan dat we hier met luxe en verfijning van doen hebben. En gelukkig hoeft dat bij By The Grape niet duur te zijn. Geen geld, deze fijne, kruidige Quaderna Via uit Navarra!

OVERIGE WIJNEN

WIT

Lionel Faivre By the Grape, corbières 2011 (FR) € 9,50
Fruitig, kruidig, munt. Rijk en vol. Fiets voor
twee euro minder om voor Cochon Volant.

Alta Alella By the Grape, cava brut nature (ES) € 13,50
Strakdroge fruitige schuimwijn.

Alta Alella By the Grape, € 9,75
pansa blanca (xarel-lo) 2012 (ES)
Vol fris en vrolijk fruit.

Alta Alella Parvus blanc, alella, chardonnay 2012 (ES) € 11,50
Vol vriendelijk rijp fruit.

Der Kleine Prinz, burgenland, grüner veltliner 2012 (AT) € 8,75
Fris, fruitig, vrolijk.

Fasoli Gino By the Grape, pinot grigio veronese 2012 (IT) € 9,00
Lekkere pinot grigio bestaat! Zacht en zonnig.

Joachim Flick, rheingau, hochheimer hölle, € 15,50
riesling spätlese trocken 2011 (DE)
Prima riesling: strakdroog druivig, rank, lang.

Joachim Flick, rheingau, hochheimer königin victoriaberg, € 14,50
riesling trocken 2011 (DE)
Fijne riesling: strakdroog druivig, citrus, ouderwets sjiek.

Joachim Flick, rheingau, riesling charta 2010 (DE) € 13,50
Luxueuze riesling met exotische geuren
– en dan die strakke rieslingzuren.

Meinklang By the Grape, burgenland, € 9,00
grüner veltliner 2012 (AT)
Druiven, bloesem, rijp, slank. Biodynamisch.

Meinklang, szikláfehér 2012 (AT) € 9,50
Zachtfruitig, pittig kruidig.

Tasi, prosecco 2012 (IT) € 15,00
Ook goede prosecco is onbestemd fruitig.

ROSÉ

Meinklang, Prosa, rosé 2012 (AT) € 9,75
Zachte, fruitige, vrolijke rosé met prik!

Parra By the Grape, la mancha, garnacha 2012 (ES) € 6,00
Vrolijk sappig fruitig.

Domaine de Panéry, Les Trois Garçons, € 7,00
pays du duché d'uzès 2012 (FR)
Licht, vrolijk, mollig.

ROOD

Lionel Faivre By the Grape, prestige, corbières 2011 (FR) € 15,00
Bijna twee keer zo duur als Château de Caraguilhes,
en smaakt slechts een pietsie deftiger.

Quaderna Via By the Grape, navarra, € 8,50
winemakers blend 2011 (ES)
Stevigfruitig met bescheiden hout.

Alta Alella, Dolç Mataro 2011 (halveliter) (ES) € 21,50
Machozoet.

Alta Alella, Parvus, alella, syrah 2010 (ES) € 14,50
Stoer fruitig en kruidig.

Château Peybonhomme-les-Tours, € 11,50
premières côtes de blaye 2011 (FR)
Streng doch goedertieren.

De Betere Wijn (FR) € 7,00
Soepel fruitig met pit.

Dominio Los Pinos Trio, valencia 2010 (ES) € 9,50
Fruit, peper, pit, vleug hout.

Dominio Los Pinos, valencia 2009 (ES) € 10,00
Zonnige bordeaux met Spaans temperament.

Fasoli Gino By the Grape, bardolino 2012 (IT) € 9,00
Vrolijk en pittig kersenfruit. Koelen!

Il Meridione, terre siciliane, nero d'avola 2011 (IT) € 5,75
Vol rijp donker fruit. Kruidig. Zonnig.

Kuyen, valle del maipo 2010 (CL) € 16,50
Vol rijp cassisfruit. Duur!

La Porta di Vertine, chianti classico 2009 (IT) € 16,50
Keurige klassieke classico.

Los Pinos 0, valencia 2012 (ES) € 10,00
Zonder sulfiet. Intens fruit. Wel saai.

Meinklang, burgenland, blauburgunder 11, 2011 (AT) € 11,00
Zacht en sierlijk fruitig.

COOP

▷ Spreiding: landelijk
▷ Aantal filialen: 135 plus 59 CoopCompact,
  37 SuperCoop en 24 neutraal
▷ Marktaandeel: 2,7%
▷ Voor meer informatie: www.coop.nl

Het kan zijn dat sommige wijnen uit dit hoofdstuk
niet te koop zijn bij Coop en CoopCompact,
maar slechts bij SuperCoop, dat een uitgebreider
en breder assortiment heeft. Medio 2012 heeft
Coop 52 C1000-winkels overgenomen die
worden omgebouwd naar de Coop-formule.

OMFIETSWIJNEN

ROOD

FRANKRIJK
Languedoc-Roussillon

LA BASTIDE DE MONTBRUN, CORBIÈRES 2011   € 5,49

Vol fruit, zonnige kruidengeuren en met dat lekkere
boerenerfaroma van corbières. Geef uw trouwe pachters
ook eens een fles.

Zuidwest

CHEVALIER DU LAC, COMTÉ TOLOSAN 2011   € 3,69

Sympathiek fruitige verre buur van bordeaux. Het
omfietsen wordt aanbevolen door de sympathieke prijs,
en aan eenieder die op weg is zich te bezondigen aan
schrale en tandenknersende rode bordeaux voor geen
geld, want daar komt slechts ellende van, en krampen
der darmen.

WEGGIETWIJNEN

WIT

SPANJE

PLATINO, MOSCATO € 3,99 ⊕

Zoetig schuim, riekend als een hevig geparfumeerde
hoerenmadam van een bordeel waarvan de waterleiding
al twee maanden is afgesloten. Niet durven proeven.
Wordt ook gebruikt als ontslakkingskuur voor olifanten.
Ook te koop bij Jan Linders.

WEGGIETWIJNEN | COOP

OVERIGE WIJNEN

WIT

Casa Alarcón, gran famila, tierra de castilla, viognier 2012 (ES) € 6,99 ⚌
Vriendelijk zachtfruitig.

Otra Vida, mendoza, chardonnay 2012 (AR)   € 4,49 ⚌
Zachtfruitig – met een vleug torrontés, lijkt
het wel. Ook te koop bij Jan Linders.

Cachet, winemaker's selection, Languedoc-   € 4,49 ⚱
Roussillon d'oc, chardonnay/viognier 2012 (FR)
Snoepjesfruit. Ook te koop bij Dekamarkt, Dirk van
den Broek, Hoogvliet, Jan Linders, Spar en Vomar.

Canti, prosecco, vino frizzante (IT)   € 5,99 ⚱
Frisfruitig met prik.

Canti, terre siciliane, catarratto/chardonnay 2012 (IT)   € 3,99 ⚱
Dunfruitig. Ook te koop bij Poiesz.

Francesco Yello, prosecco, vino frizzante (IT)   € 6,50 ⚱
Snoepjesfruitig met prik.

Freixenet, Ash Tree Estate, vino de la tierra de castilla,   € 4,25 ⚱
chardonnay/macabeo 2012 (ES)
Zachtfruitig met een vleug Dreft in het bouquet.
Ook te koop bij Hoogvliet, Jan Linders, Poiesz en Vomar.

Gato Negro, central valley, chardonnay 2013 (CL)   € 4,99 ⚱
Snoepjesfruitig. Ook te koop bij Dekamarkt,
Dirk van den Broek , Hoogvliet en Poiesz.

Gato Negro, central valley, sauvignon blanc 2013 (CL)   € 4,99 ⚱
Zuurtjesfruitig. Ook te koop bij Dekamarkt, Dirk van
den Broek, Hoogvliet, Jan Linders, Poiesz en Vomar.

Graves supérieures (FR)   € 4,99 ⚱
Zoet voor de moeder van Frits Egters. Ook te koop
bij Dekamarkt, Dirk van den Broek, Hoogvliet,
Jan Linders, MCD, Plus, Poiesz en Vomar.

Hanepoot, wes-kaap, effe soet vrugtige witwyn 2013 (ZA)   € 3,99 ⚱
Soete limonade. Ook te koop bij Dirk
van den Broek en Poiesz.

Isla Negra high tide, valle central, sauvignon blanc 2012 (CL)   € 5,99 ⚱
Zuurtjesfruitige sauvignon.

Las primas, gran famila, tierra de castilla,   € 6,99 ⚱
airén/verdejo 2012 (ES)
Snoepjesfruitig.

Monte Nobile, terre siciliane, grillo 2012 (IT)   € 6,99   🍷
Vaag fruitig.

Villa Maria, private bin, marlborough,   € 8,99   🍷
sauvignon blanc 2012 (NZ)
Hardvochtig frisfruitig. Ook te koop
bij Hoogvliet, Plus en Vomar.

Deinhard, pfalz, pinot blanc 2012 (DE)   € 5,49
Best duur voor zoiets zuurs.

Deinhard, rheinhessen, riesling 2011 (DE)   € 5,49
Druivig, met prikkeldraadzuren.

Henkell, sekt, trocken (DE)   € 8,49
Zuurtjesfruit met prik en wat schuurpapier.
Ook te koop bij Deen en MCD.

ROSÉ

Marqués de Cáceres, rioja rosado 2012 (ES)   € 7,49   🍷🍷🍷
Sappig rood fruit, beetje kruidig. Prijzig.

Freixenet, Ash Tree Estate, vino de la tierra de castilla,   € 3,99   🍷🍷
bobal/cabernet 2011 (ES)
Stevigfruitig, maar wat stoffig. Ook te koop bij
Hoogvliet, Jan Linders, Poiesz en Vomar.

Candeline, côtes de provence 2012 (FR)   € 5,99   🍷
Bescheiden fruitig.

Francesco Yello, rosato frizzante (IT)   € 6,50   🍷
Snoepjesfruitig met prik.

Cachet, winemaker's selection, pays d'oc,   € 4,49
grenache/shiraz 2012 (FR)
Treurig snoepjesfruit. Ook te koop
bij Jan Linders en Vomar.

Henkell, sekt, rosé trocken (DE)   € 8,49
Snoepjesfruit met prik en tenenkaas.
Ook te koop bij Deen en MCD.

ROOD

L'Excellence de Saint-Laurent, saint-chinian 2011 (FR)   € 5,99   🍷🍷🍷
Charmant rustiek fruitig en kruidig.

La Bastide de montbrun, réserve spéciale corbières 2009 (FR)   € 7,99   🍷🍷🍷
Vol fruit en zonnige kruidengeuren plus wat hout.

Buzet, merlot cabernet 2009 (FR)   € 3,99   🍷🍷
Fruitiger dan menig buurtje uit Bordeaux.
Ook te koop bij Dekamarkt, Dirk van den
Broek, Hoogvliet, Jan Linders en Vomar.

Château Pascaud, bordeaux supérieur 2010 (FR)   € 6,99   🍷🍷
Ietwat boers, maar vol stevig fruit.

Domaine de Lhiot, buzet, merlot cabernet 2011 (FR)   € 7,99   🍷🍷
Slank en fruitig familielid van bordeaux.

Isla Negra high tide, valle central,   € 5,99   🍷🍷
cabernet sauvignon 2011 (CL)
Vol rijp bessenfruit.

Isla Negra reserva, valle central, merlot 2012 (CL)   € 4,99   🍷🍷
Soepel fruit met een hapje merlotleer.
Ook te koop bij Vomar.

Otra Vida, mendoza, malbec 2012 (AR)   € 4,49   🍷🍷
Vol soepel fruit. Ook te koop bij Jan Linders.

Zuydpunt, western cape, cabernet sauvignon shiraz 2012 (ZA) € 5,99   🍷🍷
Aards en stevigfruitig. Ook te koop bij Hoogvliet,
Jan Linders, MCD, Poiesz en Vomar.

Baron de Lestac, bordeaux 2010 (FR)   € 5,99   🍷
Fruit, hout en schurende afdronk.
Ook te koop bij Jan Linders.

Cachet, winemaker's selection, pays d'oc,   € 4,49   🍷
cabernet/shiraz2012 (FR)
Bars en mistroostig. Ook te koop bij
Hoogvliet en Jan Linders.

Freixenet, Ash Tree Estate, vino de la tierra de castilla,   € 4,25   🍷
shiraz monastrell 2012 (ES)
Somber en ernstig droppig. Drinken bij rampspoed.
Ook te koop bij Hoogvliet, Jan Linders, Poiesz en Vomar.

Gato Negro, central valley, cabernet sauvignon 2012 (CL)   € 4,99   🍷
Keurig cassisfruitig. Ook te koop bij Dekamarkt, Dirk
van den Broek, Hoogvliet, Jan Linders, Poiesz en Vomar.

La Châsse du Pape, Tradition, côtes du rhône 2012 (FR)   € 4,99   🍷
Karig fruitig. Ook te koop bij Dekamarkt, Dirk
van den Broek, MCD, Poiesz en Vomar.

La Châsse, pays d'oc, merlot 2012 (FR)   € 4,99   🍷
Droppig en dun. Ook te koop bij Poiesz en Vomar.

Las primas, gran famila, tierra de castilla,   € 6,99   🍷
tempranillo 2011 (ES)
Zachtfruitig.

Monte Nobile, terre siciliane, nero d'avola 2012 (IT)   € 6,99
Vol donker fruit.

Schoondal, western cape, cape red 2012 (ZA)   € 1,99
Soepel fruitig. Voor de prijs best aanvaardbaar.
Ook te koop bij Dekamarkt, Dirk van den
Broek, Hoogvliet en Jan Linders.

Tor del Colle, riserva, montepulciano d'abruzzo 2008 (IT)   € 4,99
Donkerfruitig, iets aangebrand.

**Villa Maria, private bin, hawkes bay,
merlot cabernet sauvignon 2011** (NZ)   € 9,99
Suffe Nieuw-Zeelandse bordeaux.

**Willowbank, south eastern australia,
shiraz/cabernet 2012** (AU)   € 5,79
Ietwat dunfruitig.

Canti, puglia, negroamaro zinfandel 2012 (IT)   € 3,99
Dunne dropdrank voor lieden met kwaad in de zin.

DEEN

▷ Spreiding: Flevoland en Noord-Holland
▷ Aantal filialen: 64
▷ Marktaandeel: 2,0%
▷ Voor meer informatie: 0229 - 25 21 00 of www.deen.nl

OVERIGE WIJNEN

ROOD

Marques de riscal, viña collada, rioja 2009 (ES)   € 5,99
Een bordeauxachtige rioja.

**Willowbank, south eastern australia,
shiraz/cabernet 2012** (AU)   € 5,79
Ietwat dunfruitig.

DEKAMARKT

▷ Spreiding: Drenthe, Flevoland, Friesland, Gelderland, Noord-Holland en Zuid-Holland
▷ Aantal filialen: 85
▷ Marktaandeel: 2,1%
▷ Voor meer informatie: 0251 - 27 66 66
  of www.dekamarkt.nl

Dekamarkt heeft een online wijnwinkel, www.dekawijnmarkt.nl, waar sommige wijnen uitsluitend verkrijgbaar zijn.

OMFIETSWIJNEN

WIT

ITALIË

CODICI, PUGLIA, BOMBINO 2012 € 3,29 ♟♟

Niet zo verleidelijk als eerdere oogsten, wel nog steeds opgewekt fruitig met wat zonnige kruidige geuren. Het omfietsen waard omdat het in deze prijsklasse toch bijzonder is, wijn die keurig drinkbaar is voor feesten en partijen op financieel aanvaardbare grondslag.

TERRAZZANO, € 3,99 ♟♟♟
VERDICCHIO DEI CASTELLI DI JESI CLASSICO 2012

In 1952 kwam mijnheer Fazi-Battaglia op het onzalige idee de fles voor z'n verdicchio te modelleren naar Gina Lollobrigida. Mensen riepen niet 'seksist!' maar trapten er vrolijk in. Geen wonder, ze reden ook in een mint-groene Buick met staartvinnen en wisten dus niet beter. De laatste paar decennia associeert iedere weldenkende consument die wulpse fles met de kantine van een louche bordeel. Maar toch: de tijden veranderen. Serieuze verdicchio-producenten bottelen het werk hunner handen in een fatsoenlijke fles. Hadden ze niet hoeven doen, want retrokitsch is reuze hip. Veel belangrijker echter: verdicchio met de rare lange naam kan lekker zijn. Sappig fruit met een vleug anijs, wat verse kruiden, gepaste vrolijkheid voor eenvoudige lieden. Mede door de vriendelijke prijs het omfietsen waard.

ROSÉ

ITALIË

CODICI, PUGLIA ROSATO 2012 € 3,29

Stevigfruitige rosé van eenvoudige komaf. Niet feilloos, maar hij bedoelt het goed. Mede door z'n gastvrije prijs het omfietsen waard.

ROOD

FRANKRIJK
Languedoc-Roussillon

MAS DE MONTBRUN, € 5,49 ♟♟♟

CORBIÈRES SÉLECTION DE VIEILLES VIGNES 2011

Prachtig diep donkergroen zijn de wanden in het Rijksmuseum. 'Noir des vignes,' zegt Wim Pijbes. Wijnrankgroen. Donkerder nog dan het Amsterdams groen van brugleuningen. In de verte zie ik dat vergulde lijsten er schitterend op uitkomen. Dichterbij mag ik niet komen: de beveiliging is doodsbenauwd dat ik een vers opgehangen Ruysdaeltje gap. In 2011 vroeg Wim Pijbes of ik tijdens de Uitmarkt omfietswijnen wilde schenken in de onderdoorgang. Na lang aarzelen was ik oktober 2012 zo brutaal te vragen of hij me het hernieuwde Rijks kon laten zien. Het kon. Als allerlaatste voor de officiële opening. De wijn bij het weergaloos mooie museum? Ik schonk Wim Pijbes als dank een fles puur-natuur-côtes-du-rhône van Gramenon van hun oudste wijngaard. Sommige grenacheranken zijn geplant terwijl de eerste palen voor het Rijksmuseum werden geheid. Zo oud zijn de ranken niet: slechts van 1907... Vol fruit en met dat lekkere boerenerfaroma van corbières. Boerenerf? Jawel. En nee, dat beduidt niet koeienvlaaien en gebrekkige riolering. Goede corbières als deze heeft tussen het rijpe donkere fruit een fijne vleug boerenlandleven uit de tijd van Ruysdael.

OMFIETSWIJNEN | DEKAMARKT

ITALIË

CODICI, SALENTO ROSSO 2012 € 3,29

Zonovergoten Zuid-Italiaans voor een prijs uit de tijd van *Il Postino*. Ook dit jaar weer net zo simpel en hartverwarmend als die film. Vol rijp donker fruit met een bries pittige kruiderij. Mede door de prijs omfietswijn.

WEGGIETWIJNEN

WIT

ITALIË

VILLA MONDI, SOAVE 2012   € 2,99 ⊛

Onder het dunne fruit de geur van oude schuursponsjes.
Heeft de piskleur van katerige oogballen, rokersvingers
en het vergeelde haar van oude mannetjes in Carmig-
gelt-kroegen. Ook te koop bij Dirk van den Broek en
Spar.

OVERIGE WIJNEN

WIT

Villa Cornaro, veneto, pinot grigio 2012 (IT) € 3,29
Dun en onrijp. Ook te koop bij Dirk van den Broek.

ROOD

Mas de montbrun, réserve spéciale, corbières 2009 (FR) € 7,99 ♟♟♟
Vol fruit en zonnige kruidengeuren plus wat hout.

Castillo de Almansa, almansa, reserva 2009 (ES) € 5,29 ♟
Hout en zacht fruit. Ook te koop bij Dirk van den Broek.

Willowglen, south eastern australia, € 5,79 ♟
shiraz/cabernet 2012 (AU)
Ietwat dunfruitig.

Villa Mondi, bardolino 2012 (IT) € 3,99
Zuinig aan wat onrijp fruit, verpakt in slecht humeur.
Ook te koop bij Dirk van den Broek en Spar.

DIRK VAN DEN BROEK

▷ Spreiding: landelijk
▷ Aantal filialen: 99 (waarvan 30 Bas van der Heijden-
  en 16 Digros-supermarkten, en 53 Dirk-winkels)
▷ Marktaandeel: 3,9%
▷ Voor meer informatie: 0252 - 24 56 79 of info@dirk.nl

OMFIETSWIJNEN

WIT

FRANKRIJK
Zuidwest

LALANDE, BLANC, CÔTES DE GASCOGNE 2012   € 3,49 ♈♈♈

Niet zoals veel gascogne perensnoepjesachtig, maar de geur van echte sappige peren! Fris, goed droog, toch fruitig zacht. En te geef. Dank, Dirk!

ITALIË

CODICI, PUGLIA, BOMBINO 2012   € 3,29 ♈♈

Niet zo verleidelijk als eerdere oogsten, wel nog steeds opgewekt fruitig met wat zonnige kruidige geuren. Het omfietsen waard omdat het in deze prijsklasse toch bijzonder is, wijn die keurig drinkbaar is voor feesten en partijen op financieel aanvaardbare grondslag.

TERRAZZANO, € 3,99 🚲🚲🚲
VERDICCHIO DEI CASTELLI DI JESI CLASSICO 2012

In 1952 kwam mijnheer Fazi-Battaglia op het onzalige idee de fles voor z'n verdicchio te modelleren naar Gina Lollobrigida. Mensen riepen niet 'seksist!' maar trapten er vrolijk in. Geen wonder, ze reden ook in een mint-groene Buick met staartvinnen en wisten dus niet beter. De laatste paar decennia associeert iedere weldenkende consument die wulpse fles met de kantine van een louche bordeel. Maar toch: de tijden veranderen. Serieuze verdicchio-producenten bottelen het werk hunner handen in een fatsoenlijke fles. Hadden ze niet hoeven doen, want retrokitsch is reuze hip. Veel belangrijker echter: verdicchio met de rare lange naam kan lekker zijn. Sappig fruit met een vleug anijs, wat verse kruiden, gepaste vrolijkheid voor eenvoudige lieden. Mede door de vriendelijke prijs het omfietsen waard.

OMFIETSWIJNEN | DIRK VAN DEN BROEK

ROSÉ

ITALIË

CODICI, PUGLIA ROSATO 2012 € 3,29

Stevigfruitige rosé van eenvoudige komaf. Niet feilloos, maar hij bedoelt het goed. Mede door z'n gastvrije prijs het omfietsen waard.

ROOD

FRANKRIJK
Zuidwest

GRASSA FAMILY VINEYARDS, LALANDE,   € 3,49
COMTÉ TOLOSAN 2011

Sympathiek fruitige verre achterbuur van bordeaux met een mooi hapje tannine. Het omfietsen wordt aanbevolen door de sympathieke prijs, en aan eenieder die op weg is zich te bezondigen aan schrale en tandenknersende rode bordeaux voor geen geld, want daar komt slechts ellende van, en krampen der darmen.

ITALIË

CODICI, SALENTO ROSSO 2012   € 3,29

Zonovergoten Zuid-Italiaans voor een prijs uit de tijd van *Il Postino*. Ook dit jaar weer net zo simpel en hartverwarmend als die film. Vol rijp donker fruit met een bries pittige kruiderij. Mede door de prijs omfietswijn.

OMFIETSWIJNEN | DIRK VAN DEN BROEK

OVERIGE WIJNEN

WIT

Klein Kasteelberg, swartland, chardonnay 2013 (ZA) Snoepjesfruit.	€ 4,09	🍷
Pampas del Sur select, mendoza, chardonnay-chenin 2012 (AR) Zacht, maar zuur aan 't end.	€ 3,99	🍷
Songloed, wes kaap, colombard/chardonnay 2013 (ZA) Zuurtjesfruit.	€ 3,99	🍷
Tall Horse, western cape, chardonnay 2013 (ZA) Snoepjesfruit.	€ 4,49	🍷
Tall Horse, western cape, sauvignon blanc 2013 (ZA) Zuurtjesfruit.	€ 4,49	🍷
Alto Plano reserva, valle central, chardonnay 2012 (CL) Zompig snoepjesfruit. Ook te koop bij Dekamarkt.	€ 3,99	
Alto Plano reserva, valle central, sauvignon blanc 2012 (CL) Verlepte kool met zuurtjesafdronk. Ook te koop bij Dekamarkt.	€ 3,99	
Pampas del Sur vineyard's expressions, mendoza, chardonnay 2012 (AR) Plasticrozengeur, met gebitverwoestend zuur.	€ 4,99	
Pampas del Sur, white wine (AR) Zachtfruit met wat haarolie van Snuf en Snuitje. Ook te koop bij Dekamarkt.	€ 2,99	

ROSÉ

Campo Nuevo, navarra, rosé 2012 (ES) Zuurtjesfruit.	€ 3,49	🍷
Pampas del Sur, merlot/malbec rosé 2013 (AR) Snoepjesfruitig.	€ 3,79	🍷
Tall Horse, western cape, pinotage rosé 2012 (ZA) Snoepjesfruit.	€ 4,49	🍷
Alto Plano reserva, valle central, cabernet sauvignon rosé 2012 (CL) Louche snoepjesfruit.	€ 3,99	

ROOD

Klein Kasteelberg, private bin, swartland, merlot 2012 (ZA) € 4,09 🍷🍷
Vol rijp donker fruit met stoer merlotleer.

Songloed, weskaap, pinotage/ruby cabernet 2012 (ZA) € 3,99 🍷🍷
Vrolijk ongemanierde bekvol fruit
van achterbuurtdruiven.

Songloed, weskaap, shiraz/merlot 2012 (ZA) € 3,99 🍷🍷
Volfruitige merlot met pepersyrah ter ondersteuning.

Alto Plano reserva, valle central, € 3,99 🍷
cabernet sauvignon 2012 (CL)
Eenvoudig fruitig. Ook te koop bij Dekamarkt.

Alto Plano reserva, valle central, merlot 2012 (CL) € 3,99 🍷
Eenvoudig fruitig. Ook te koop bij Dekamarkt.

Cachet, winemaker's selection, pays d'oc, € 4,49 🍷
merlot/cabernet 2012 (FR)
Schraal fruit en drop met mistroostige afdronk. Ook te
koop bij Dekamarkt, Hoogvliet, Jan Linders en Vomar.

Klein Kasteelberg, swartland, pinotage 2012 (ZA) € 4,09 🍷
Stevigfruitig, aards.

Pampas del Sur select, mendoza, shiraz/malbec 2012 (AR) € 3,99 🍷
Droppig.

Pampas del Sur vineyard's expressions, € 4,99 🍷
mendoza, merlot 2012 (AR)
Stevigfruitig.

Pampas del Sur vineyard's expressions, € 4,99 🍷
mendoza, pinot noir 2012 (AR)
Zachte drop.

Pampas del Sur, mendoza, red wine (AR) € 3,19 🍷
Dropwijn.

Tall Horse, western cape, merlot 2012 (ZA) € 4,49 🍷
Zachtlederen merlot. Ook te koop bij Dekamarkt.

Tall Horse, western cape, shiraz 2012 (ZA) € 4,49 🍷
Mollig zachtfruitig. Nou niet bepaald karakteristiek
shiraz. Ook te koop bij Dekamarkt.

Encinar, spanish red wine (drieliterpak) (ES) € 7,99
Drie liter grove drop. Ook te koop bij Dekamarkt.

Sensi, chianti montalbano 2011 (IT) € 4,99
Armzalig chianti'tje. Ook te koop bij Dekamarkt en Spar.

EKOPLAZA

▷ Spreiding: landelijk
▷ Aantal filialen: 54
▷ Marktaandeel: klein
▷ Voor meer informatie: www.ekoplaza.nl

OMFIETSWIJNEN

WIT

FRANKRIJK
Champagne

BRUNO MICHEL, CHAMPAGNE PREMIER CRU,   €35,95
BLANC DE BLANCS

Vriend C. aan de lijn: 'Ik heb een wijn uit je *Omfietswijngids* gekocht!' Hij klonk nogal ontredderd. 'En ik vond 'm lekker!' Ja, dat zijn de complimenten waarop je zit te wachten. Toch, ik snapte C. wel. Als je je dagelijkse drinken bij de wijnveilingen van Christie's en Sotheby's betrekt, ben je allicht geneigd zo'n meer op de modale beurs gericht gidsje te zien als nuttig voor je minder vermogende pachters (C. heerst over wat voorvaderlijke landerijen en dorpen in Schotland), maar niet als leiddraad voor eigen consumptie. Zijn Nederlandse echtvriendin las 'm echter voor over de biologische champagne van Bruno Michel: 'Dronken wij die ook niet laatst tijdens lunch bij The Fat Duck?' En zo fietst C. als hij hier is geregeld om naar Ekoplaza. 'Ze hadden nog nooit champagne per dozijn verkocht!' Verder koopt hij net als ik graag die straffe puurnatuurchampagnes van bolomey.nl en justaddwine.nl. Deze is wat zachter, en toch goed droog. Puur en zuiver als een onbevlekt ontvangen maagd, ruimschoots voorzien van fruit en de ontbijtgeur van geroosterd brood op een wit damasten tafelkleed.

Languedoc-Roussillon

PURE, VIN DE FRANCE, BLANC 2012   €6,99
Van Domaine de Bassac. Idyllische picknickwijn. Geurend naar bloemenweide, zon en warme huid.

Loire

CHÂTEAU GAILLARD, TOURAINE SAUVIGNON 2012 € 8,99

Al mag ik van Arjen Lubach niet in God geloven, zo'n zondagsschoolverleden raak je niet zomaar kwijt, dus leef ik biologisch. Ja, ook omdat het lekkerder is. Niet dat lekker mocht, van de aartsvaders van de natuurvriendelijke middenstand, fiks steiler en Siebelinkser in de leer dan mijn zondagsklasje. Maar ook daar hebben decadentie en verwildering der zeden toegeslagen. Dacht ik. Want ze verkopen er nu zelfs wufte producten als wijn! Hoewel, verkopen... De reïncarnaties van Rudolf Steiner en Helena Blavatski kunnen in alle gemoedsrust hun weg volgens het Astrale Plan vervolgen: in ieder geval in het door mij gefrequenteerde (dat woord heb ik nou altijd al eens willen gebruiken) filiaal van de supermarkt van Moeder Natuur staan de flessen wijn ernstig te verstoffen. Nordic-walkers, Birckenstocksloffers en andere linksdraaiende geitenbreiers blieven duidelijk geen wijn. Zo kende ik deze sauvignon van Kasteel Gaillard jarenlang slechts in ernstig verwaarloosde oudenvandagentoestand. Maar kijk, ergens heeft een frisse wind gewaaid, en hier hebben we zomaar een spartelverse 2012! Fris als het eerste lentebuitje boven een biologisch onderhouden bloemenweide. Een zomerbriesje, dikke wattenwolken, die zomervakantie in Zeeland toen m'n broertje, m'n neefje en ik ridders waren en een schat aan kostbare kiezels bewaakten en strandforten verdedigden tegen de zilte zee. Jaja, goede biodynamische wijn brengt meer boven dan een psychiater. En je gaat er ook van in God geloven, Arjen. Of op z'n minst in de *White Goddess* van Graves. Moeilijk? De *White Queen* van Alice kon alleen al voor het ontbijt zes onmogelijke dingen geloven.

ITALIË

PIZZOLATO, PROSECCO VINO FRIZZANTE   € 7,50

Druivig, en dat is voor proseccobegrippen al heel wat.
Goed droog, boers, ruig bijna. Zo, daar hebben ze niet
van terug in die wufte strandtent. Prosecco deugt niet,
maar als u het dan toch per se wil, neem dan deze. Bent
u meteen ook uw modieuze vriendinnenkring kwijt.
Want zo straf, dat blieven ze niet.

PURATO, TERRE SICILIANE,   € 6,15
CATARRATTO PINOT GRIGIO 2012

Van Feudo di Santa Tresa. Lekker anders wit, sappig,
rond, fruitig en pittig zonnig kruidig wit, vrolijk lang
nablijvend wit.

SPANJE

SAVIA VIVA, CAVA BRUT RESERVA   € 10,99

Vriendelijke, fruitige schuimwijn. Welopgevoed, schoongewassen en zuiver van hart,
benevens verleidelijk geurend. Voor cava iets
braaf, maar het vele fruit maakt dat goed.
Duur? De eerste de beste naar doje visjes
riekende kiloknallerchampagne kost het
dubbele!

ZUID-AFRIKA

HEAVEN ON EARTH, WESTERN CAPE, ORGANIC SWEET WINE (HALF FLESJE)

€ 7,95

Fair trade, biologisch. De druiven voor deze wijn hebben ze op een bedje van biologische rooibosthee en stro laten indrogen alvorens ze tot wijn te laten gisten. Tsja, je moet toch wat, tijdens de lange winteravonden. Een beetje het idee van de Toscaanse vin santo dus. Ondertussen geurt deze intens naar abrikozen, en is hij voluptueus zoet zonder ordinair of plakkerig te zijn. Een luxueuze zoete wijn.

ROSÉ

FRANKRIJK

PURE, VIN DE FRANCE, ROSÉ 2012 € 6,99

Van Domaine de Bassac. Prima zachtfruitige eerlijke rosé zonder poespas met de smaak van voor het eerst kamperen met je lief. En jawel: puur.

Bordeaux

CHÂTEAU AUGUSTE, BORDEAUX, ROSÉ 2012 € 8,25

Rosé? Is bordeaux daar niet veuls te deftig voor? Eigenlijk wel, maar dit is dan ook reuze deftige rosé. Echte bordeauxrosé. Behoorlijk straf en streng. Lekker straf en streng, want ook goed voorzien van fruit. Rosé voor wie rosé te wuft vindt.

OMFIETSWIJNEN | EKOPLAZA

ROOD

FRANKRIJK
Bordeaux

CHÂTEAU AUGUSTE, BORDEAUX, MERLOT 2010 € 8,25

Degelijke burgermansbordeaux. Goed fruit, zij het zeker
voor een merlot best streng. Daar is niks mis mee,
integendeel, en de smaak is helder en zuiver, dus was
u altijd al op zoek naar een biologische bordeaux met
rechtschapen principes, een bordeaux zoals heeroom en
de burgemeester 'm vroeger dronken, hier is-ie. Drinken bij *De heer van Jericho* van Edmond Nicolas. Heel
ruim.

Languedoc-Roussillon

PURE, ROUGE, PAYS D'OC 2011 € 7,15

Gezellig, fruitig en zomers kruidig landwijntje.
Wel een heel puur en zuiver landwijntje, waarin
niks wringt of stoort, een landwijntje dat soepel
slobbert maar toch karakter heeft.

SPANJE

QUINTO ARRIO, RIOJA, TINTO 2011   € 6,50

Liefhebbers van wee fruit en hard hout moeten elders winkelen, dit is rioja van nu. Kersenfruit geplukt door meisjes met kuiltjes in hun wangen als ze lachen, en in hun billen ook, specerijen uit *Duizend-en-een-nacht*, rokerig als een met de dijen gerolde Cubaanse sigaar. Puur, zuiver, helder en zeer verleidelijk. De druiven zijn tempranillo en garnacha; de wijn doet denken aan een hele mooie subtiele rhône, dus er zit waarschijnlijk veel garnacha in, in Frankrijk bekend onder de naam 'grenache' en ruim aanwezig in de Rhône.

OMFIETSWIJNEN | EKOPLAZA

OVERIGE WIJNEN

WIT

Diwald, niederösterreich, grüner veltliner 2012 (AT) € 8,99
Druiven, bloesem, fris en zacht. En steeds duurder.

Domaine de Bois d'Yver, € 21,25
chablis 1er cru montmain 2011 (FR)
Jong, afstandelijk, zuiver.

Feudo di Santa Tresa, rina ianca, € 10,00
terre siciliane, grillo viognier 2011 (IT)
Pittig kruidige grillo met zachtfruitige viognier.

La Corte del Pozzo, soave 2012 (IT) € 8,99
Vrolijke bloesemgeur, fris en dartel.
Iets goedkoper en ik fiets om.

Theodor Orb, rheinhessen, riesling trocken 2012 (DE) € 9,25
Zachtdroog druivige, plezant boerse riesling.

Cabirolblanc, tera alta, € 9,00
garnatxa blanca macabeu 2012 (ES)
Zachtfruitig, kruidig, wat zwaar.

Menade, rueda, verdejo 2012 (ES) € 8,75
Gezellig doch prijzig frisfruitig.

Mundo de Yuntero, bio, la mancha, € 6,00
airén macabeo verdejo 2012 (ES)
Vriendelijk zachtfruitig, met een lentefris briesje verdejo.

Pizzolato, Frederik, vino spumante brut, chardonnay (IT) € 11,50
Zachtfruitig. Niet de pit van P's prosecco.

Bio bio, chardonnay 2012 (IT) € 4,75
Armzalig fruitig.

Chimango, mendoza, chardonnay 2013 (AR) € 7,25
Riekt ondanks het natuurvriendelijk
werken immer kunstmatig.

Elemental reserva, casablanca valley, € 6,99
sauvignon blanc 2013 (CL)
Gemaakt van citroentjes.

ROSÉ

Chimango, mendoza, malbec rosé 2013 (AR) € 7,25
Manhaftig fruitige rosé.

ROOD

Cabirol, montsant, garnatxa tempranillo 2011 (ES)   € 9,00
Vol rijpe kersen en cacao.

Fasoli Gino, La Corte del Pozzo, bardolino 2012 (IT)   € 11,00
Opgewekt rood fruit, ernstig aan de prijs.

**Fasoli Gino, La Corte del Pozzo,
valpolicella ripasso 2010** (IT)   € 12,00
Vol rijp donker fruit.

**Feudo di Santa Tresa,
cerasuolo di vittoria classico 2011** (IT)   € 11,00
Wat neerslachtig donker fruit.

Feudo di Santa Tresa, sicilia, frappato 2012 (IT)   € 10,00
Fiets om naar de frappato van Les Généreux.

Insienne, sicilia, nero d'avola 2012 (IT)   € 6,99
Zonder toegevoegd sulfiet, maar ook
zonder veel karakter. Donker fruitig.

**Mundo de Yuntero, la mancha,
tempranillo syrah 2012** (ES)   € 6,00
Donker fruit met wat kruiderij.

Bio bio, merlot 2012 (IT)   € 4,75
Armzalig fruitig.

Chimango, mendoza, malbec 2012 (AR)   € 7,25
Soepel fruitig, iets droppig.

Diwald, selektion, niederösterreich, zweigelt 2011 (AT)   € 8,99
Stevig donker fruit. Wat kaal.

GALL & GALL

▷ Spreiding: landelijk
▷ Aantal filialen: 550
▷ Voor meer informatie: www.gall.nl

OMFIETSWIJNEN

WIT

ARGENTINIË

ALAMOS, MENDOZA, CHARDONNAY 2012   € 8,49 🍷🍷🍷

'Zo Wijnbuurman, weer druk wezen proeven?' 'Een dozijntje Catena doorgewerkt.' 'Catena, Catena… O, natuurlijk, die Argentijnen van Gall & Gall die ik zo lekker vind! Maar die ken je toch wel?' 'Zeker, maar nu was mevrouw Catena over de vloer, en het is natuurlijk leuk om met de grote baas zelf te proeven.' Buur plofte bijkans van afgunst. Diverse andere Catenafans idem. Proeven met Catena Zelve! En ook nog zomaar Laura mogen zeggen! En drie kussen bij het afscheid! Voor het zover was, had m'n Laura een vrolijk doch degelijk college gegeven over de Argentijnse wijnen in het algemeen en die van de familie Catena in het bijzonder. Dat Argentinië zo'n belangrijke wijnproducent is dankzij de immigranten in de negentiende eeuw, vertelde ze. Uit wijnlanden als Spanje en Italië kwamen die, en ze plantten bijna allemaal een wijngaardje, om net als vroeger thuis wat te drinken te hebben. Ook haar overgrootvader Nicola Catena, die in 1898 vanuit een klein Italiaans dorpje in de Marche in Argentinië arriveerde. Net zoals z'n collega-allochtonen maakte Nicola eerst zomaar wijn, voor eigen consumptie. En, vooruit, voor de buren, wat nieuwe vrienden, kennissen verderop, mensen die hadden gehoord dat zijn wijn zo lekker was… Zo groeide een groots wijnbedrijf. Nou ja, eerst net als alle andere Argentijnse producenten vooral met bulkwijn – veel, maar niet lekker veel – en pas sinds zo'n dertig jaar in serieuze kwaliteit, dankzij Nicola's kleinzoon

Nicolas, die in Californië had rondgereisd. Elegante chardonnay en cabernet sauvignon en natuurlijk malbec, dé rode druif van Argentinië – dankzij een Fransman die 'm ergens in de jaren vijftig van de eervorige eeuw meebracht uit Zuidwest-Frankrijk. Dit is de altijd gezellige, sportieve, volfruitige chardonnay, die dit oogstjaar ook nog naar galafeest smaakt. Argentijnse bourgogne, mensen!

ARGENTO, MENDOZA, CHARDONNAY 2012 € 6,49 ♟♟♟

Geproefd: prima. Daarna een hele reeks Argentijnse, Australische, Chileense chardonnays geproefd, duurder en duurder. Deze weer teruggeproefd: toch wel erg prima voor z'n geld. Onbezorgde, vrolijke sappige chardonnay vol fruit met voor de goede verstaander ook nog wat diepgang.

AUSTRALIË

PENFOLDS, KOONUNGA HILL, € 8,99 ♟♟♟♟
SOUTH AUSTRALIA, CHARDONNAY 2011

Een mooi vak, wijn maken, maar het heeft één groot nadeel: als de wijn gemaakt is, moet je 'm aan de man brengen. Nu zijn er wijnboeren die dat juist het leukste vinden. Charles Guerbois bijvoorbeeld, ooit maker van de lekkerste loire, vond niks prettiger dan 's ochtends vroeg z'n bestelbus vol te laden, om in Parijs bij al z'n bistroklanten persoonlijk de bestellingen af te leveren, waarbij natuurlijk veel geproefd moest van alles, waarna de bestelronde ergens ver voorbij middernacht volgevreten en ladderzat eindigde.

Maar Charles ging naar bistro's en restaurants die al dol op z'n wijn waren, en die wisten dat één fles meer zegt dan duizend woorden. Toch zijn er zelfs wijnboeren die ook het bekeerwerk met liefde beoefenen. Zo reist Peter Gago, hoofdwijnmaker van het Australische Penfolds, zeker de helft van het jaar de aardkloot rond om overal Penfolds aan de man te brengen. Volstrekt overbodig, lijkt mij, want Penfolds wordt al wereldwijd gedronken, maar mijnheer Gago verkondigt met niet-aflatend enthousiasme overal zijn blijde boodschap. En terecht. Sjieke, slanke, sappigfruitige Australische diplomaat, overal graag gezien, weet immer de juiste toon te treffen, gedistingeerd ook, met dat beschaafde plankje hout dat zich wel wacht het jeugdige fruit in de weg te zitten – maar kan gelukkig ook als de saaie gasten weg zijn in vet Australisch vieze moppen vertellen, wat een hele opluchting is, want beschaving is mooi, maar het moet niet ontaarden in etiquette.

PENFOLDS, RAWSON'S RETREAT, € 6,99 🍷🍷🍷🍷
SOUTH EASTERN AUSTRALIA,
SÉMILLON CHARDONNAY 2011

Zorgeloos leven is het mooiste leven, al denkt menig kommervolle doemprofeet daar wat anders over. Toch, een beetje wringen mag het leven wel. Net genoeg om je het arcadische niksen extra te laten waarderen. Druif sémillon geeft hier net die nodige extra diepgang en ruggengraat aan de zorgeloze chardonnay.

CHILI

OVEJA NEGRA, RESERVA, MAULE VALLEY,   € 5,99 ![glasses]
CHARDONNAY-VIOGNIER 2012

Ook dit jaar weer duidelijk, doch niet opdringe-rig, geurend naar viognier. Naar bloesem ruikt dat, en abrikozen, en verder een fikse fruitmand plus een toefje kruiden. Weelderige luxe binnen ieders bereik. En zo lekker ook dat je dit naar binnen klokkend beseft: voor menigeen, zoals daar zijn beste vrienden en de kouwe kant, is dit te hoog gegrepen, dus het blijft Gode zij dank wel exclusief voor Ons Soort Mensen.

DUITSLAND

DR. LOOSEN, BLAUSCHIEFER, MOSEL,   € 11,99 ![glasses]
RIESLING TROCKEN 2011

In januari 2013 was in de RAI wederom de Horecava, de Huishoudbeurs voor professione-len. Lekker gratis snaaien en zuipen van een keur aan culinaire nieuwigheden. Ook in de RAI: *De Wijn Professioneel* van *De Wijn & Voer Vereniging*. Zelf zeggen ze dat in het Engels, al speelt het zich hier te lande af en bevindt zich onder de bezoekende wijnboeren hooguit per abuis een Brit. Wel een roedel Duitsers. Wilde ik een hapje eten met ze, vroeg het Deutsches Weininstitut, bij een beroemde Italiaan? Ik verdrong Basil Fawlty, en het werd een heerlijke avond in Tosca-nini te Amsterdam. Met fijne wijnen als deze. Vrolijke, druivige puurnatuurriesling. De Loosentjes maken al ruim twee eeuwen wijn, hier aan de Moezel, maar pas onder de bevlogen en enthousiaste Ernst worden er wijnen van wereldfaam gemaakt. Zijn recept is het recept van elke goede wijnboer: lage rendementen, aandacht voor elk detail, puur en zuiver werken, zodat de wijn naar wijngaard en druif smaakt. De kunst van Duitse wijn: volmaakte balans tussen fijne zuren en deftig zoet. Droge wijn heeft het frisse zoet van rijpe druiven, in zelfs de zoetste wijn proef je die heldere zuren. Geniet maar van dit prima droge instapmodel van de Dr.

FRANKRIJK
Bourgogne

JEAN-CLAUDE BOISSET, CHÂTEAU LONDON, € 14,99 ♙♙♙♙
MÂCON-IGÉ 2011

Sopexa, het Propagandabureau voor Frans eten en drinken en iets wat lijfstijl heet, wat me altijd bloterigheid doet vrezen, besloot reclame te maken voor beaujolais. Nee, ik weet ook niet waarom. Er is tenslotte heel veel onbenullige en vieze beaujolais. En de zeldzame lekkere drinken we liever zelf op. Met worst die een beetje naar poep ruikt. Zoals die ene echte beaujolais van dat somberende halve dozijn dat Sopexa me zond. Nee, die andere vijf waren niet vies of frauduleus. Ze mochten officieel beaujolais heten, smaakten technisch correct. Brave burgermannen. Dus geen beaujolais. Deze (te koop bij wijnvriend. nl, vleck.nl, smaakimporteur.nl, bolomey.nl) wel. Onverantwoord ouderwets lekkere zuipwijn op niveau. Zazie. Le Petit Nicolas. Asterix in z'n beste jaren. En dan bij het rooskleurig ochtendgloren met de laatste lekkere fles in je hand die andere vijf richting kantoorkoffie zien gaan. En dat is dan rood. Mâcon is daar het witte zusje van. Zomaar gezellige chardonnay zonder meer. Kunnen ze elders nog steeds niet. In Bourgogne trouwens ook vaak niet. Hupse chardonnay vol lande-

OMFIETSWIJN
OMFIETSWIJN

lijke geuren. Met de gezelligheid en speelse zuren die ze elders kunnen noch snappen.

JEAN-MARC BROCARD, € 23,99
CHABLIS PREMIER CRU FOURCHAUME 2008

Goede chablis is een zeldzaamheid. De meeste is niet slank, rank en elegant als een ballerina, maar dun, zuur en knokig als een eenogig gramstorig heksje. En bijna altijd als iemand je blij vertelt nu toch echt een lékkere chablis te hebben gevonden, blijkt de vondst een fruitige chardonnaytje. Best lekker soms, maar niet wat ik chablis noem, want chablis is pas chablis als hij naar chablis smaakt, geurt als druiven, een hooiberg in de regen, geschoren schapen, tochtige koeien, een beetje ranzig zelfs, net zoals een beetje stank het beste parfum maakt. Perfect rijp nu, deze 2008. Niks foute champagne dit oudjaar, laat zien dat u een m/v van de wereld bent die weet dat die noordelijke chardonnay zónder belletjes veel gedistingeerder is. En schofterig veel lekkerder ook nog.

JOSEPH DROUHIN, SAINT-VÉRAN 2011 € 13,99

En als het dan eindelijk zomer was, en alle tentamens gedaan, schraapten we al het geld bijeen dat we met diverse dubieuze baantjes hadden verdiend, laadden we onze wijnboeken en wat we geleend hadden van de bieb in de Citroën Ami met her en der zeldzame korstmossen, en nadat we door de roestige bodem waren gezakt in de Volvo Amazon van de proefclub, en gingen we op wijnreis. Proeverijen van importeurs bezoeken en met elkaar blindproeven, dat was natuurlijk reuze leuk en leerzaam, dé manier om wat over wijn te weten te komen, maar nu gingen we naar de bron. De boer op. De boeken waren er om te zie wie goed was en wie niet. We stapten met de boeken open op de wijnboer af: 'Volgens deze schrijvers bent u de beste wijnboer hier…' Een uitstekende strategie. Maar niet bij die norse bourgogneboer. Hij moest iets met een tractor doen en had ook verder geen zin in bezoek. Nou vooruit, als we om een uur of zes ook konden… En tevreden reed hij weg, denkend ons mooi tuk en afgescheept te hebben. Kende hij ons nog niet. Klokslag zes stonden we weer op z'n erf, en om half zeven nog, toen hij aan kwam knorren met z'n boerenvoertuig. Het ging ons dus echt om zijn wijn, niet om zomaar gratis zuipen. Dus gaf hij ons een prachtrondleiding. Beginnend met een wijn die ik me weer herinnerde bij het proeven van deze. Prima slanke bourgogne met sierlijke zuren. Niks opgedirkt of opgetut, puur en zuiver. Geel fruit, hazelnootjes, vleug boerenboter en zomerzotheid.

Languedoc-Roussillon

TERRASSE DU MOULINAS, PAYS D'OC, BLANC ÉLÉGANCE 2012

€ 4,99

Zachtfruitig, zonnig kruidig van druiven grenache blanc, chenin, mauzac, chasan, vermentino en sauvignon. Oftewel, we plukken alles wat we hebben en gooien 't in het gistingsvat. Werkt vaak wonderwel in Zuid-Frankrijk.

Loire

VALLÉE LOIRE, VOUVRAY MOELLEUX, € 7,99 ♙♙♙
CHENIN BLANC 2011

Vouvray kan droog, *sec*, zijn, maar liever plukt men zo laat mogelijk overrijpe druiven met veel suiker, zodat de zuren tegenwicht krijgen van fris druivenzoet. De traditionele stijl heet *sec tendre*: net niet droog. Steeds zoeter wordend komen daarna *demisec*, *moelleux* en *doux*. De laatste twee komen alleen in mooie, warme jaren voor, en die zijn hier in de noordelijk gelegen Loire zeldzaam. Veel vouvray is helaas ziekelijk zoetzwavelig, maar de ware is prachtig. En kan heel mooi oud worden. Witte wijn wordt geconserveerd door alcohol, zuren en eventueel suiker. Wel, er is geen druif die zoveel zuren heeft als de chenin blanc oftewel pineau de la loire, zoals hij hier op z'n geboortegrond heet. Die zuren zorgen ervoor dat ook zo'n zeventig jaar oude vouvray nog vief en fris is. Gelukkig is deze ook nu al lekker, en geurt hij karakteristiek naar chenin, wat betekent dat-ie doet denken aan sappige peren, bloesem, een pas gewassen dure wollen trui, nootjes en een vleug honing. In de loop van de jaren gaan geur en smaak meer richting die honing, ze worden rijper en rijker maar blijven die fruitige, bloesemachtige frisheid houden. Deze is goed, en meer dan prima voor de prijs. Wilt u het beste, ga eens buurten bij de firma's Bolomey en De Vier Heemskinderen.

ITALIË

A-MANO, PUGLIA, FIANO/GRECO 2011   € 7,99

Fiano is een druif uit Campania die al in 1240 wordt genoemd, de Griekse druivenfamilie Greco is misschien al in de zevende eeuw daar in Zuid-Italië aangeland. Sterk geurend, veel smaak, zeggen de deskundigen. Klopt. Dat volle, wasachtige, wat sémillonwijnen ook kunnen hebben, en straffe specerijengeuren. Behoorlijk aanwezig, zoals de oude dames uit de film *Pranzo di Ferragosto*, maar net als zij niet zonder charme. Op een prettige manier strenger, straffer dan Zuid-Frans kruidig wit. Wel net zo plezierig Lekker Anders.

PLANETA, SICILIA, LA SEGRETA 2012   € 8,49

Zonnig kruidig, en tevens voor uw comfort voorzien van citrus, munt, garrigue (de geur van woeste kruiden op dorre rotsgrond onder de mediterrane zon, net zo mooi als in een reclame voor kant-en-klare tomatensaus die je zelf lekkerder maakt, geïnspireerd door dat fijne reclamefimpje vol mummelende besjes en mooi jong grut). Van de Italiaanse druiven grecanico en fiano en de Franse chardonnay en viognier. Net als de witte A-Mano (ook te bekomen bij de heren Gall) heeft het flink wat van kruidig Zuid-Frans wit, maar dan steniger en pittiger. Het volmaakte Italiaanse zomervakantiedorpje in driekwartfles.

NIEUW-ZEELAND

BREAKER BAY, MARLBOROUGH, € 7,99 ♟♟♟
SAUVIGNON BLANC 2012

Bescheiden en ingetogen, zoals het hoort.

OOSTENRIJK

DOMÄNE WACHAU, WEISSENKIRCHEN, € 8,49 ♟♟♟♟
GRÜNER VELTLINER STEINFEDER 2012

De wijnboer glimlacht dat hij een verrassing heeft.
Meestal betekent dat een heftig bestofte fles, maar nee,
hij tourt ons naar een pittoresk kerkje. Binnen barst
het orgel los. De heidenen onder ons schrikken zich
het leplazarus, stuiteren op als de Galliërs bij de eerste
klanken van bard Assurancetourix, maar Bach is goed
voor elk, en ook kitscherige kerkjes met veel klatergoud
zijn balsem voor de ziel. En wat fijn, even geen *Wein*!
Niks mis met die drank, ik drink het zelf ook graag,
maar na gedurende diverse etmalen vijftien uur lang
Oostenrijkse wijn te hebben gedronken, is het heerlijk,
tien minuten wegzweven op buitelende fuga's. Daarna
sta ik weer helemaal klaar voor de grüner veltliners. Een
derde van al het Oostenrijks wit komt van druif grüner
veltliner, en eindelijk krijgt GV nu wereldwijd welver-
diende aandacht. Op de hippe terrassen in de grote stad
drinken de Bekende Mensen niet anders. En zelfs in de
Hema en hier bij de Galletjes staat een fijne grüner

veltliner in het schap. Dat hebben we te danken – ja echt, niet zo bescheiden! – aan Regina Meij. Bijna twintig jaren her alweer, toen we allebei jong waren – zij ziet er nog precies zo uit als toen, ik allang niet meer –, werd ik aan haar voorgesteld op een proeverij. 'Ze importeert Oostenrijkse wijnen,' zei de organisatie, als een circusdirecteur die wat moedeloos een clown uit de opruiming introduceert. Ze bleek een wereldster, Regina, met haar Imperial Wijnkoperij. Nog steeds. Proef maar eens deze veltliner geurend naar rijpe meloenen en bruidsboeketten, die dankzij haar in de vaderlandse schappen staat. Hoe ruiken bruidsboeketten? vroeg een sommelier. 'Je hebt ze van rode rozen, van witte rozen, van vergeet-mijnietjes...' En hij werd nog veel technischer. Dat wordt dus niks, de trouwerij van zo'n jongen die zich verliest in details. Bruidsboeketten verspreiden de geur van pril geluk. Geuren fris en groen als het gras rond het bruiloftskerkje, *am Abend, da es kühle war.*

SPANJE

BESO DEVINO, CARIÑENA, MACABEO 2012 €4,99 ♀♀♀

Een druif om te zoenen, macabeo. Zo moederlijk vol rijp fruit en zachte weelde, met een vleug munt, amandelen en oosterse kohlogen. De ideale wijn voor een ouderwetse receptie, waar naast de amandelen luxueuze exotica te snaaien zijn als olijven en kaasblokjes met gember. Met uiteraard sigaretten in minstens drie smaken. Door de bloesemgeur en het rijpe fruit ook ideaal voor picknick of tuinfeest. Met Beatlesmuziek uit hun Maharishitijd.

EL CIRCO, CONTORSIONISTA, CARIÑENA, MACABEO 2012   € 3,99   🍷🍷🍷

Uit Cariñena, Noordoost-Spanje, van druif macabeo. Een 'authentieke Spaanse druif' wordt wel gezegd, hoewel ze in Noordoost-Spanje en Zuidoost-Frankrijk vinden dat het hun Catalaanse druif is, en daar hebben ze nog gelijk in ook: hij wordt voor het eerst genoemd in 1617, in Penedes. In Rioja en Rueda gaat hij met een vermomsnor door het leven onder de naam 'viura', niemand weet waarom. Slecht gemaakte macabeo kan wat wee en plomp zijn, goede, zoals deze, is zacht en geurt naar fruit, zomeravonden en een duur boeket, en is toch fris. De structuur van chardonnay, maar zonniger en boerser. Er mag van mij best wat meer macabeo in het schap staan. Geen geld, deze: in m'n proefnotitie stond: het omfietsen waard, tenzij hij meer dan acht euro blijkt te kosten. Oeps, nu breng ik de familie Gall op een idee... Ze maken ook heel genoeglijk rood, de circusmensen. En ze doen, de Heere zij geprezen, niet aan clowns, die opboerende nachtmerries en andere horror veroorzaken.

HIJOS DE ANTONIO BARCELÓ, TIERRA DE   € 4,49   🍷🍷🍷
CASTILLA Y LEÓN, SAUVIGNON BLANC & VERDEJO 2012

Fris sauvignonfruit met de zachte kruidigheid van verdejo. Mede door de prijs het omfietsen waard.

PALACIO PIMENTEL, RUEDA, VERDEJO VIURA 2012   € 5,99

Vrolijk frisfruitig, pittig kruidig, een tuiltje bloesem, een mandje perenfruit.

ZUID-AFRIKA

KUMALA, WESTERN CAPE, CHENIN/   € 13,99
CHARDONNAY (DRIELITERPAK)

U kunt 'm natuurlijk overtappen in een fonkelende kristallen karaf, of in zo'n Riedelkaraf http://www.riedel.com/decanters/d/decanters/eve-1/ die op zo'n fakirslang http://www.willemwever.nl/vraag_antwoord/dieren-en-planten/hoe-komt-de-slang-uit-het-mandje lijkt, maar veel gezelliger is om iedereen een duralexje te geven en te laten tappen van deze onopgesmukte vriendenwijn vol sappig perenfruit. Mede door de lage prijs (omgerekend naar driekwartliterfles € 3,49) het omfietsen waard.

VAN LOVEREN, ROBERTSON, SAUVIGNON BLANC 2013   € 6,49

Qua stijl halverwege uitbundige Nieuw-Zeelander en strakke sancerre, maar dan uitgevoerd in heel rijp fruit. Oftewel, een heel karaktervolle Zuid-Afrikaanse sauvignon. Met niet veertien procenten alcohol, maar een beschaafde, sauvignon passende, twaalfenhalf.

ROSÉ

FRANKRIJK

CHÂTEAU VILLERAMBERT JULIEN, MINERVOIS 2012 € 7,49

De bendeleiders en juwelenrovers in Nice, Marseille en Saint-Tropez nemen rosé pas serieus als er Dom Pérignon op staat en ze bij aanschaf van twee kisten een lekker mokkel toe krijgen, en u, lezer die bij kennissen besmuikt in dit boekje bladert, want u weet alles van wijn dus heeft geen gids nodig, schoolmeestert uw geduldig zuchtend gehoor menigmaal uitentreuren dat slechts provencerosé goed is, maar wij, hè, alle andere lezers, leiden een eerzaam en bescheiden leven met op z'n tijd verbroederende jolijt met deze lekker spettervers vrolijke oranjeroze rosé vol fruit en zomerse geuren.

ROOD

ARGENTINIË

ALAMOS, MENDOZA, MALBEC 2012 €8,49

Eerder al hadden we de wijnmaakster over de vloer, nu dochter Catena zelluf, zoals u bij de witte Alamos kunt lezen. Trouwe lezers kunnen nu meteen naar de kurkentrekker grijpen; voor nieuwelingen toch even dit achtergrondverhaal, dat u weet waar u die kurkentrekker in zet. Malbec, de nationale rode druif van Argentinië, is zoals u vanzelfsprekend weet in 1852 door een zekere Don Miguel Aimé Pouget meegebracht uit Zuidwest-Frankrijk. Daar moppert men wel dat malbec net zo gevoelig is voor vorst en schimmels als merlot, terwijl hij minder en harder smaakt. In Argentinië is malbec echter helemaal in z'n sas en levert hij wijnen als st-émilion (bordeaux met veel merlot) die op krachttraining heeft gezeten. Dat komt, vertelde wijnmaakster Mariela Molinari, door de hooggelegen (1500 meter soms) Argentijnse wijngaarden. Door de ijle lucht is het zonlicht daar heel intens, zoals iedere misleide snob die heeft meegedaan aan de après-skibezigheden kan bevestigen. Goed voor dat gezonde stofje resveratrol, de fotosynthese, dikkere schillen, veel geur en kleur, en veel, maar heel zachte tannines. Op jonge rode bordeaux kun je nog weleens je tanden stukbijten, zo hard zijn de tannines, maar Argentijns rood is van jongs af aan al vriendelijk. De sjiek van médoc, zonder de strengheid. Blijken die bergen behalve decoratief ook nuttig. Deze wijn komt ondertussen van vier wijngaarden die op voor mij en wijn grote hoogte liggen: 1000 tot 1600 meter. Hoger is het ook koeler, dus zo is de wijn er intenser zonder naar aangebrande jam te ruiken. En intens met goede

manieren: als immer zeer gesoigneerd. De sjiek in huis
op een koopje.

ARGENTO, MALBEC 2012 € 6,49

Slank, sappig rood fruit, goede tannines en
pittig malbecleer. Niet de sjiek van de Alamos,
maar toch zeer plezierig gezelschap op de lange
winteravonden, bij het haardvuur, op het
damast naast het porselein, zilver en kristal
– én op de pampa's, vertellen de gaucho's (zo
heten die Argentijnse Lucky Lukes toch?), die
immer hun bidon ermee gevuld hebben.

AUSTRALIË

PENFOLDS, KOONUNGA HILL, SOUTH AUSTRALIA, € 9,99
SHIRAZ/CABERNET 2010

Lezers stellen vragen. Soms vermoeiende: 'In
1968 kocht ik een literpak Bulgaarse cabernet
sauvignon. Is die al op dronk, of kan ik 'm beter
bij Christie's laten veilen?' Soms heel fijne:
'Hoe komt het dat ik de duurdere wijn van een
wijnboer niet lekkerder vind dan zijn goedkopere?' Dat heb ik me ook lang afgevraagd. En
vooral of dat betekende dat ik geen goede
smaak had. Het antwoord bleek eenvoudig. Hij
ís niet lekkerder. Dat is natuurlijk heel subjec-
tief, er zijn vast stapels mensen die er anders over
denken. Gelukkig hebben die ongelijk. Het zit zo: veel
wijnproducenten maken diverse wijnen. Een instapmodel, een luxere versie, een extra luxe versie, een
superdeluxe sjiek-de-friemelversie... Luxer betekent:
druiven van dat ene bijzondere wijngaardje waarvoor
de Romeinen al omfietsten, van hele oude stokken,

handgeplukt door vrolijke mensen die allemaal fotogeniek genoeg zijn voor een flitsende commercial, waarna de wijn rijpt op nieuwe houten vaten terwijl de wijnboer Mozart-cd's draait en ook verder van alles het beste van het beste geeft. Met de beste bedoelingen. Alleen: best betekent soms ook te goed. En te is niet goed, zoals onze grootouders al zeiden. Die wijnen waar de boer zo zijn of haar best op heeft gedaan, missen alle natuurlijke charme. Gewoon goed is beter dan best. Er zijn uitzonderingen, maar dan nog: de St Henry shiraz van Penfolds is indrukwekkender dan deze Koonunga. Maar ik beleef er niet tien keer zoveel plezier aan. Ieder oogstjaar weer een slanke maar krachtige geslaagde combi van pepershiraz en cassiscabernet met op de achtergrond een plukje munt. De grote broer van de Rawson's Retreat shiraz/cabernet, en hij biedt voor twee euro meer van alles veel meer. Succesvol maar geenszins verwaand.

PENFOLDS, RAWSON'S RETREAT,　　　　　　　　€ 7,99　♈♈♈
SOUTH EASTERN AUSTRALIA, SHIRAZ/CABERNET 2010

Klassieke Australische druivensamenwerking, shiraz en cabernet sauvignon. Peper en cassis, stoer leer en lenige tannines. Het kleine broertje van Koonunga Hill, maar dit jaar toch ook het omfietsen waard. En dat geldt ook voor het halve flesje 2011 dat ik proefde.

CHILI

NUEVO MUNDO, MAIPO VALLEY, ISLA DE MAIPO, CARMENÈRE 2011

€ 6,49

Dat was een sombere dag in Chili: waren ze juist zo blij dat ze naast obscure hangdruiven als de país ook flink wat modieuze merlot in de wijngaarden hadden, ontdekten Franse druiven-prof Jean-Michel Boursiquot en Chileense wijnmaker Philippo Pszczolkowski in 1994 ongevraagd dat die merlot helemaal geen merlot was, maar carmenère! Daar zaten de Chilenen net op te wachten, op een bijna uitgestorven druif uit Bordeaux waarvan geen consument ooit had gehoord. Gelukkig mag je volgens de meeste wijnwetgevingen een wijn naar een druiven-soort noemen, ook al is hij slechts voor 85 procent van die soort. Kon merlot met wat carmenère toch als merlot verkocht worden. Mmm, best lekker eigenlijk. Moest er niet eens geproefd worden hoe wijn van puur carmenère smaakt? Jawel. En lekker dat dat bleek! Het werd binnen de kortste keren een wereldwijd succes. Deze komt van de familie De Martino, al jaren produ-cent van lekkere wijnen voor schappelijke prijzen (te koop bij Henri Bloem). Zoals deze heldersmakende biologische carmenère, breed uitwaaierend en diepgra-vend en toch oppervlakkig gezellig.

OMFIETSWIJNEN | GALL & GALL

PALO ALTO RESERVA, MAULE VALLEY, € 8,99 🍷🍷🍷🍷
CABERNET SAUVIGNON-CARMENÈRE-SHIRAZ 2011

Graag verkondig ik dat het verspilling is meer dan vijf, zes euro te besteden aan Nieuwe-Wereldwijnen, want voor meer geld krijg je louter hout en concentratie erbij, en serieuzigheid nog bovendien, en wie zit daar nou op te wachten. Toch zijn er nog fiks wat veel verdienende volksstammen die mijn advies in de wind slaan, maar goed. Af en toe echter zit het mee, en dan tref je wijn als deze, die echt wat zinnigs extra biedt voor de paar euro extra die je eraan uitgeeft. Diepte en deftigheid. Ook dit oogstjaar weer vol rijp zwartebessenfruit van de cabernet, wat leer van de merlot, dat rokerige carmenèreluchtje, dure cacao, krijtstreeptannines, sierlijke bonuszuren. Dat alles en meer werd ook dit jaar weer tot een mooi geheel gewrocht ten behoeve van onze internationale clientèle.

FRANKRIJK
Bordeaux

CHÂTEAU DAVID, MÉDOC 2010 € 9,99 🍷🍷🍷🍷

De vader van een schoolvriendje verkondigde tegen wie het maar horen wilde dat het toch een godgeklaagde schande was dat je om te blijven leven iedere dag weer moest eten. Onbegrijpelijk vond ik dat. Ik was dol op eten. Mijn vader was geen gourmand, maar kon aardse zaken als kort gekookte spruitjes en een goed bereide 'bal des gehakts' zeer waarderen. En mijn moeder was een echte lekkerbek. Als ik snuffelend en met een onschuldig gezicht de keuken binnenkwam, zei ze altijd: 'Wil je al een stukje?' en sneed dan ook voor mij wat plakjes van de rollade, fricandeau of varkenshaas af, of we deelden zo'n heerlijke bal gehakt. Later, toen ik groter was (ik ben mijn hele leven thuis blijven wonen), vervolgde ze: 'En alvast een glaasje wijn?' Toen mijn vriendin ons huishouden kwam versterken, wist ze niet wat ze meemaakte. Schoonmoeder doet haar best op de maaltijd, maar heeft niet 't plezier in iets lekkers bereiden dat mijn moeder had. Maar goed, 't is beter dan bij dat schoolvriendje thuis, waar ik nimmer te eten ben gevraagd. We kregen hoe dan ook niets eetbaars als ik daar speelde. Misschien waren zijn ouders pilaarheiligen. Fijne ouderwetse bordeaux, dit, die je tot zulk mijmeren brengt. Krek het soort wijn dat wij des zondags dronken, statig en godvrezend – maar gelukkig ook voorzien van deftig fruit en mooi rijpe beleefde tannines. Cabernet en merlot zoals ze het elders nog steeds niet kunnen.

Bourgogne

DOMAINE DE LA VOUGERAIE, BOURGOGNE TERRES DE FAMILLE, PINOT NOIR 2009

€ 21,99

Heeremetiet, wat is dit toch lekkere rode bourgogne! Zo eentje waar je vieze moppen van gaat vertellen. Ja, nee, ik niet, ik weet geen moppen, maar volgens de inboorlingen van de Côte d'Or en ook de mindere stukjes Bourgogne zit het zo: goede bourgogne ruikt naar poep, mest bedoel ik, zweeft het glas uit, bezorgt je een grijns van oor tot oor, en je gaat er dus ruige grappen van vertellen. Nou, eentje dan. 'O, die is echt te erg!' zegt m'n redacteur. En hij ging nog wel over terroir. Neemt een bourgogneboer z'n dienstmeisje op schoot… Oké, de wijn. Waar die nogal intieme geur van bourgogne vandaan komt, is niet bekend. Zelfs de onbetamelijkste bourgonjer vindt wel dat het slechts een vleugje mag betreffen, als civet in parfum, als – sorry. Zoals in deze bourgogne. Biodynamisch.

DOMAINE DE LA VOUGERAIE, GEVREY-CHAMBERTIN 2009 (375ML)   € 22,99

Persoonlijk heb ik dus chambertin-clos-de bèze geplukt, want ik doe het niet voor minder. (Wijnboer Henri Roch: 'Tuurlijk mag je een ochtendje meeplukken in Clos-de-Bèze. Wat? Je hoeft niet betaald? Dan mag je ook in al m'n andere wijngaarden plukken!'). Maar de omgeving mag er ook wezen. Prima gevrey-chambertin, dit, karakteristiek geurend naar purper en brede schouders. Duur? Tuurlijk is het duur. Zelfs Caligula en de Borgia's dronken zoiets liederlijk lekkers slechts op zondag. Maar dan wel uit magnums, heren Gall, niet uit zo'n miezerig flesje! Biodynamisch.

DOMAINE DE LA VOUGERAIE, POMMARD, LES PETITS NOIZONS 2010   € 37,99

Ja, dat is niet niks, bijna veertig piek voor één fles wijn. Maar er is nog veel duurdere bourgogne die niet zo lekker is, of zelfs helemaal niet lekker. En met een keertje benzine tanken of verse luiers inslaan bent u die veertig piek ook kwijt. En dan hebben we het nog niet eens over kinderdagverblijf, schoolgeld, het Luzac betalen voor een diploma… Dus doe nou maar een keertje, om te weten hoe echte bourgogne smaakt. De Gouden Ton heeft ook een hele fijne. Pommard met de ouderwets masculiene charme waar zelfs de meest eigengereide negentiende-eeuwse heldin voor valt. Drinken bij Jane Eyre en alles van Jane Austen. Biodynamisch.

ITALIË

A-MANO, PUGLIA, PRIMITIVO 2011 € 7,99

Nee, het is niet de allergoedkoopste wijn, maar vroeger was het voor ons hoe dan ook niet weggelegd, dus we moeten maar wat in ons nopjes zijn met de vooruitgang en wat die ons gebracht heeft. Van alles, ongetwijfeld, en soms ook zaligheid als deze. Wederom zacht, zwoel en romig met een vulling van vurige passie en donker fruit. Uw Italiaanse winterwarmer voor alle seizoenen.

ADRIATICO, MONTEPULCIANO D'ABRUZZO 2010 € 4,99

Het is daar mooi hoor, in Abruzzo. Fijne glooiende heuvels met wijngaarden of ander groen gedoe, gezapige stadjes en dorpjes met kroegjes vol over niks ouwehoerende inboorlingen, een streekmuseum met doje mensen van voor de beschaving en de wijnbouw... En bijpassende dorpse wijnen zonder pretentie en gedoe. Deze is zo te proeven van een mooie, goed gespierde wijnboer in overall die samen met z'n meissie, altijd met zo'n blijmakend jarenvijftighoofddoekje op de donkere krullen, in harmonie de akkers van zijn voorvaderen bewerkt. Viriel fruitig, zonnig kruidig, jong en hartverwarmend.

LE MONFERRINE, PIEMONTE, BARBERA 2011   € 4,49   ♀♀♀

Eenvoudige, maar vrolijke roodfruitige barbera met lekker eigenwijze zuren. Doe of het pittige rosé is en koel 'm! Geen geld.

MASI, FRESCARIPA, BARDOLINO CLASSICO 2012   € 8,49   ♀♀♀♀

Vinden de Italianen niet leuk, als je Franse wijn als maatstaf neemt, maar 't is niet anders, beste geitenbreiers: krek een vrolijke cru uit de Beaujolais, deze bardolino. Op z'n Italiaans, wat kruidiger, maar verder vooral fruitig en zonnig van karakter. Lichtvoetig maar met pit en beet en veel vrolijk fruit van druiven corvina rondinella en molinara. Vreemde fout: het achteretiket beveelt aan 18 graden lauw te serveren. Nu moet je dat nooit doen, en al helemaal niet met zo'n wijn als deze. Lekker naast de beaujolais in de koelemmer. Ja, ze kijken je gek aan, als je dat in het restaurant vraagt, maar dat moet dan maar. En denk nou niet zelfbeschuldigend dat te warme wijn echt iets is voor ons Nederlanders: gruwelverhalen gehoord laatst weer over Michelin-restaurants in Piemonte waar de barolo's en barbaresco's in de volle zon zo warm stonden te sudderen dat je er draadjesvlees in kon stoven.

PIEVE DI SPALTENNA, CHIANTI CLASSICO 2009 € 8,49

Vinexpo, dat is de grootste wijnbeurs ter wereld. Eens in de twee jaar komen daar alle wijnmakers en alle wijnhandelaars bij elkaar, plus alle mensen die krantenredacties zo gek hebben gekregen dat ze stukjes over wijn mogen schrijven en daarvoor nog betaald worden ook. Zodoende ben ik ook eens geweest. Je kunt er alle wijnen van de wereld proeven, en als je een beetje kien bent, word je genood om 's avonds in een chateau te dineren, of anders minstens in een Michelin-restaurant in Bordeaux, want daar speelt het zich allemaal af. Dood-ongelukkig slenterde ik rond, want alles, dat is veel te veel. Je kunt maar een beperkt aantal wijnen per dag proeven. Dus durf je nergens te proeven, want wie weet zijn er verderop nog véél lekkerder wijnen! Maar een mevrouw met alle beroemde chianti's, die kun je toch niet laten lopen. Heerlijk vooroordeelbevestigend: nog meer dan andere wijn is chianti het best als ze 't simpel houden. Niks nieuw hout, niks concentratie, niks wat merlot of cabernet erbij. Gewoon. Met niks. Zoals deze. Zeer sympathieke landelijke chianti met de geuren van rood fruit, specerijen, de bomen dorrend in het late seizoen, rook uit de schoorsteen van gindse hoeve. Driekwartliter Toscaanse herfstwandeling.

PLANETA, SICILIA, LA SEGRETA 2011   € 8,99

Ach, die zwoele donkere nachten van Sicilië. Verleidelijk geurend naar rijp fruit, specerijen en spannend geboefte. Nee, ik ben ook nooit daar geweest. Maar ontkurk hier een fles van en u wilt uw Vinexwijk-met-Planeta niet meer ruilen voor waar dan ook.

NIEUW-ZEELAND

MATAHIWI ESTATE, WAIRARAPA, PINOT NOIR 2010 € 15,49

Ja, 't is aan de prijs. En dat in deze moeilijke tijden ook nog. Maar het is wel heel fijne pinot noir, pinot noir die aan de beste bourgogne doet denken. Vergelijk 'm eens met de pinot noirs van Brancott en Flaxbourne (AH), die ook het omfietsen waard zijn. Die drink ik graag, maar ik vind deze verfijning de hogere prijs waard.

PORTUGAL

MEIA, PIPA, PENÍNSULA DE SETÚBAL 2012 € 4,99

Slank en elegant van bouw, zoals de betere bordeaux, vol rijp donker fruit, met gezellig wat syrahpeper en specerijen. Hoog in de categorieën Lekker Anders en Geen Geld.

QUINTA DE PANCAS, LISBOA 2010 € 4,99

Riekt minder streng dan de 2009, maar gelukkig wel nog steeds naar dor land met veel zon, en biedt wederom veel rood fruit. Ouderwets smakende karaktervolle landwijn. In de categorie Lekker Anders.

OMFIETSWIJNEN | GALL & GALL

SPANJE

BESO DEVINO, CARIÑENA, OLD VINE GARNACHA 2011 € 4,99

Serieuze wijnkenners kijken meewarig neer op druif grenache. 'Niet serieus!' Maar wat is er mis met niet serieus? Onbekommerd vrolijk, deze cariñena vol sappig kersenfruit en chocola. Rijp, bijna te zacht en mollig, maar gelukkig schieten serieus (!) manhaftige tannines te hulp.

BESO DEVINO, CARIÑENA, SELECCIÓN, € 4,99
SYRAH/GARNACHA 2011

Cariñena vindt u in Noordoost-Spanje, net wat onder Zaragoza. (Zaragoza is een stad in Noordoost-Spanje, iets boven stad en streek Cariñena.) En cariñena is de naam van een druif die in Frankrijk carignan heet. Om het niet te makkelijk te maken groeit er in Cariñena weinig cariñena, maar voornamelijk garnacha (grenache in Frankrijk). Tot niet eens zo lang geleden maakten ze daar wijnen van die je niet bij open vuur moest drinken – 15 (!) tot zelfs 17 (!!) procent alcohol –, doch nu streeft men met succes naar wijnen met het authentieke karakter zonder de naverbranding. De laatste tijd wordt ook tempranillo en, foei toch, cabernet sauvignon aangeplant. Net als de andere Beso deVino vol rijp kersenfruit, maar strakker, droger, pittiger dankzij peperige syrah.

BODEGAS OLARRA, OTOÑAL, CRIANZA, RIOJA 2010 € 4,99 🍷🍷🍷

De eerste zonnige dag sinds anderhalve eeuw, en wie moet er weer werken? Precies. En hoe. Peperdure wijnen proeven uit kostelijke glazen in een door het grootkapitaal uitgebaat restaurant. Met Michelin-lunch, ook nog. Gelukkig blijkt Laetizia Riedel, elfde generatie van de Oostenrijkse glasblazersfamilie, het zonnetje in huis. Ze begint haar wijnglazenproeverij met water. Merken we dat dat anders in de mond komt, water gedronken uit een flesje, of uit haar prachtglazen? Verdomd, inderdaad. Vorm en grootte van de glazen bepalen waar de wijn in je mond komt, en dat heeft invloed op de smaak. Kleinere glazen geven de geur geconcentreerd weer, grote glazen bieden het bouquet de ruimte. Voor zo ongeveer iedere druif is er een Riedelglas. Alleen, lieve Laetizia, ik kies m'n Riedelglazen niet op smaak, maar op mooi. Ik drink zelden rioja, maar wel bijna al m'n wijn uit het tempranilloglas. Het oog wil ook wat. En al smaakt bijna elke wijn goed uit een mooi lievelingsglas, rioja voelt zich helemaal als een vis in het water. Deze pleziert klassieke riojadrinkers, want heeft hout, en moderne, want het is niet dat weeë vanillehout, en het houdt zich bescheiden op de achtergrond, in de schaduw van fijn veel fruit.

OMFIETSWIJNEN | GALL & GALL

BODEGAS OLARRA, OTOÑAL, RIOJA 2011   € 4,39

Een feest, deze wijn! Ik ben dol op feesten. Vooral zo'n groots feest waar je al tijden geleden voor bent genood, waar je je eigenlijk fatsoenshalve ook moet vertonen, dus waar je al weken tegen opziet, en dat je dan met onvermoede daadkracht als het zover is niet je mooiste pak aandoet, je das knoopt, je schoenen strikt en je op weg begeeft, maar lekker in je ouwe groezelige badjas thuisblijft en genoeglijk wat rondlummelt om tot slot samen lekker nog eens *About a boy* of *Bridget Jones* te kijken. Ter verhoging van de feestvreugde om het kwartier of zo denken dat, stel je voor, je anders op dit eigenste moment tussen allemaal door boenkeboenkemuziek onverstaanbare wildvreemden had gestaan met lauw bier, vieze wijn of een enge cocktail. Het tweede soort leuke feest speelt zich af met een handvol goedgezinden rond een grote tafel. Lekker zuipen en vreten met vrienden, heerlijk is dat. En zo inspirerend ook. Laatst hadden we tussen de gangen door zowaar alle problemen betreffende conceptuele moderne kunst opgelost. Goed, de volgende ochtend wisten we niet meer precies hoe of wat dat eigenlijk was, conceptuele kunst, maar opgelost hadden we het toch maar mooi, voor een kwartier of zo. Gauw weer een verse voorraad van deze wijn laten voorrijden en de culinaire middenstand leegkopen, dan doen we het weer en onthouden we het misschien wél. Geurend naar opgeruimd rood fruit, conceptuele tabak, rust en gelukzaligheid. Iets koelen. Gul schenken.

EL CIRCO, VOLATINERO, CARIÑENA, TEMPRANILLO 2011   € 3,99

Door de manier waarop 't op het etiket stond dacht ik dat volatinero een druif was. Een druif die ik nog niet kende! Hebberig als een circusdirecteur die over een onbekend soort potsenmaker hoort, bladerde ik woest door *Wine Grapes* van Jancis Robinson. Tevergeefs. Volatinero betekent 'acrobaat'… Niet getreurd, van louter tempranillo vrolijkt een mens ook op. Sappig rood fruit, fijne tannine. Slank en – uiteraard – lenig.

GALL & GALL HUISWIJN, STEVIG, TEMPRANILLO 2012   € 3,99

Vol kersen en bramen, schep chocola, dikke tannines. Ongecompliceerd plezier. Mede door de vriendelijke prijs het omfietsen waard.

VIÑA TEMPRANA, CAMPO DE BORJA, € 3,49
OLD VINES SELECTION, GARNACHA 2011

Ook dit oogstjaar weer vol plezier en vrolijk kersenfruit. Tevens voorzien van een vleug cacao, genoeglijk wat tannines en verder comfort. Want daar is druif grenache reuze goed in. Aristocratischer druiven monkelen wat misprijzend, maar laat ze lekker: geen druif zo troostend als de gezellige grenache.

ZUID-AFRIKA

GROOT CONSTANTIA, CONSTANTIA, € 10,99
CONSTANTIA ROOD 2010

Het lijkt wel zoiets als Est! est!! est!!! Maar zinniger, gelukkig: het wijndomein heet Constantia, de appellation heet Constantia, en omdat ze het wel koddig vinden of niet gezegend zijn met veel fantasie hebben ze deze instapwijn ook Constantia genoemd. Voor de statistici onder ons: dit jaar Onzes Heeren 2010 gecomponeerd van 38 procent merlot, 37 procent cabernet franc, 18 procent syrah, 5 procent cabernet sauvignon, 1 procent pinotage en 1 procent malbec. Zoals u meteen opvalt: heel anders dan de 2009. En dat proef je. 2009 was niet meer dan een nogal saaie, keurig donkerfruitige wijn, deze biedt vrolijk aards rood fruit en gepaste gezelligheid. Rode loire uit Zuid-Afrika, met wat eikenhout en een mooie uitvoering van die donkere, aardse geur van de Kaap.

LOURENSFORD, WESTERN CAPE, SHIRAZ 2009 € 8,49 ♟♟♟

Lourensford bestaat al sinds begin achttiende eeuw, en was net als Groot Constantia eigendom van Willem Adriaan van der Stel. De huidige eigenaars zijn daar apetrots op, en laten dat merken door errug lekkere wijn te maken. Peperige, onmiskenbaar Zuid-Afrikaanse syrah met ietsje hout en heel veel fruit.

THE RIVER GARDEN, WESTERN CAPE, € 6,49 ♟♟♟♟
CABERNET SAUVIGNON, MERLOT 2011

Deftig als Zuid-Afrikaanse margaux. Voor een zeer keurige prijs.

OMFIETSWIJNEN | GALL & GALL

WEGGIETWIJNEN

WIT

NEDERLAND

COLONJES, KNAPSE WITTE 2010   € 12,99   ⊛

Hè get! Ik vind het zo vervelend om te zeggen, want ze werken met zoveel liefde en enthousiasme, die Nederlandse wijnmakers, en degenen die ik heb ontmoet zijn nog reuze aardig ook, maar echt: de Knapse Witte riekt een beetje naar dennenshampoo en is verder dun met wat egelige zuren. Sorry. Heus.

OVERIGE WIJNEN

WIT

Catena alta, mendoza, chardonnay 2010 (AR) € 26,99
Extra luxe versie van de gewone Catena-chardonnay.

Christophe Pichon, condrieu 2011 (FR) € 36,99
Weelderige luxe, maar ga naar De Vier
Heemskinderen of Vojacek voor beter.

Jean-Marc Brocard, grand cru les clos chablis 2010 (FR) € 34,99
Prima chablis. Strak en onverbiddelijk,
maar wel met een glimlach.

Planeta, sicilia, chardonnay 2010 (IT) € 24,99
Luxe chardonnay met luxe hout, duur fruit, benevens
gezellige zonnige kruidige Siciliaanse geuren.

Adriatico, verdicchio dei castelli di jesi classico 2012 (IT) € 4,99
Sappig fruitig, zonnig kruidig.

Catena, high mountain vines, mendoza, € 13,99
chardonnay 2012 (AR)
Slanke chardonnay, gul doch geenszins
protserig voorzien van luxefruit.

Groot constantia, constantia, sauvignon blanc 2012 (ZA) € 10,99
Prijzige maar correcte Zuid-Afrikaanse 'sancerre'.

Jean Baptiste Adam, réserve, alsace, € 9,99
gewurztraminer 2012 (FR)
Slank en ingetogen, voorzien van fruit en bloesemgeur.

Joseph Drouhin, bourgogne chardonnay 2011 (FR) € 10,99
Nooit heel spannend, wel immer welopgevoed.

Joseph Drouhin, Drouhin- Vaudon, € 21,99
chablis premier cru 2010 (FR)
Eenvoudige maar echte chablis.

Joseph Drouhin, Drouhin-Vaudon, € 16,99
réserve de vaudon, chablis 2011 (FR)
Slanke bourgogne met sierlijke zuren.

Joseph Drouhin, meursault 2010 (FR) € 36,99
Goed, maar niet groots.

Joseph Drouhin, rully 2010 (FR) € 16,99
Niks mis mee, maar fiets om naar Drouhins saint-véran.

La Vis, Storie di Vite, trentino, pinot grigio 2012 (IT) € 7,49
Vriendelijk fris en zachtfruitig, met een
glimlach en een knipoog. Ook duur.

Les Hauts-Lieux, touraine, sauvignon 2011 (FR)   € 5,99
Rechtlijnig strakke en toch joviaal rijpe touraine
met karakteristieke voorjaarsgeuren.

Lourensford, western cape, sauvignon blanc 2011 (ZA)   € 8,49
Prima sappige sauvignon: vol voorjaarsgeur en
zelfs een beetje sancerre-achtig krijtig.

Matahiwi, hawkes bay, chardonnay 2011 (NZ)   € 10,99
Oud en der dagen zat.

Tokara, reserve collection, stellenbosch, chardonnay 2011 (ZA) € 16,99
Verfijnd geurende duursmakende chardonnay
met bescheiden wat hout.

Tokara, western cape, chardonnay 2012 (ZA)   € 9,49
Verfijnd geurende chardonnay met bescheiden wat hout.

Tokara, western cape, sauvignon blanc 2013 (ZA)   € 9,49
Vrolijke voorjaarsfrisse sauvignon in
Nieuw-Zeelandstijl. Heel ruim 🍷🍷🍷.

Valdivieso Winemaker reserva,   € 6,69
valle aconcagua, chardonnay 2012 (CL)
Slanke chardonnay-met-een-pietsje-hout.

Wolf Blass yellow label, south eastern australia,   € 8,99
chardonnay 2011 (AU)
Volslanke typisch Australische
chardonnay met hout. Lekker ordi.

Altano, douro, vinho branco 2011 (PT)   € 6,49
Apart, en niet ieders smaak: kruiden, specerijen,
sinaasschil… Waaghals, probeer 'm eens!

André Stuber, réserve, alsace, pinot blanc 2012 (FR)   € 6,49
Bedeesd zachtfruitig.

André Stuber, réserve, alsace, pinot gris 2011 (FR)   € 8,99
Niet bijzonder gul uitgevallen.

André Stuber, réserve, alsace, riesling 2012 (FR)   € 6,99
Keurige zachtdroge druivige riesling.

Argento, mendoza, pinot grigio 2012 (AR)   € 6,49
Vaag zachtfruitig, zoals 't hoort.

Arrogant Frog, lily pad white, pays d'oc, viognier 2011 (FR)   € 6,49
Zachtfruitig met wat bloesemgeur.

Arrogant Frog, ribet white, pays d'oc,   € 6,49
chardonnay-viognier 2012 (FR)
Zachtfruitig met ook wat bloesemgeur.

Arrogant Frog, wild lily pad white,   € 7,49
pays d'oc, chardonnay 2012 (FR)
Iets kruidig, zachtfruitig.

Badenhorst family wines, secateurs, € 10,99
swartland, chenin blanc 2012 (ZA)
Beter dan droë steen, maar (nog) niet de ware chenin.

Blason de Bourgogne, bourgogne, chardonnay 2011 (FR)   € 8,49
Oppervlakkig zachtfruitig.

Blason de Bourgogne, chablis 2011 (FR) € 11,99
Vleug chablis, maar in feite een wat kale
witte bourgogne met kapsones.

Blason de Bourgogne, mâcon-villages, chardonnay 2011 (FR)   € 6,79
Zachtfruitig, zij het een stuk strakker dan
z'n soortgenoten uit de Nieuwe Wereld.

Boland Kelder, paarl, five climates, chardonnay 2013 (ZA)   € 7,49
Slank, zachtfruitig.

Boschkloof, western cape, chardonnay 2012 (ZA) € 10,99
Volle chardonnay met deftige betimmering.

Cantina di Soave, Araia, soave classico 2012 (IT) € 4,99
Fruitig, licht kruidig, vleug anijs.

Cantina di Soave, cadis, veneto, bianco 2012 (IT) € 3,99
Eenvoudig, maar vol fruit.

Casal Mendes, vinho verde (PT) € 3,99
Fatsoenlijke strafdroge vinho v. in een gedrochtelijk flesje.

Cellier des Brangers, menetou- € 13,99
salon plaisir des brangers 2010 (FR)
Braaf, met de keurige, niet-opdringerige
lentegeur van sauvignon.

Chilensis, central valley, chardonnay 2010 (CL) € 4,99
Vol gezellig fruit.

Comte du Haut Lescourey, bordeaux moelleux 2012 (FR) € 4,99
Zachtzoet, van eenvoudige komaf, maar
grootgebracht tot een oppassend burger.

De Loach, heritage reserve, california, chardonnay 2010 (US) € 10,99
Zwaarwichtig zachtfruitig.

Domaine Gaudry, pouilly-fumé les longues echines 2011 (FR) € 14,99
Beschaafd en bescheiden, maar prijzig.

Gall & Gall huiswijn Suid-Afrika, vol, chardonnay 2012 (ZA) € 3,99
Vriendelijk zachtfruitig.

Goedgevonden, weskaap, chardonnay 2012 (ZA) € 4,99 ♈
Vol rijp zacht fruit.

Inycon, sicilia, chardonnay 2012 (IT) € 5,39 ♈
Opgewekte, licht kruidige chardonnay.

Inycon, sicilia, pinot grigio 2012 (IT) € 5,39 ♈
Vol zacht fruit.

Jean Baptiste Adam, réserve, alsace, pinot blanc 2012 (FR) € 7,49 ♈
Onbekommerd zachtfruitig zonder zorgen. Mist
wat inhoud, maar er zijn erger dingen.

Jean Baptiste Adam, réserve, alsace, pinot gris 2012 (FR) € 11,49 ♈
Nogal somber uitgevallen pinot gris, maar vol fruit.

Kroon van Oranje, paarl, chardonnay 2013 (ZA) € 4,99 ♈
Frisse, iets kruidige chardonnay.

Kumala, western cape, colombard/chardonnay 2011 (ZA) € 4,99 ♈
Vriendelijk sappig perenfruit. Jong nog!

Kurfürst karl kaspar, rheinhessen, auslese 2012 (DE) € 3,79 ♈
Zachtzoet citrusfruit.

La Battistina, gavi 2012 (IT) € 8,49 ♈
Tam en mat, niet de frisse finesse van weleer.

La Gascogne par Alain Brumont, côtes de gascogne, € 6,99 ♈
gros manseng/sauvignon 2012 (FR)
Kruidige manseng en frisse sauvignon
hebben het gezellig samen.

Les Courtelles, picpoul de pinet 2012 (FR) € 6,99 ♈
De muscadet van Zuid-Frankrijk. Die
van Henri Bloem is beter.

Lourensford, The River Garden, € 5,99 ♈
coastal region, chardonnay 2012 (ZA)
Zachtfruitig.

Miolo Cuvée Guiseppe, vale dos vinhedos, € 10,99 ♈
chardonnay 2010 (BR)
Iets norse chardonnay met fiks hout.

Nuevo Mundo, reserva, maipo valley, viognier 2013 (CL) 🌿 € 9,49 ♈
Viognierachtig snoepjesfruit, maar snoepjesfruit.

Ogio, pinot grigio delle venezie 2012 (IT) € 4,99 ♈
Vol rijp fruit.

St Desir, gascogne, sauvignon blanc 2012 (FR) € 6,99 ♈
Vriendelijk en sappig frisfruitig.

Torres Gran Viña Sol, penedès, chardonnay 2011 (ES) € 11,99 ♈
Mollig fruitig.

Torres Viña Sol, catalunya 2012 (ES)   € 7,49   ♟♟
Zoetsappig fruitig, kruidig.

Vallée Loire, touraine sauvignon 2012 (FR)   € 5,49   ♟♟
Prima frisse, sappige sauvignon.

Wolf Blass red label, south eastern australia, chardonnay 2011 (AU)   € 6,99   ♟♟
Gezellig zachtfruitig.

Yealands, marlborough, pinot gris 2011 (NZ)   € 9,99   ♟♟
Vriendelijk zachtfruitig.

Blanc droog, vin de pays 2012 (liter) (FR)   € 3,99   ♟
Zuurtjesfruitige gascogner.

Blanc, vin de france 2012 (FR)   € 3,99   ♟
Ongenuanceerd citrusfruitig.

Colombelle de france, gascogne 2012 (FR)   € 4,99   ♟
Fris, met een overdaad aan citrus.

d:vine, pfalz, pinot gris 2011 (DE)   € 4,49   ♟
Sleets zachtfruitig.

De Laumon, pays d'oc, chardonnay 2012 (FR)   € 3,99   ♟
Simpel zachtfruitig.

Esprit Soleil, pays d'oc, chardonnay 2012 (FR)   € 4,49   ♟
Weinig esprit: sullig zachtfruitig.

Esprit Soleil, vin de france, sauvignon blanc 2012 (FR)   € 4,49   ♟
Simpel zacht frisfruitig.

Fairview, La Capra, coastel region, sauvignon blanc 2012 (ZA)   € 7,99   ♟
Zacht frisfruitig.

Gall & Gall huiswijn, fris, sauvignon blanc 2012 (CL)   € 3,99   ♟
Karakteristieke Chileense sauvignon: vaag frisfruitig met wat verlepte groente.

Kurfürst karl kaspar, nahe, spätlese 2012 (DE)   € 3,79   ♟
Lichtzoet druivig, met een vleug ruitenreiniger.

La Umbra, dealurile transilvaniei, pinot grigio 2012 (RO)   € 4,99   ♟
Transsylvanië is niet verzonnen, zoals Ruritanië, het bestaat echt. Niet de kasteelwijn van Zenda, deze.

Les Hauts de perrière, sancerre 2012 (FR)   € 13,99   ♟
Bijna agressief voorjaarsfris.

Mooi Fonteyn, weskaap, droë steen 2012 (ZA)   € 2,99   ♟
Snoepjesfruit.

Moselland, aus der steillage, mosel, €7,99 🍷
riesling spätlese 2011 (DE)
Voor wat 't waard is: druivig.

Nuevo Mundo, maipo valley, isla de maipo, 🐌 €6,49 🍷
sauvignon blanc 2012 (CL)
Fatsoenlijker kwaliteit dan de gemiddelde
Chileense sauvignon. Frisfruitig, geen rot lof.

Nugan Estate, Third Generation, €5,49 🍷
south eastern australia, chardonnay 2012 (AU)
Derde generatie Nugan, en niet verder
gekomen dan snoepjesfruit.

Peter Lehmann, weighbridge, south australia, €7,99 🍷
unoaked chardonnay 2009 (AU)
Vriendelijke zachtfruitige chardonnay op leeftijd.

Terra Andina, central valley, fresh sauvignon blanc 2012 (CL) €5,99 🍷
Niksig zachtfruitig, niks met fresh of sauvignon van doen.

Terra Andina, central valley, lively chardonnay 2012 (CL) €5,99 🍷
Meer suf dan lively.

Torres Natureo Free, muscat 2011 (ES) €7,49 🍷
Alcoholarme drank geurend naar
muscat en landbouwplastic.

Torres Viña Esmeralda, catalunya 2012 (ES) €9,99 🍷
Zoetig sapje van muscat en gewurz.

Valdivieso, central valley, chardonnay 2013 (CL) €6,69 🍷
Helaas ook dit oogstjaar weer wat schonkig en
nors, met verlopen prei tussen het zachte fruit.

Vallée Loire, muscadet sèvre et maine sur lie 2011 (FR) €5,39 🍷
Ietwat belegen druivig en zilt.

Winzer Krems, niederösterreich, kremser sandgrube, €6,99 🍷
grüner veltliner trocken 2012 (AT)
Stekelig zuurtjesfruit. Fiets om naar Domäne Wachau.

Yealands, marlborough, sauvignon blanc 2011 (NZ) €10,99 🍷
Wat overenthousiast voorjaarsfris,
met een overdaad aan citrus.

Cantina di Soave, Rocca Sveva, soave classico 2011 (IT) €8,99
R.I.P.

Inycon, organic, terre siciliane, grillo 2011 (IT) €6,79
Was 🍷🍷🍷🍷 en 🚲, nu te oud.

Ironstone Vineyards, california, chardonnay 2009 (US) € 9,49
Ze werken hier al vier generaties lang natuurvriendelijk.
Da's mooi, maar de wijn smaakt naar snoepjes.
Vieze, ook nog.

Joseph Drouhin, pouilly-fuissé 2008 (FR) € 21,99
Was heerlijk, nu ernstig bejaard.

Lolo, rías baixas, albariño 2011 (ES) € 9,49
Was heerlijk, 🍷🍷🍷, nu stervend.

Masi, masianco, pinot grigio & € 10,99
verduzzo delle venezie 2011 (IT)
Overleden.

ROSÉ

Arrogant Frog, ribet pink, pays d'oc, syrah rosé 2012 (FR) € 6,49 🍷🍷🍷
Mooi bleekroze van kleur, vol fijn fruit van smaak.

Château la Moutète, vieilles vignes, € 13,99 🍷🍷🍷
côtes de provence 2011 (FR)
Slanke en voor de rijken onder ons vrolijk
wegklokkende roodfruitige rosé.

Domaine de l'Amaurigue, côtes de provence 2012 (FR) € 8,49 🍷🍷🍷
Prima, maar fiets om naar de diverse net zo
lekkere goedkopere rosés in deze gids.

Domaine Luc, pays d'oc, cabernet rosé 2011 (FR) € 5,99 🍷🍷
Stevig gebouwd, vol sappig rood cabernetfruit.
Terra Vitis, dus deeltijdbio.

Gall & Gall huiswijn, Suid-Afrika, pinotage rosé 2012 (ZA) € 3,99 🍷🍷
Stevig, iets aards, zachtfruitig.

Kumala, western cape, rosé 2013 (ZA) € 4,99 🍷🍷
Redelijk stevige rosé vol rood fruit.

Le caprice de clémentine, côtes de provence 2011 (FR) € 10,99 🍷🍷
Goed droog en fruitig, maar ietwat grof.

Viña Temprana, campo de borja, garnacha rosado 2012 (ES) € 3,49 🍷🍷
Stevige rosé vol fruit.

Bougrier, rosé d'anjou 2012 (FR) € 4,79 🍷
Onbestemd zoetsappig. Staat tot echte wijn
als vleesvervanger tot andouillette.

Esprit Soleil, pays d'oc, cinsault 2012 (FR) € 4,49 🍷
Zachtfruitig.

Hijos de Antonio Barceló, tierra de castilla y león, tempranillo rosado 2012 (ES)   € 4,49 ♀
Nogal schonkig zachtfruitig. Drinken
in een louche tapasbar.

Inycon, sicilia, cabernet sauvignon rosé 2012 (IT)   € 5,39 ♀
Stevig fruit, maar ook wat stug.

Mooi Fonteyn, weskaap, rosé 2012 (ZA)   € 2,99 ♀
Zachtfruitig, iets zuurtjesachtig.

Torres, de Casta, catalunya, rosado 2012 (ES)   € 7,49 ♀
Fiks geprijsd vaalfruitig.

Torres, Natureo Free, syrah/cabernet sauvignon 2012 (ES)   € 7,49 ♀
Ondanks de geur van fruitella en gezondheidssandaal
voor alcoholarm niet slecht.

Beso deVino, cariñena, garnacha rosé 2011 (ES)   € 4,99
Aan hun rood te proeven jong vast lekker.

Gall & Gall biologische huiswijn, Suid-Afrika, milddroog & fruitig rosé 2011 (ZA)   € 4,99
Oud en verstoft.

Goedgevonden, weskaap, pinotage rosé 2011 (ZA)   € 4,99
Ernstig op leeftijd.

Les Clos de Paulilles, collioure 2011 (FR)   € 8,49
Was ♀♀♀♀ en ♻, nu sombertjes op leeftijd.

ROOD

Ascheri, Podere di Rivalta di la Morra-Verduno, barolo, pisapola 2009 (IT)   € 31,99 ♀♀♀♀
Straffe tannine, maar verder snap je dat barolo
vergeleken wordt met stevige bourgogne.

Catena Alta, mendoza, malbec 2009 (AR)   € 31,99 ♀♀♀♀
Zeer luxe uitgevoerde malbec. Maar geef
mij maar drieënhalve fles Alamos.

Catena, mendoza, malbec 2010 (AR)   € 13,99 ♀♀♀♀
Wat intenser en complexer dan de
Alamos, maar ook fiks duurder.

Château Montus, madiran cuvée prestige 2001 (FR)   € 37,99 ♀♀♀♀
Vleug herfst, verder heel rijp fruit, bijna likeur,
en krachtige tannines. Vieve macho.

Château Pindefleurs, saint-émilion grand cru 2009 (FR)   € 24,99 ♀♀♀♀
Rijp en soepel, met pittige espressogeur
en tannines van stavast.

Domaine Berthet-Rayne, châteauneuf-du-pape 2011 (FR) 🍷 € 21,99 🍷🍷🍷🍷
Kersenfruit en zonnige kruidengeuren,
met serieuze nabeschouwingen.

Groot Constantia, constantia, cabernet sauvignon 2010 (ZA) € 15,99 🍷🍷🍷🍷
Roodfruitige, aardse Zuid-Afrikaanse médoc met
ouderwetse doch wellevende normen en waarden.

Hacienda Monasterio, ribera del duero 2007 (ES) € 36,99 🍷🍷🍷🍷
Beminnelijk fruit, beetje hout, vleug
herfstbos. Vief nog. Spaanse 'pomerol'.

Penfolds, Bin 128, coonawarra, shiraz 2008 (AU) € 21,99 🍷🍷🍷🍷
Gerijpte klassieke shiraz in prima
conditie. Kracht en verfijning.

Peter Max, Crystallum, pinot noir 2012 (ZA) € 21,99 🍷🍷🍷🍷
Zijdezachte Zuid-Afrikaanse 'bourgogne' op niveau.

Alamos, mendoza, cabernet sauvignon 2012 (AR) € 8,49 🍷🍷🍷
Argentijnse bordeaux voorzien van
intens bessenfruit. Van Catena.

Alamos, selección, mendoza, pinot noir 2010 (AR) € 10,99 🍷🍷🍷
Heel zacht en zwoel, gelukkig wel
wat tannines. Van Catena.

Altano Organical Farmed Vineyard, douro 2010 (PT) 🍷 € 10,99 🍷🍷🍷
Van portfamilie Symington. Vol rijp
donker fruit, maar gelikt.

**Badenhorst family wines, secateurs,
red blend, coastel region 2011** (ZA) € 10,99 🍷🍷🍷
Zuid-Afrikaanse versie van Zuid-
Frans rood. Lekker anders.

Beyerskloof, stellenbosch, pinotage 2012 (ZA) € 8,49 🍷🍷🍷
Vriendelijke slanke pinotage vol vrolijk rood fruit
plus bescheiden doch karaktervolle tannines.

Bodegas Julian Chivite, parador crianza, navarra, 2008 (ES) € 6,69 🍷🍷🍷
Sappig rood fruit, kruiden, en een plankje duur hout.

Bodegas Julian Chivite, parador reserva, navarra 2007 (ES) € 8,79 🍷🍷🍷
Deftige wijn met rood fruit en meer hout dan voorheen.

Bodegas Ondarre, Mayor de Ondarre, rioja reserva 2005 (ES) € 19,99 🍷🍷🍷
Klassieke hout&vanillerioja, maar met veel
fijn fruit en spannende kruidige geuren.

Catena, mendoza, cabernet sauvignon 2010 (AR) € 13,99 🍷🍷🍷
Argentijnse uitvoering van de betere médoc.
Veel cabernetfruit, mooi rijpe tannines.

Château de Jau, côtes du roussillon villages 2011 (FR)   € 4,99   ♟♟♟
Ruikt kruidig, heeft lekker sappig fruit,
een schep cacao, maar mist wat pit.

Château le Bourdieu, médoc cru bourgeois 2009 (FR)   € 12,99   ♟♟♟
Lenig en helder van smaak.

Château Maillard, graves 2009 (FR)   € 7,99   ♟♟♟
Fijn rood fruit en een vleug tabak. Jong
nog, met stevige tannines.

Château Tour Canon, lalande de pomerol 2011 (FR)   € 15,99   ♟♟♟
Slank en elegant.

Château Villerambert Julien, L'Opéra, minervois 2008 (FR)   € 6,99   ♟♟♟
Deftig donkerfruitig en kruidig, maar mist sjeu en zwier.

Claus de peyron, vacqueyras 2011 (FR)   € 8,99   ♟♟♟
Vol rijp kersenfruit met lekker dikke chocoladen tannines.

De Loach, russian river valley, pinot noir 2011 (US)   € 16,99   ♟♟♟
Zachte en zwoele pinot noir.

Domaine Saint Henri, gigondas 2011 (FR)   🍂 € 14,49   ♟♟♟
Gulle gigondas vol kersenfruit, peper, tabak.

Fairview, La Capra, coastel region,
cabernet sauvignon 2012 (ZA)   € 7,99   ♟♟♟
Vrolijke aardse cabernet. Proefnotitie:
'omfietsen als goedkoper dan vijf euro'...

Fattoria del Cerro, rosso di montepulciano 2011 (IT)   € 11,99   ♟♟♟
Donker fruit, specerijen, rokerige, ruige tannine. Prima.

Fattoria del Cerro,
vino nobile di montepulciano riserva 2008 (IT)   € 28,99   ♟♟♟
Rijp fruit, goed geteerde spoorbiels,
kruiden, laurier, strenge tannines.

Inycon, sicilia, shiraz 2011 (IT)   🍂 € 6,79   ♟♟♟
Gezellig peperige syrah vol fruit. Soepel,
doch geenszins oppervlakkig.

Ironstone Vineyards, california, merlot 2011 (US)   € 9,49   ♟♟♟
Zachtmoedige merlot ruim voorzien van rood fruit.

Ironstone Vineyards, lodi, old vine zinfandel 2011 (US)   € 9,49   ♟♟♟
Heel zacht aardbeienfruit, met, kijk aan: diepgang.

Jean-Claude Boisset, Dames Huguettes,
bourgogne hauts-côtes-de-nuits 2011 (FR)   € 17,99   ♟♟♟
Correct. Voor liederlijk lekker, fiets om naar
Boissets Domaine de la Vougeraie.

Kanonkop Estate Wine, paul sauer, simonsberg stellenbosch 2008 (ZA)   € 30,99 ♟♟♟
Fiks wat versgebrande koffiebonen in de geur, aards, landelijk, veel fruit daarachter.

Kanonkop Estate Wine, simonsberg stellenbosch, cabernet sauvignon 2008 (ZA)   € 26,99 ♟♟♟
Oudmodische Zuid-Afrikaanse médoc.

Kanonkop Estate Wine, simonsberg stellenbosch, pinotage 2009 (ZA)   € 26,99 ♟♟♟
Heel gezellig fruitig dit jaar. Het omfietsen waard – voor een derde van de prijs.

Kanonkop Kadette, stellenbosch 2011 (ZA)   € 10,99 ♟♟♟
Sappig donker fruit, specerijen, slanke, welopgevoede tannines.

Kumala, western cape, merlot-pinotage 2012 (ZA)   € 4,99 ♟♟♟
Merlotleer tegen een achtergrond van rood pinotagefruit. Slank, zacht en vriendelijk.

Lanzerac, stellenbosch, merlot 2010 (ZA)   € 16,49 ♟♟♟
Luxueus uitgevoerde merlot met een weelde aan verfijnde geuren en smaken.

Le cloître du château prieuré-lichine, margaux 2006 (FR)   € 26,99 ♟♟♟
Vieve senior. Al wat herfstgeur, maar nog volop fruit.

Leonardo, chianti riserva 2008 (IT)   € 10,99 ♟♟♟
Zomaar vol fruit! En wat deftig hout, ook nog! Plus geuren van een zonnige herfst. Wel duur.

Manoir de gay, pomerol 2010 (FR)   € 39,99 ♟♟♟
Vol rijp fruit, vleug koffie, fiks alcohol: 14,5 procent.

Masi, campofiorin, rosso del veronese 2009 (IT)   € 15,99 ♟♟♟
Hergegist met gedroogde druiven. Donker fruit, mokka, peper, rozemarijn.

Mommessin, beaujolais-villages vieilles vignes 2011 (FR)   € 7,49 ♟♟♟
Vol rijp rood fruit, beter dan menige cru.

Montirius, gigondas, terre des aînés 2006 (FR)   ⚘ € 19,99 ♟♟♟
Was jonger nog veel lekkerder (♟♟♟♟♟!).

Nuevo Mundo, reserva, maipo valley, isla de maipo, cabernet sauvignon carmenère 2011 (CL)   ⚘ € 9,49 ♟♟♟
Slank en soepel, vol fruit.

Oveja Negra reserva, maule valley, cabernet sauvignon-syrah 2011 (CL)   € 5,99 ♟♟♟
Bekvol sappig bessenfruit, voorzien van stevige edoch sympathieke tannines.

Penfolds, Bin 23, adelaide hills, pinot noir 2012 (AU) €29,99 ♟♟♟
Nog niet de ware pinot noir, maar doet
z'n best. Karaktervol zachtfruitig.

Peter Lehmann, Clancy's, barossa, shiraz, €12,49 ♟♟♟
cabernet sauvignon and merlot 2009 (AU)
Sympathieke bekvol wijn van pepershiraz,
bessencabernet, leermerlot.

Peter Lehmann, futures, barossa, shiraz 2009 (AU) €16,49 ♟♟♟
Intens fruit, peper, leer, en stoere tannines.

Planeta, cerasuolo di vittoria 2011 (IT) €15,49 ♟♟♟
Veel nero d'avola, weinig vrolijke frappato.
Fiets om naar Les Généreux voor frappato.

Planeta, sicilia, merlot 2007 (IT) €24,99 ♟♟♟
Zachte, spannende, kruidige en veels te dure merlot.

Planeta, sicilia, syrah 2007 (IT) €24,99 ♟♟♟
Donker fruit, peper, chocolade, een
vleug maquis… En duur!

Podere Sapaio, volpolo, bolgheri 2008 (IT) €26,99 ♟♟♟
Intense kruidige kracht verpakt in veel
rijp fruit en dure bonbons.

Tokara, stellenbosch, cabernet sauvignon 2010 (ZA) €12,49 ♟♟♟
Zwarte bessen, laurier, cederhout – en stoer
aards, zo typerend voor Zuid-Afrika.

Tokara, stellenbosch, shiraz 2010 (ZA) €12,49 ♟♟♟
Fruit, peper, kruiden, cacao – en stoer aards,
zo typerend voor U-Weet-Wel-Waar.

Tokara, zondernaam, western cape, red 2009 (ZA) €9,49 ♟♟♟
Stoer, peperig, aards. Donker fruit, leer.

Torres Celeste, ribera del duero crianza 2010 (ES) €16,99 ♟♟♟
Stevigfruitige tempranillo met cacaotannines en wat hout.

Torres Gran Sangre de Toro reserva, catalunya 2009 (ES) €11,99 ♟♟♟
Donker kersenfruit met kruiden oftewel: Spaanse rhône.

Torres Salmos, priorat 2010 (ES) €29,99 ♟♟♟
Donker fruit en deftig hout, soort Spaanse médoc.

Valdivieso Éclat, maule valley, red wine 2008 (CL) €16,99 ♟♟♟
Van ouwe carignan plus mourvèdre en syrah. Helder
rood fruit, vlezig, boers. Had jong meer pit.

Valdivieso reserva, valle de casablanca, pinot noir 2012 (CL) €13,99 ♟♟♟
Geurt zacht en zwoel, lijkt ieder oogstjaar
meer op goede bourgogne.

Valdivieso reserva, valle de colchagua, carmenère 2011 (CL)   € 13,99
Rijp cassisfruit plus de rokerige geur van carmenère.

Van Loveren, blackberry, robertson, cabernet sauvignon shiraz 2012 (ZA)   € 6,49
Rijp donker fruit, bescheiden tannine, beetje aards.

Viña la Rosa La Capitana barrel reserve, cachapoal valley, carmenère 2011 (CL)   € 10,99
Als immer een überkeurige ietwat gelikte wijn-met-wat-hout.

Viña la Rosa La Palma reserve, rapel valley, merlot 2012 (CL)   € 8,49
Slank en netjes opgevoed met wat aristocratisch hout en stoere, edoch met twee woorden sprekende tannines.

Viña la Rosa La Palma, cachapoal valley, merlot 2012 (CL)   € 6,49
Slank, lenig, atletisch. Hippe merlot vol fruit en designleer.

Viña Mayor, ribera del duero, tinto roble 2011 (ES)   € 8,49
Stevig rood fruit, cacao, specerijen, wat hout en stoere tannines.

Viña Salceda, rioja crianza 2010 (ES)   € 9,99
Bescheiden hout, veel fruit, kruidige geuren. Zacht van smaak, maar niet zonder pit.

Yealands, marlborough, pinot noir 2011 (NZ)   € 12,99
Opgewekt zachtfruitig. Prijzig. Fiets om naar Brancott en Flaxbourne (AH).

Altano, douro 2010 (PT)   € 6,49
Portugese bordeauxachtige. Wat sombertjes, dit jaar.

Arrogant Frog lily pad noir, pays d'oc, pinot noir 2009 (FR)   € 8,49
Gladjakkerig fruitig.

Arrogant Frog réserve, coteaux du languedoc, grenache-syrah-mourvèdre 2011 (FR)   € 8,49
Karakterloos donker fruit.

Arrogant Frog ribet red, pays d'oc, cabernet sauvignon/merlot 2012 (FR)   € 6,49
Sappigfruitige bordeaux uit Zuid-Frankrijk.

Beyerskloof, western cape, cabernet sauvignon/merlot 2012 (ZA)   € 8,49
Aards en fruitig. Die betere braaiwyn.

Blason de Bourgogne, bourgogne, pinot noir 2011 (FR)   € 8,49
Zeer eenvoudige, maar fruitige pinot noir.

Blason de Bourgogne, mâcon rouge 2011 (FR)   € 7,49
Lichte gamay vol rood fruit. Koelen.

Boland Kelder, five climates, paarl,   € 7,49   🍷
cabernet sauvignon 2012 (ZA)
Stoere, aardse cassiscabernet met gespierde tannines.

Boland Kelder, paarl, cabernet sauvignon shiraz 2010 (ZA)   € 4,99   🍷
Soepel fruit, met een bescheiden optreden van dat zo
karakteristieke aardse toontje van Zuid-Afrikaans rood.

Cave de Tain, Les Hauts de Pavieres,   € 10,99   🍷
crozes hermitage 2010 (FR)
Geurt bescheiden rokerig naar noord-
rhône, smaakt braaffruitig.

Château Bel Air, haut-médoc cru bourgeois 2008 (FR)   € 14,99   🍷
Keurige nog jeugdige médoc. Iets droog.

Château Macquin, saint-georges saint-émilion 2010 (FR)   € 10,99   🍷
Merlotleer en rijp fruit.

Château Roc de Cazade réserve, bordeaux 2012 (FR)   € 5,49   🍷
Vieilles vignes de Saint Léger. Rijp
bessenfruit, straffe tannines.

Château Tour Fonrazade, saint-émilion 2010 (FR)   € 15,99   🍷
Soepele merlotbordeaux met een pretentieus prijskaartje.

Chilensis, selección especial, central valley,   € 4,99   🍷
cabernet sauvignon 2012 (CL)
Vriendelijk Chileens bordeauxtje vol pittig bessenfruit.

De Loach, heritage reserve, california,   € 10,99   🍷
cabernet sauvignon 2011 (US)
Heel zachtmoedige, maar ook wat
onbenullige fruitige cabernet.

Gall & Gall huiswijn, france, stevig, merlot 2012 (FR)   € 3,99   🍷
Stoere fruitige leermerlot.

Gall & Gall huiswijn, merlot pinotage soepel &   € 3,99   🍷
kruidig 2012 (ZA)
Stoere aardse Zuid-Afrikaanse geuren,
fruit, merlotleer. Prima voor 't geld.

Gall & Gall huiswijn, soepel, cabernet sauvignon/merlot (CL)   € 3,99   🍷
Vol sappig cassisfruit, plus wat merlotleer.

Icze, sebestyén, szekszárdi cuvée 2008 (HU)   € 8,49   🍷
Slank, rood fruit, iets kruidig.

Inycon, sicilia, cabernet sauvignon 2009 (IT)   € 5,39   🍷
Meer cabernet dan Sicilië.

Jean-Claude Boisset, chorey-lès-beaune 2009 (FR)   € 21,99   🍷
Correct. Voor liederlijk lekker, fiets om naar
Boissets Domaine de la Vougeraie.

Jean-Claude Boisset, Les Ursulines, € 12,99
bourgogne pinot noir 2011 (FR)
Correct. Voor liederlijk lekker, fiets om naar
Boissets Domaine de la Vougeraie.

Kavaklidere, Ancyra, eastern anatolia, öküzgözü 2011 (TR) € 7,49
Wat schonkige zachtfruitige wijn van de öküzgözüdruif.

La Umbra, colinele dobrogei, pinot noir 2012 (RO) € 4,99
Rood fruit, kruidig, weinig pinot noir.

Le Jaja de Jau, pays d'oc, syrah 2012 (FR) € 4,99
Donkerfruitig en peperig.

Leonardo, chianti 2011 (IT) € 7,49
Donker fruit, vleug tabak, stoere tannines.

Leonardo, toscana 2011 (IT) € 5,39
In feite een kleine, iets stugge, roodfruitige chianti.

Les Montenay, pays d'oc, merlot 2012 (FR) € 5,49
Vriendelijk donkerfruitig merlotje.

Louis Bernard, côtes du rhône-villages 2011 (FR) € 7,49
Minder sikkeneurig dan voorheen, en
met fruit in plaats van drop!

Louis Bernard, domaine de barbera, € 6,99
côtes du rhône 2011 (FR)
Fruit, kruiden, chocola: keurige rhône.

Louis Bernard, domaine des causses, lirac 2011 (FR) € 8,49
Donker fruit, kruiden, wat asfalt. Wat
stroef. Louis, doe toch eens gezellig!

Masi, costasera, amarone classico 2007 (IT) € 37,99
Soort droge port, intens fruitig, kruidig.
Plus branderige alcohol.

Mommessin, château de pierreux, brouilly 2011 (FR) € 10,99
Braaffruitig.

Mommessin, domaine de la presle, fleurie 2011 (FR) € 12,99
Braaffruitig.

Ogio, puglia, primitivo 2011 (IT) € 4,99
Donker fruit. Fiets om naar A-Mano.

Peter Lehmann, Portrait, barossa, shiraz 2010 (AU) € 10,99
Soepel fruit met peper- en cacaotannines.

Raymond reserve selection, napa valley, € 21,99
cabernet sauvignon 2010 (US)
Een Californische médoc met fiks hout.

Raymond, r collection, lot no 3, € 19,99
california cabernet sauvignon 2011 (US)
Keurige cabernet.

Terrasse du Moulinas, pays d'oc, rouge du soir 2012 (FR) € 4,99
Niet zo gezellig als 't etiket, maar fruitig en kruidig.

Torres Ibéricos, rioja crianza, tempranillo 2010 (ES) € 9,99
Slank, fruit, cacaotannines.

Torres Sangre de Toro, catalunya 2011 (ES) € 7,49
Kersenfruit, cacao, stevige tannines.

Tour Bouscassé, madiran 2008 (FR) € 15,99
Beschaafde, wat karakterloze achterbuur van bordeaux.

Valdivieso Winemaker reserva, € 7,99
central valley, merlot 2012 (CL)
Slanke, wat benepen merlot.

Valdivieso, central valley, merlot 2012 (CL) € 6,69
Brave merlot.

Viña la Rosa La Palma, cachapoal valley, € 6,49
cabernet sauvignon 2012 (CL)
Vlot en soepel bessenfruit, zachte tannines, brave afdronk.

Viña Mayor, ribera del duero, crianza 2008 (ES) € 13,99
Donker fruit, cacao, vleug hout, barse tannines.

Viña Salceda, rioja reserva 2008 (ES) € 14,49
Neem hun crianza.

Vrhunsko vino, pz svire hvar, plavac mali 2009 (HR) € 9,99
Druif plavac mali is een kind van zinfandel.
Net zo soepel, maar stroeve tannines.

Wolf Blass red label, south eastern australia, € 6,99
shiraz/cabernet sauvignon 2012 (AU)
Mollig als Wolluf zelluf. Een en al rijp fruit.

Wolf Blass yellow label, south australia, € 8,99
cabernet sauvignon 2010 (AU)
Braaf als Blass' strikje, deze would-be-
bohemien vol mollig cabernetfruit.

Arrogant Frog ribet rouge rural, pays d'oc, € 6,99
cabernet sauvignon/merlot syrah 2010 (FR)
Biologisch donker fruit met drop.

Cadis, veneto rosso 2012 (IT) € 3,99
Soort bardolino. Fiets om naar Masi.

Chapelle du Bois, pays d'oc 2012 (FR) € 4,99
Fruitig doch ook droppig.

Colonjes, cuvée 2009 (NL)   € 13,99
Behoorlijk bejaard van smaak, maar geurt nog fruitig.

Cour Carré, ventoux 2011 (FR)   € 4,49
Eenvoudig fruitig en kruidig.

d:vine, pfalz, dornfelder, medium sweet 2011 (DE)   € 4,49
Friszoetig. In z'n soort best fatsoenlijk.

Esprit Soleil, pays d'oc, merlot 2012 (FR)   € 4,49
Eenvoudig soepel leermerlotje.

Goedgevonden, weskaap, cinsault merlot 2012 (ZA)   € 4,99
Simpel fruitig, aards.

Joseph Drouhin, bourgogne, pinot noir 2010 (FR)   € 11,99
Hoekig en onbehouwen.

Kroon van Oranje, paarl, cabernet sauvignon 2012 (ZA)   € 4,99
Donker fruit, aards, stevig.

La Poderina, rosso di montalcino 2010 (IT)   € 18,99
Maggi en asfalt. Maar: nu ook met fruit.

Le Jaja de Jau, pays d'oc, merlot 2012 (FR)   € 4,99
Sappige merlot.

Leo Martin, bierzo, mencía 2010 (ES)   € 7,49
Was 't omfietsen waard, is nu iets te oud.

Louis Bernard, côtes du rhône 2011 (FR)   € 6,49
Eenvoudig donkerfruitig, iets droppig.

Mooi Fonteyn, weskaap, droë rooi 2012 (ZA)   € 2,99
Zachtfruitig, wat droppig.

Prestige du Rhône, côtes du rhône 2011 (FR)   € 4,99
Simpel soepel fruitig.

Rouge, vin de france 2012 (liter) (FR)   € 3,99
Vriendelijk fruitig. Het etiket is beter.

Terra Andina, central valley, elegant pinot noir 2012 (CL)   € 5,99
Heel zacht fruit, maar ook zachte drop.

Terra Andina, central valley, scandalous carmenère 2012 (CL)   € 5,99
Geen carmenère, veel zachte drop.

Terra Andina, central valley, velvety merlot 2012 (CL)   € 5,99
Fluweelzachte dropwijn.

Vin de france rouge, fruitig france (literfles) (FR)   € 3,99
Simpel soepel fruitig.

Winzer Krems, kellermeister reserve, niederösterreich, zweigelt 2009 (AT)   € 12,99
Geef die sombere Winzer Krems toch de bons, Gall!

Gall & Gall huiswijn, france, vol & stevig, cabernet sauvignon 2011 (FR)   € 3,99
Stug en vroegoud.

Torres Natureo Free, syrah 2011 (ES)   € 7,49
Minder weerzinwekkend dan andere
ontalcoholiseerde 'wijn'.

LES GÉNÉREUX

▷ Spreiding: Landelijk
▷ Aantal filialen: 40
▷ Voor meer informatie: www.lesgenereux.nl

Hoewel het grootste deel van het Généreux-
wijnassortiment in alle winkels verkrijgbaar
is, hebben vele aangesloten wijnhandelaren
hun eigen, aanvullende sterke punten.
Bijvoorbeeld in de vorm van een specialiteit
in Bordeaux-, Rhône- of andere gebieden.

OMFIETSWIJNEN

WIT

FRANKRIJK
Beaujolais

JEAN-PAUL BRUN, TERRES DORÉES,   € 16,20
BEAUJOLAIS BLANC, CHARDONNAY 2011

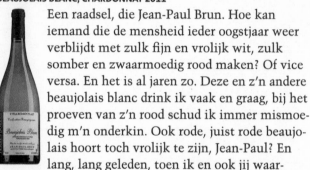

Een raadsel, die Jean-Paul Brun. Hoe kan iemand die de mensheid ieder oogstjaar weer verblijdt met zulk fijn en vrolijk wit, zulk somber en zwaarmoedig rood maken? Of vice versa. En het is al jaren zo. Deze en z'n andere beaujolais blanc drink ik vaak en graag, bij het proeven van z'n rood schud ik immer mismoedig m'n onderkin. Ook rode, juist rode beaujolais hoort toch vrolijk te zijn, Jean-Paul? En lang, lang geleden, toen ik en ook jij waarschijnlijk nog geen onderkin hadden en ik m'n eerste wijnboekje schreef (*Over de tong*, 1994), had je een vrolijke rode wijn zonder poespas. Je kunt het dus wel. Ik troost me maar met je vrolijke witte bourgogne beaujolais. Deftiger dan z'n Classique, maar niet minder plezierig.

JEAN-PAUL BRUN, TERRES DORÉES, BEAUJOLAIS BLANC, € 11,95 ♀♀♀♀
CHARDONNAY CLASSIQUE 2011

Wijnvriend Gareth was zomaar dood. Flamboyante, alles wetende en etende wijnvriend Gareth. 'Misschien is wijn toch niet zó gezond,' zei iemand toen we Gareth herdachten in restaurant Le Garage met oesters, paté, varkensnek en wat wijn. 'Of misschien dronk hij er niet genoeg van,' opperde ik. Ik opper graag. Graag iets gezelligs. Al waren de herinneringen aan Gareth al mooi genoeg, hoe hij, Humpty Dumpty in kleurige kleren, met z'n fietsmandje vol flessen binnenkwam en dan met Welsh accent verkondigde: 'Ik heb nú toch fiese wijn ontdekt!' Maar daarna graag iets lekkers. Deze witte beaujolais bijvoorbeeld, van chardonnay in al z'n eerlijke, pure eenvoud. Geen hout, geen aanstellerij, geen pretenties tot Grote Wijn. Jaren geleden ontdekt bij, jawel, Le Garage, tijdens een lunch met ouderwets Frans eten als slakken en andouilette. Sindsdien koop ik ieder jaar wel een dozijn of twee. Het eeuwige leven krijgt u er niet bij, wel veel gelukzaligheid.

Loire

ISABELLE ET PIERRE CLÉMENT, MENETOU-SALON 2012 € 13,20 ♀♀♀♀

Menetou-salon. Van Hubrecht Duijker leerde ik lang geleden dat je beter menetou kon kopen dan bekende buur sancerre, omdat sancerre de roem naar het hoofd was gestegen en je vaak vooral voor de naam betaalde, terwijl de inhoud vies kon tegenvallen. Had hij helemaal gelijk in, maar ook menetou-salon werd langzaamaan bekend… Meestal adviseer ik daarom dus zo'n heerlijke pittige springerige sauvignon uit Touraine. Sancerre en menetou zijn slechts de prijs waard als ze naar meer smaken dan loiresauvignon, als ze zo'n gezellig weerbarstig kalk- en krijtachtig toontje in geur en smaak hebben, breed en diepgravend van smaak zijn, als ze écht naar sancerre of menetou smaken. Zoals deze. Alle pit en voorjaarsfrisheid van druif sauvignon, in een zeer lieflijke, charmante uitvoering. De familie Clément maakt hier al wijn sinds 1560. Dan krijg je het langzamerhand in de vingers.

Zuidwest

DOMAINE DES CASSAGNOLES,   € 7,05
CÔTES DE GASCOGNE, SAUVIGNON 2012

Pittige sauvignon, beter dan menige sancerre, en nog fruitig als de duurste, sappigste peren ook, benevens voor minder geld; wat wilt u nog meer? Niks. Behalve dat u dit eerder geweten had. Dat die beroemde sancerre – en kompaan in het kwaad pouilly – zo vies kon tegenvallen. En u dus beter naar elders had kunnen reizen om gelukkig te zijn.

ITALIË

BORGO DI COLLOREDO, TERRE DEGLI OSCI,   € 7,20
MALVASIA 2012

Malvasia heette vroeger in onze streken malvezij, en was geurige, zoete wijn, want er wordt nu wel getobd over al ons gesnoep, maar zolang de mensheid bestaat vrat en zoop iedereen die door moord, machtsmisbruik, kapervaart of uitgekiend huwelijk rijk was geworden, zich ongans aan zoeternij. Malvasia is een verhaspeling van Monemvasia, de Zuid-Griekse havenstad van waaruit in de

Middeleeuwen grote hoeveelheden goudgele, soms ook
lichtrode, maar in ieder geval behoorlijk alcoholische
zoete wijn werd verscheept. Waar zo'n wijn ook vandaan
kwam, hij werd, naar de havenstad, malvasia genoemd.
Of malvoisie, malvesie, malmsey, malvezij, enzovoort.
Malvezij kon dus van alles, en overal, worden gemaakt.
Maar er is ook malvasia van druif malvasia. Of beter
gezegd, van een van de tweeënveertig verschillende
malvasia's. Hoe dat allemaal in elkaar steekt besparen
we u, want niemand weet het precies, en bovendien, het
zal u worst wezen, want u heeft dorst. Dit is een droge,
zachte, vriendelijke malvasia, exotisch geurend naar
specerijen en *all the perfumes of Arabia*.

DE ANGELIS, MARCHE, FALERIO 2012 € 6,15 ♀♀♀

Geurt naar wijngaard: druiven, stenen, zon.

OMFIETSWIJNEN | LES GÉNÉREUX

DE ANGELIS, OFFIDA, PECORINO 2012   € 8,75 ♟♟♟

Garrigue, dat klinkt Frans. Is het ook. De arme kalkplateaus in Zuid-Frankrijk, begroeid met struiken en alle Provençaalse kruiden onder een strakblauwe hemel. Rozemarijn, tijm, salie, oregano, venkel, lavendel... Droog, warm, stoffig. Met wat vocht erbij stomen de geuren je tegemoet. En omdat druiven en daarna de wijn op geheimzinnige wijze de geuren van de omgeving kunnen opnemen, ruikt goede wijn hier dan ook naar fijne kruidigheid en warme zomerdagen. Naar garrigue. Gek dat de Italianen er geen woord voor hebben. Want deze wijn van druif pecorino geurt ook zo. Met als toegift heerlijk fruit.

ROSÉ

FRANKRIJK

RIMAURESQ, CRU CLASSÉ, CÔTES DE PROVENCE 2012 € 12,35 🍷🍷🍷🍷

Subtiele en toch lekker wegklokkende sappig roodfruitige rosé voor de vermogende medemens met smaak. En moge het ook u wel bekomen, als u na nijver sparen van uw karig loon eindelijk dit genot eens mag smaken. Toch zou ik zeggen, als dit uw levensdoel is, spaar nog twee jaar door en koop dan een fles van de Tour du Bon. Ja, deze rosé, die de Grote Gatsby al dronk als hij hier over de boulevard flaneerde, is ook het omfietsen waard, maar die Tour du Bon nog net even meer. Omfietsrosés, 't zijn net varkentjes, ze zijn allemaal gelijk, de *pink piggies*, maar sommige toch wat meer dan andere.

Languedoc-Roussillon

DOMAINE BON REMÈDE, € 6,70 🍷🍷🍷
PENSÉE SAUVAGE, VENTOUX 2012

Er zijn mensen, die komen in de Ventoux, zien die berg, en pakken dan een fiets. Soms winnen ze. Anderen schrijven er een boek over. Kienere lieden denken: 'Hé, Ventoux, dat is toch een wijngebied? Laat die berg lekker liggen, gaan we een wijngaard planten.' Goed gespierde, opgewekte, flierefluiterrosé. Voor omfietsen, maar niet met zo'n raceding maar met een rijwiel met mandje.

DOMAINE CLAVEL, MESCLADIS,　　　　🍇 € 8,40 ♟♟♟
LANGUEDOC PIC SAINT LOUP 2012

Speelt geld geen rol, koop dan de Tour du Bon.
Denkt u, nou, ja, maar die is wel twee keer zo
duur, wees dan blij met deze. Niet die verfijning, niet die verleiding, maar wel rosé zoals
rosé bedoeld is en je 'm helaas veels te weinig
tegenkomt, terwijl hij toch op z'n plaats is op
elk decent terrasje waar mensen blij van zin en
met mooie fladderjurkjes en stoere ongeschoren
hoofden graag komen, met trek in fijne, goed
droge, maar nee, niet zeikerig zure rosé.

Provence

DOMAINE DE LA TOUR DU BON, BANDOL 2012　　€ 16,40 ♟♟♟♟♟

Alle andere meesters en juffen van m'n lagere
school zijn waarschijnlijk ook jarig geweest,
maar de verjaardag van de meester van de
vierde klas herinner ik me. 'Geef 'm een fles
wijn,' zeiden mijn ouders. 'Olala, een rosé
d'anjou,' zei meester Polman, en hij streek z'n
vlassige snorretje op als Dirk Bogarde in *Death
in Venice*, al was hij nauwelijks ouder dan
Tadzio. De volgende dag had hij de hik. 'Le vin
d'anjou,' lispelde hij, blozend. Niet lang daarna
besloot de Nederlandse Samenleving dat het mooi was
geweest met die rosé d'anjou. Een knallende kater elke
keer dat je rosé had gedronken met de smaak van
overjarige zuurballen – er moest beter zijn in de Wijnwereld. Op late avonden, na veel van die betere wijn, waren
er soms mensen, mensen die wisten dat er echte rosé
bestond, rosé die wijn was, en die mensen zeiden dat
rosé terug zou komen. Met de komst van het derde
millennium was het zover. Het duurde wel eventjes.
Toen ik proefde voor m'n eerste *Supermarktwijngids*

hadden supermarkten een rosé in het schap staan die smaakte als een vis die al geruime tijd dood in huis lag, en een nog zoetere rosé die deed denken aan een vis gemarineerd in toiletverfrisser die dood in huis lag tot de buren begonnen te klagen over riolen en ratten en dat het een schande was, in zo'n nette buurt. Nu, ruim tien jaar later, veertig jaar na de tsunami d'anjou, is er bijna net zoveel keuze in rosé als in pleepapier. En daar zitten zowaar soms lekkere bij. 'Die zo lichtroze toch, die uit de Provence?' Was de wereld maar zo overzichtelijk. Witte wijn maak je van druivensap. Rode wijn krijgt z'n kleur van de schillen van donkere druiven. Laat die schillen effe – een paar uur, een dag – meedoen met het sap, voor wat kleur, en je krijgt rosé. Al mag je bij bodemkwaliteitrosé en bij champagne – zeer verbaasd zich in hetzelfde schuitje terug te vinden – rosé maken door een scheutje rode wijn toe te voegen aan witte. De dikte en donkerte van de schillen, en de tijd die ze het sap kleur mogen geven, bepaalt de kleur van de rosé. Smaak en geur volgen kleur: hoe donker, hoe steviger en stoerder. Voor alle tinten rosé geldt: de kwaliteit wordt bepaald door de wijnboer. Zelfs in Bandol, waar je de beste rosés (en wit en rood) van de Provence en de rest van de wereld kunt maken, zijn er wijnboeren die niet verder komen dan vale onbestemde doorsneewijn, en duur nog bovendien. Slechts een paar, vaak vrolijk geschifte, genieën maken de ware wijn. De allerluxte, allerfijnste rosé. Maar niks geen kapsones. Doodgewoon schofterig lekker. Rosé als Errol Flynn, de man die mijn meester Polman hoopte te zijn. Niet goedkoop, nee. Maar deel een fles met meester of juf, en de toekomst van uw kind zit gebeiteld. Maar koop er voor de zeker-heid twee, want 'een fles bandol blijft nooit lang vol', meldt een fan van De Smaakimporteur, samen met De Wijnvriend, de andere importeur van deze feestbandol. Getest. Klopt. Vijftien jaren geleden al, toen ik de rode bandol van La Tour du Bon kocht bij een inmiddels verdwenen importeur, en nu nog. Voor rood – en voor heerlijk wit – moet u bij De Smaakimporteur en De Wijnvriend zijn. De aristocratie van de Provence – met een gulle glimlach.

ITALIË

COLLEFRISIO,   € 8,60

MONTEPULCIANO D'ABRUZZO CERASUOLO 2012

Slank, rood fruit, kruiden, goed droog, rijk van smaak.

ROOD

FRANKRIJK
Bordeaux

CHÂTEAU PENIN, BORDEAUX, MERLOT 2009 € 12,30

Studenten zijn arm. Soms doordat ze opgaan in de wetenschap, vaker doordat er meer verbrast wordt dan er binnenkomt. Dus doet het student alles om aan geld te komen. Proefkonijn bij medische experimenten, schoonmaker in een pornobioscoop, creatief rood staan door rekeningen te openen bij tien verschillende banken. Of, zoals ik, nachtwaker. Het betaalde goed, de secundaire arbeidsvoorwaarden wisselden. Zo spookt, zeker na het proeven van veel rafelrand-Zuid-Afrikaans met kaplaarzenbouquet, nog altijd die lugubere autobandenfabriek door mijn dromen. Elke twee uur van de lange nacht moest je d'r helemaal inspecteren, en ze was zo groot dat als je van je ronde terugkwam je weer opnieuw kon beginnen. Om spijbelen te voorkomen zaten er in allerlei griezelige duistere hoeken – 'tevens fabriceren wij hoogwaardige sm-artikelen' – prikklokken. Gelukkig was dat een eenmalige uitzondering. Meestal betrof het kantoren, waar je rustig wat kon studeren, lekker in alle kasten en laden snuffelde, en je dan in de directeurskamer na het lezen van de mappen Vertrouwelijke Informatie en wat gepruts aan de brandkast te rusten legde op de chesterfield met de wekker op een kwartier voor aflostijd. Wat ik met al dat geld deed? Wijn kopen natuurlijk! Onder andere een bordeaux die net zo rijk en geslaagd in het leven geurde als deze fijne, gesoigneerde merlotbordeaux, met de allure van de Groten der Aarde. Puur en zuiver als de immer in onberispelijk leder gehulde held in een kasteelroman, die na het vallen der duisternis toch wat vreemde gewoonten bleek te hebben, zoals de zo net nog zo onschuldige heldin in haar roze peignoir zou ontdekken. En ze leefden nog lang en gelukkig.

Languedoc-Roussillon

PRIEURÉ SAINTE CROIX, PAYS D'OC, PINOT NOIR 2012 € 9,00

Prima Zuid-Franse 'bourgogne'.

ITALIË

ISOLE E OLENA, CHIANTI CLASSICO 2010 € 19,40

Het was al een heel geslaagd reisje, en dan kregen we er voor het ware vakantiegevoel ook nog de gluiperige ober bij: 'Nee hoor, die wijn heeft geen kurk, dat is typisch Toscaans.' En hij leek eerst zo sympathiek, met welkomstglaasjes prosecco ook nog, al stonden die later wel op de rekening. Gewoonlijk geef ik mensen in al hun waandenkbeelden gelijk, want gut, als iemand nou graag kul gelooft, maar om een of andere reden heb ik daar op wijngebied moeite mee, dus hield ik toch stand tot de horecasnor tandenknarsend met een andere fles kwam, zonder die muffe, dojemuizige kurklucht. Maar mooi wel een prachtlijst chianti's, dat eenvoudige restaurant in een zijstraatje in Florence. Welopgevoede, gerijpte wijnen, geurend naar cipressen, irissen en zo'n duizend jaar oud kerkje als

San Miniato al Monte, met conciërge uit *De naam van de roos*. Deze stond ook op de kaart – voor 60 cent meer dan hier bij De Genereuzen. Isole e Olena wordt niet voor niets al jaren geroemd als een van de meest elegante en verfijnde chianti's. Vraag de kelner maar of hij een fles opentrekt, en proef.

PAXA, LAZIO 2011 € 6,95

Lazio! Dat ken ik goed. Niet dat ik er ben geweest, ik ben nergens geweest, maar ik heb er veel van gedronken, en dat telt ook. Lazio ligt wat ten zuiden van Rome. Vroeger heette het Latium. De inwoners spraken Latiums, Latijn, en hebben het dankzij spaarzaamheid, deugdzaamheid en nog wat saaie karaktereigenschappen geschopt tot veroveraars van de wereld, die toen het Romeinse Rijk heette. Op één dorpje na, maar dat weten jullie. Importeur Vinoblesse heeft gezellig wit en rood van oude druivensoorten uit die streek, deze wijnmaker volgt de Toscaanse mode. Sangiovese met wat cabernet en merlot, oftewel chianti met een scheutje bordeaux. In Toscane smaakt dat meestal reuze duur en ongezellig. Deze wijn doet het beter. De eigenwijze smaak van prima huiswijnchianti met wat degelijke tannine van een bordeaux voor alle mensen.

VALLE DELL'ACATE, IL FRAPPATO, TERRE SICILIANE,   € 13,45
VITTORIA FRAPPATO 2012

Daar in het Diepe Zuiden zijn de rode wijnen vaak donker, warm en zwaar. Een enorme verrassing dus als deze lichtrood vanuit de fles in het glas duikt. Licht van geur ook, roodfruitig, beetje rokerig, spannend en intrigerend. Het lijkt wel Siciliaanse bourgogne. Van druif frappato wordt niet veel meer verteld dan dat het een niet heel bijzondere druif is die voor wat frisheid en rood fruit kan zorgen in een gezamenlijk optreden met nero d'avola. Dat geloof ik graag. Maar in z'n eentje kan hij zich dus ook uitstekend redden. Aan de prijs, maar geld speelt geen rol, nietwaar, dus als mijnheer Fred Généreux zich met het potlood achter het oor bij de personeelsingang vervoegt om onderdanig de bestelling voor deze maand op te nemen, bestel er dan wat dozen van.

OVERIGE WIJNEN

WIT

Château de la Jaubertie, bergerac 2012 (FR)　　€ 8,55
Aristocratische versie van gascognewijn.

Di Lenardo, Toh! friulano, friuli grave 2012 (IT)　　€ 9,30
Zacht en verfijnd.

Albet i Noya, Xa, penedès, xarel.lo 2012 (ES)　　€ 9,10
Lentefris fruitig.

Castelo de medina, rueda, verdejo 2012 (ES)　　€ 7,90
De lente stuift het glas uit. Goed droog.

Château de Nages, butinages, costières de nîmes 2012 (FR)　€ 8,30
Zachtfruitig, kruidig.

Eukeni, txakoli 2012 (ES)　　€ 10,15
Strakdroge Baskische 'muscadet'.

L'Arjolle, thongue, sauvignon blanc viognier 2012 (FR)　€ 6,35
Frisse sauvignon met zachte viognier. 't Kan.

Michel Gassier, les piliers, france, viognier 2012 (FR)　€ 10,70
Zwaargeparfumeerd zachtfruitig.

Reichsrat von Buhl, pfalz, deidesheimer herrgottsacker, 　€ 13,00
riesling trocken 2012 (DE)
Correcte, doch weinig enerverende riesling.

Vanel, pays d'oc, chardonnay 2012 (FR)　　€ 6,10
Vriendelijk zachtfruitig.

ROSÉ

Fontanet, les terrasses, premium, pays d'oc 2012 (FR)　€ 5,50
Mild (snoepjes)fruitig.

Viña Castelo, tierra de castilla y léon 2012 (ES)　　€ 7,10
Stevig, fruitig, grof.

ROOD

Casa del Canto, roble, yecla 2009 (ES)　　€ 7,95
Luxueus fruit, duur hout.

Cercius, vieilles vignes, côtes du rhône 2012 (FR)　€ 10,85
Breedgeschouderd, fruit, dure bonbons.

Château Cap Saint-Martin, blaye côtes de bordeaux 2010 (FR)　€ 12,95
Stevige herenboerenbordeaux.

Domaine Clavel, Le Mas,   € 8,45
Coteaux du Languedoc 2011 (FR)
Rijp donker fruit, cacao, kruiden.

Domaine Le Champs des Murailles,   € 14,05
corbières boutenac 2010 (FR)
Corbières-du-pape. Vol, warm, kruidig.

Jean-Paul Brun, Terres Dorées, côte de brouilly 2011 (FR)   € 13,75
Keurig. Vol fruit. Haalt 't niet bij
Bruns wit. Mist vrolijkheid.

La Natura, terre siciliane, nero d'avola 2011 (IT)   € 8,10
Gezellig boers, vol fruit en kruiden.

Puenterruz, alicante, monastrell syrah 2011 (ES)   € 7,95
Vol peper en rijp fruit. Helaas te duur voor ⮞.

Tenuta Giuliano, vigne vecchie,   € 9,30
montepulciano d'abruzzo 2011 (IT)
Intens fruit van oude wijnranken.

Viña Urbezo, cariñena 2012 (ES)   € 8,50
Vol rijp kersenfruit. Helaas te duur voor ⮞.

DE GOUDEN TON

▷ Spreiding: Noord- en Zuid-Holland,
  Utrecht, Gelderland, Brabant
▷ Aantal filialen: 9
▷ Voor meer informatie: www.degoudenton.nl

OMFIETSWIJNEN

WIT

DUITSLAND

FRITZ HAAG, MOSEL, RIESLING TROCKEN 2011 € 14,95

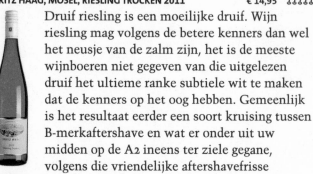

Druif riesling is een moeilijke druif. Wijn riesling mag volgens de betere kenners dan wel het neusje van de zalm zijn, het is de meeste wijnboeren niet gegeven van die uitgelezen druif het ultieme ranke subtiele wit te maken dat de kenners op het oog hebben. Gemeenlijk is het resultaat eerder een soort kruising tussen B-merkaftershave en wat er onder uit uw midden op de A2 ineens ter ziele gegane, volgens die vriendelijke aftershavefrisse verkoper in ruimbemeten beige double-breasted met hangsnor nochtans zo goed als nieuwe hergebruikte Trabantje druipt. Toch, het bestaat, goede riesling. En in het sjieke segment, maar ook qua meer vriendelijke prijs-kwaliteitsverhouding, komt de ware uit Duitsland. Duitsland?! Ja. Er zijn twee soorten Duitse wijn. De ene soort, gelukkig langzaam uitstervend, verdedigt zachtjes ruftend z'n positie op de rafelranden van de supermarktschappen. Hoewel de kwaliteit de laatste paar jaar gestegen is richting categorie 'in extreme noodsituaties drinkbaar', komt de gemiddelde proefnotitie neer op 'zoetig chemisch afval'. Toch zijn er nog steeds mensen die het drinken. Die komen ongetwijfeld gruwelijk aan hun eind, maar mooi dat hun wijntjes nauwelijks een euro per literpak kostten! En er zijn Duitse wijnen als deze. Voor 't geval u riesling niet kent: hij heeft wat van sauvignon blanc, al mag ik dat van de rieslingpolitie vast niet zeggen, maar dan met een paar millennia aristocratische beschaving. Strak, spannend, subtiel. En toch ook domweg lekker. Iets minder onverbiddelijk dan die van Ökonomierat Rebholz, iets gemütlicher. Maar net zo weergaloos. En dan is dit nog hun instapmodel...

ÖKONOMIERAT REBHOLZ, PFALZ,
RIESLING TROCKEN 2011

€ 15,95 🍷🍷🍷🍷🍷

De afhaalchinees kwijnt, schijnt het. Voorbijgestreefd door andere nationaliteiten. Zonde. Toen ik klein was, begin jaren zeventig, was dat een feest, 'eten van de chinees'. Heerlijk! Vader ging het halen, en kwam thuis met een overweldigende hoeveelheid bakjes vol fusion uit de Chinees/Indonesische keuken voor de Nederlandse smaak verklaard. Met daarbij: coca-cola! Zo mooi overzichtelijk is het leven niet meer. Dus kreeg ik onlangs in het Okurahotel les in Japans eten en Duitse wijn van Koreaanse smaakexpert Joannie Cho Lee: 'Pittig eten kun je blussen met zacht wit. Maar daar waar ze van gepeperd houden, drinken ze juist stevig rood, dat de vurige smaken versterkt.' Wijn en eten, het blijft persoonlijk. Nu geloof ik graag dat de Japanse keuken reuze verfijnd is, maar terugfietsend naar huis had ik toch vooral een afdronk van sojasaus in de mond. En eigenlijk vond ik al die Duitse wijnen het lekkerst zónder de Japanse verfijndheden erbij. Dus schonk ik mezelf thuis ruim in van deze, bij lekker niks. Strak, spannend, subtiel. En toch ook domweg lekker. Weergaloze riesling. En dan is dit nog hun instapmodel...

FRANKRIJK
Bourgogne

MERLIN, MÂCON LA ROCHE VINEUSE,   € 20,75
VIEILLES VIGNES 2010

Zo af en toe laat een geestelijk dwalende weten dat het hem verwondert dat een omfietswijn zowel landwijn als grand cru kan behelzen. Integendeel, leg ik dan uit vanaf m'n preek-stoel. Dat is juist het mooie van dit prachtcon-cept, beminde gelovigen van de rood-wit-roze kerk. Een huiswijnliter van vier piek mag heel simpele wijn zijn, maar als je eenvoudige maar eerlijk en oprechte wijn zoekt voor feest, partij of kleine portemonnee, dan is die liter het omfietsen waard. En zo'n mâcon als deze is óók het omfietsen waard. Slechte bourgogne kost algauw ruim een tientje, geef dan liever één keer het dubbele uit aan goede wijn waar je wél plezier aan hebt. Ja, het is een boel geld, maar niet voor deze kwaliteit, en niemand zegt toch dat je het dagelijks moet drinken? Misschien is één keer in je leven wel genoeg, om te weten hoe goed witte mâcon kan smaken. En daarna besluit je of je spaart voor nog een fles, of liever drie flessen koopt van Félines Jourdan's chardonnay, waar je ook heel blij van wordt. Toch, vaak zul je nog dromen van deze zachte, bijna romige wijn, vol fruit met een bescheiden vleug hout, die toch zo verfijnd van zuren is, van die combina-tie van liederlijk genot en hooghartige aristocratie die slechts de beste bourgogne gegeven is. En adellijke viespeuken in boeken als *Les Liaisons Dangereuses*.

Languedoc-Roussillon

DOMAINE FÉLINES JOURDAN, HERAULT,   € 6,95
COTEAUX DE BESSILLES, CHARDONNAY 2012

Vrolijke kleine Zuid-Franse 'bourgogne'. Voor
een picknick met veel lekkers, en rollebollen in
de zomerweide toe.

DOMAINE FÉLINES JOURDAN, HERAULT,   € 6,95
COTEAUX DE BESSILLES, SAUVIGNON 2012

Lang geleden, toen je voor je studie nog moest
werken of lenen, gingen m'n wijnmaatjes en ik
in de grote vakantie de boer op. Op zoek naar
de beste pouilly-fumé reden we op een lome
namiddag de binnenplaats van een heus
Loire-chateau op, waar de bekakte kasteelheer
de komst van het gepeupel een prima aanlei-
ding vond om nog veel dronkenderder te
worden. Behoedzaam terugrijdend wisten we:
net als buur sancerre kan pouilly vies tegenvallen, maar de ware is verleidelijk lekker. Strafdroge
sauvignon met onder de frisse lentegeuren hooghartige
aristocratische smaken. Tja, dat kost wat. Maar kijk
nou, De Gouden Ton, die altijd het beste met ons
voorheeft, vond in Zuid-Frankrijk een pittig klein
broertje van de pouilly. Fris als de eerste mooie lentedag,
met vanaf de middag kans op toenemende dronkenschap.

Rhône

DOMAINE DE MONTINE, GRIGNAN-LES-ADHÉMAR, VIOGNIER 2012 € 13,60 ░░░░

Die Franse appellations, dat weet wat. Zeker hier in Zuid-Frankrijk. Eindeloos veel zijn er, en er komen ook nog steeds nieuwe bij. Het liefst zou iedere wijnboer voor iedere wijngaard een eigen appellation hebben: kijk eens hoe bijzonder ik ben! Terwijl in elke appellation net zoveel verschil in kwaliteit voorkomt als er wijnboeren zijn. Hier maken ze overigens al zo'n negentien eeuwen wijn, en het heette er Tricastin, tot ze er een kerncentrale neerzetten, wat de inboorlingen niet zo wervend als wijnpropaganda vonden, dus werd de naam veranderd. Onzinnig, want zo'n kerncentrale kan pas kwaad voor de wijn als er iets misgaat, en dan hebben we wel wat anders te doen dan over afdronken te zemelen. Hoewel een glas van deze veel ellende doet vergeten, zij het misschien niet tumoren als bloemkolen, ontspruitende extra ledematen, lichtjes groen oplichten in het donker en dan de dood en het Einde van Alles. Bloesemgeurige viognier zoals je 'm veel te weinig ziet: weelderig doch niet voluptueus, met frisse verfijning.

Zuidwest

DOMAINE DU GOUYAT, MONTRAVEL 2012 € 7,50 🍷🍷🍷

Verrassingswijn: je ruikt en proeft en denkt: plezierige frisse wijn, vol zacht fruit zoals perziken, peren en weet ik hoe dat fruit allemaal heet, fijn vleugje limoen ook, ze kunnen daar in Montravel, die appellation in Bordeauxbuur Bergerac, toch best aardige wijnen maken, wat zal ik geven, 🍷🍷 of 🍷🍷🍷, 't zit ertussenin, laat ik nog even proeven, mmm, weet je wat, ik zet de fles weg en proef rond aperitieftijd nog even, Dinges en z'n sloerie van de maand smurfen dan langs voor een glaasje... Hé hallo dag, kom binnen, nou één glaasje, ja graag, heb je ook wijn daarin, ja deze, nou maar dat is lekker, hou je in enen van ons of zo! En inderdaad. Moest efkens openbloeien, en dan proef je duidelijk verwantschap met bordeaux. Nee, niet dat-ie ineens onbetaalbaar smaakt, maar zeker duurder dan hij is. Eigenlijk veels te sjiek voor Dinges, die altijd verkeerde champagne drinkt op dat protserige jacht van 'm.

ITALIË

GORGO, CUSTOZA 2012 € 8,95 🍷🍷🍷🍷

Jonge sla kan er wat van, bloemen in de knop gebroken ook, maar qua lentebeleven haalt niks het bij een bossie tulluppe. Niks zo aandoenlijk als piepjonge tulpen. Zo'n schuchter bosje, de kelkjes dicht, slechts de toppen van de bloemblaadjes kuis van onder het prille groen kiekend. Giebelend als de Jopopinoloukikoclub. 'Hu, daar komt een mijnheer!' Drie bossen voor geen geld krijg ik op de markt van het vrolijke mollige meisje dat met iedere voorbijganger een gebbetje maakt. De tulpjes met lichtgeel-oranje blaadjes kies ik. Verborgen nog in hun lentegroen,

beducht voor maart die z'n staart roert. Geen bloem die
zo mooi het Hollands voorjaar verbeeldt. Ze kan komen,
de lente, maar wanneer? Morgen kan het weer ijzig
sneeuwen. Zo piepjong, op hun hoede voor kou en de
rest van de boze buitenwereld, zijn ze op hun mooist, de
tulpjes. Maar het enthousiasme waarmee ze opbloeien
zodra het warm is, is ook hartveroverend. Even. Want al
te gauw schieten ze alle kanten op, als lastige pubers.
Thuis is dan daar als immer de vraag: 'Wat drinken we
erbij?' Want zo zijn wij, van de beroepsdrinkerij. Wat er
ook gebeurt, altijd gaan de gedachten richting fles en
kurkentrekker. En kijk nou. Daags voordat ik me te
buiten ging aan een bouquet in blomvorm, had ik me
door de natte sneeuw naar een restaurant met Michelin-
sterren aan de hemel gewaagd. Voor wijn met voorjaarsgeuren. Nee, dat was niet de tulluppunwijn van die
snorrende Nederlander in Bordeaux. Die is lang zo
vrolijk voorjaarsfris niet meer als hij ooit was. Braafburgerlijk inmiddels. Wijn voor bij een onbestemd buitje.
Dit betrof déze wijn, want Michelin-herbergen zijn ook
weleens verstandig, en schenken naast al het verant-
woord moeilijks iets domwegs lekkers, om u en mij op
ons gemak te stellen, en de gebruikelijke clientèle aan
het denken te zetten: 'Bestaat er dan ook wijn onder de
vijf meier?' Luchthartig fruitig, frisgroen kruidig, vleug
munt, verleidelijk ondeugend als het mooiste meisje
(m/v) van de klas. De druif in charge is garganega, dus
dit is wat we in onze dromen zoveel nachten, zoveel
nachten wachten dachten dat soave was. Ja, hullie van
de Gouwe Duigen hebben ook een ware soave, die van
Pieropan. Toch drink ik liever deze. Zachter en subtie-
ler. Uit de buurt van Verona, waar Romeo tulpen kocht
voor z'n lief.

MONTENIDOLI, TRADIZIONALE,   € 13,95
VERNACCIA DI S. GIMIGNANO 2010

't Is dat ik het als recensie-exemplaar kreeg, anders had het boven aan mijn verlanglijstje gestaan. Lieve Sint, het is wat veel gevraagd, maar ik wil het zo graag, dat drie kilo dikke boek *Wine Grapes* van Jancis Robinson, dus alstublieft? 1368 druiven staan erin, en al hun hebbelijkheden en zonden. Wie familie is van wie, wie dezelfde naam draagt maar toch van heel andere komaf blijkt, alle eerbare druiven-huwelijken, de slippertjes, incest, *Brave New World*-experimenten. Hoe de in Nederland zo populaire regent gekweekt is uit talloze gedwongen kruisingen, dat de sjieke chardonnay inderdaad een dochter is van sloerie gouais blanc, de onbekende heikneuter fer servadou van Marcillac een grootouder van de wereldbe-roemde carmenère. De geslachtsregisters in de Bijbel zijn er niets bij. De illustraties zijn van een eeuw geleden, toen men keek naar blad- en trosvorm, naar beharing van de steelaanzet. Nu is er DNA-onderzoek. Gelukkig verpakt als negentiende-eeuws standaardwerk. Ik proefde deze wijn, fruitig, kruidig, met subtiel want munt en nog veel meer verfijnde nuances op ouderwetse leest geschoeid, en ging in Jancis opzoeken hoe het volgens haar nu precies zit met druif vernaccia. Vernac-cia betekent zoiets als 'inheems', dus als je niet precies wist wat voor druif je in de wijngaard had, dan noemde je 'm vernaccia. 'Wat dit voor wijn is? Dat wist de wijnboer niet, maar het is wel echt inheems!' Voor zover bekend, bekend als druif voor de wijn die bekend is doordat hij uit San Gimignano komt, dat Toscaanse stadje met al die torens. De naam van de wijn is ook de naam van de druif, hij komt oorspronkelijk uit Spanje of Griekenland, en wordt hier al in de dertiende eeuw genoemd. Hij is niet gerelateerd aan de andere vernaccia's. En nadat ik dat allemaal had gelezen proefde ik de wijn nog, had ik nog steeds die opgewekte vrolijke smaak in m'n mond. Het kenmerk van goede wijn. Na een glas slechte denk je algauw dat je een dood vogeltje in je mond hebt, bij gaatwelwijn krijg je zin in pils om het af te blussen, bij ware wijn voel je je louter goedertieren. En vol dorst naar meer Moois.

OOSTENRIJK

LOIMER, SCHELLMANN, IN GUMPOLDSKIRCHEN, THERMENREGION 2011

 € 17,50

Bij het kantoorlijke koffiemasjien pocht men hoe ver en zonnig men weggaat of -ging. Ik niet. Ik heb geen echt werk, dus geen praatjes bij de koffie, en bovendien, niemand zou me geloven: jij hebt toch al heimwee als je een koffer ziet? Jawel. Maar soms ga ik toch. Collega's en vrienden pluizen maanden tevoren de culinaire gidsen uit, reserveren plaatsen in Michelintenten of daar waar het gaat gebeuren. Daar moet ik ook zijn, om hip te zijn, en blij! Het komt er nooit van. Maar na beroepsbezoek aan Oostenrijk heb ook ik wat te verhalen. Overal buiten gegeten, en we zaten nog niet of er vielen hagelstenen als kievitseieren zo groot, plus storm, donder, bliksem als het einde der tijden. Stoïcijns bleven we zitten, onder doorlekkende parasols. Want lekker, die wijnen! Neem nou deze: luxueus druivig droog van een keur aan inheemse druiven als zierflander, rotgiefler muskateller traminer riesling. Inderdaad, ook een 'gemischter Satz', zoals die van Wieninger. Deze is wat weelderiger, maar geurt net zo verleidelijk naar een Ot & Sien-tafereeltje, toen God nog in de Hemel was en regen nooit natter dan verfrissend.

WIENINGER, WIENER GEMISCHTER SATZ 2012   € 12,95

Wiener wals van diverse druivensoorten vol bloemengeur. Vroeger, toen zomers nog echt zomers waren en iedereen zijn plaats wist, maakten de meeste wijnboeren geen cépagewijnen, maar mikten ze al hun druiven, en als ze wat minder nauw keken ook nog een paar van de buurman, bij elkaar in een vat en hoopten er het beste van. Gemischter Satz, noemen ze dat in Oostenrijk. De familie Wieninger maakt van zijn wijngaarden bij Wenen weer zo'n wijn van allerlei druivensoorten – maar dan met overleg en kennis van zaken. Leuk huiswerk: vergelijk 'm eens met de gumpoldskirchen van Loimer. Deze is wat strakker, maar geurt niet minder bekoorlijk naar voorjaar uit de tijd van *Rasmus en de landloper*.

SPANJE

TERRAS GAUDA, O ROSAL, RÍAS BAIXAS 2012   € 18,95

In Noord-Portugal maken ze vinho verde. Nee, ik weet ook niet waarom. Toch bestaan er ook drinkbare uitvoeringen, gaat het gerucht. Toch, hoe ongetwijfeld interessant ook om eens mee kennis te maken, ik trek liever verder noordwaarts, de grensrivier de Miño over naar het Spaanse Rías Baixas. Aldaar maken de inboorlingen witte wijn van albariño. Overmoedig geworden door hun internationale succes, plukken sommigen hun druiven overrijp en timmeren daar dan modieus dure eikenhouten vaten omheen, wat leidt tot alcoholische wijnen die naar versgelegd parket rieken. Gelukkig bestaat er ook nog de ware rías baixas, een prijzige, maar gelukkig ook weergaloos lekkere aperitiefwijn, geurend naar druiven, bloesem, munt en oud geld, met in de afdronk een ondernemend bittertje.

ROSÉ

ITALIË

MONTENIDOLI, TOSCANA ROSATO, CANAIUOLO 2012   € 16,95   🍷🍷🍷🍷🍷

Prachtrosé. De *La Tour du Bon* van Italië. Rosé als de beste champagne, maar dan zonder die opboerende belletjes. Ja, dat kost wat, maar Bruin kan dat best trekken, mits u zich onthoudt van door de heer Rutte aanbevolen aanschaf van automobielen en verre vakanties en ander eenvoudig volksvermaak. Wat, dat ik makkelijk praten heb vanaf de veranda van mijn Pippi Langkous-villa 'Het Volle Glas en Kijk Uit dat Je Niks Breekt', uitkijkend over de voorvaderlijke brandnetels en paardenbloemen? Wacht maar tot u zich hiervan bedient. Zelfs het minste balkonnetje met roestijskast en uitzicht op overachterbuurman in morsig hemd die de vuilniszak doorzoekt op misschien toch niet helemaal lege bierblikjes, terwijl buurvrouw daaronder in muiltjes met roze pluisjes tevergeefs flirt met de hond van de melkboer, verandert in zonovergoten landerijen vol decoratief neergezet kleinvee en een enkele koe van een duur merk, terwijl een zacht kuchje u waarschuwt dat de butler wil gaan opmerken dat de lunch ingeschonken is, Hoogheid. Zo'n soort wijn, zou Winnie-the-Pooh zeggen. De druif, officieel canaiolo geheten, vindt u mondjesmaat in chianti, en al in 1303 werd hij de hemel in geprezen door innemers van formaat. Misschien stond hij ook al in de wijngaarden van de Etrusken, maar dat, zegt Alwetende Druivengodin Jancis Robinson streng, is in de verste verte niet bewezen. Kunnen we mee leven.

ROOD

DUITSLAND

SHELTER WINERY, BADEN, SPÄTBURGUNDER 2011   € 15,50 ♟♟♟♟♟

Er staan bar weinig ♟♟♟♟♟-wijnen in deze gids. Misschien wel minder dan zou moeten. Want vaak wil ik wel, en deins dan toch terug. Hoger dan ♟♟♟♟♟ is er niet, dus krabbel ik na aanvanke- lijk enthousiasme toch vaak terug naar ♟♟♟♟ – want misschien is er nóg lekkerder wijn dan die ik nu in het glas heb, dus bewaar ik m'n 'uitmuntend' voor die. Ook in dit geval heb ik getwijfeld, maar na diverse dagen terugproeven was het nog steeds een spätburgunder zoals bourgogne bedoeld is, een gevaarlijk verleidelijke perfecte pinot noir zoals je ze zelden treft. En vind je ze, dan kosten ze vijf, tien keer zoveel. Wat dat betreft wijs ik u overigens met enige tegenzin (ik drink het liever allemaal zelf op) op de spätburgunder Tschuppen van de familie Ziereisen (winterbergwijnen.nl), die net zoveel plezier geeft, en voor dezelfde prijs ook nog, als deze. Toen pa en ma Ziereisen in 't land waren om wat over hun wijnen te vertellen, begonnen collega Hamersma en ik na één slok te bestellen. Wees gerust, net als van deze heb ik wat voor u overgelaten. En mocht u nu denken dat de toekomst van rode bourgogne in Baden ligt: ik heb ook nog wat overgelaten van de bourgogne 'En Lutenière' van Aurélien Verdet (bolomey.nl) en de Les Pince Vin van Alain Burguet (smaakimporteur.nl). En zie ook de rully van Jaeger-Defaix van De Gouden Ton, mocht u denken 'en wat moet ik daarna dan drinken?'.

FRANKRIJK
Bourgogne

DOMAINE JAEGER-DEFAIX, RULLY 2011   € 19,95

Het beste kookboek van dit zonnestelsel, dat is nog
steeds *De Keuken van De Cocq*. En dat van Sylvia Wit-
teman. Maar De Cocq dus. Dat is Wouter Klootwijk. Die
van *De Wilde Keuken*, ja. In z'n jopper, door weer en
wind. Mijnheer Klootwijk overpeinst de calorieën, veegt
dan overbodige onzin via de bijkeuken naar buiten, en
eet waar het om gaat. Hij vertelt hoe lekker je eten kan
met slechts drie ingrediënten. Of minder: broodje zuurkool. Ik moest aan 'm denken door het recept 'haring'.
Verder geen woorden aan vuilmaken. Alleen, we moeten er iets uitgekiends bij drinken, volgens de culinai-
ren. Jenever, manzanilla, muscadet? Het kan. Picpoul,
chablis, pils, ook. Maar ik word er niet blijer van dan
van haring zomaar. Het ultieme recept dus: haring. Met
zonder iets. Wel van een haringboer met een hart. Later
op de dag: wijn zonder bord en bestek erbij, want bij de
beste bourgognes eet je niet. Rode bourgogne, echte rode
bourgogne, is blozend lichtrood, geweven uit rozengeur
en maneschijn, geurt naar rood fruit van de groentejuwelier en ondeugende dingen voor boven de achttien, heeft
de smaak van weer dat fruit, is mild, maar niet zoet,
zoals dat vaak voorkomt bij pinot noir van Elders, en
heeft net wat tannine, om te laten zien dat we beschaafd
zijn maar geen watjes. Echte rode bourgogne smaakt
naar *Les Liaisons Dangereuses*. Geen geld dus, twee
tientjes, als je het zo ziet.

Languedoc-Roussillon

DOMAINE GRAND CRÈS, CUVÉE CLASSIQUE, € 11,95
CORBIÈRES 2009

Een van de eerste wijnen die ik kocht, kocht in de zin van maar liefst zes flessen tegelijk, jawel mijnheer, u heeft hier met een wijnkenner van doen, was een corbières. Ik heb er daardoor, of doordat er hele lekkere wijnen worden gemaakt die smaken naar Ruige Jongens en Wilde Meiden met het hooi nog in het haar, een levenslang zwak voor. Goed, zeker in de hillbillyschappen van discountsupermarkten kun je corbières treffen die zo te ruiken samen-wonen met divers gebrekkig en ontuchtig vee met zweren en galbulten, die schoon stro een decadente luxe vinden, zich wassen met zelfgestookte alcohol en wat tanden missen, knoestig en niet bijzonder welgemanierd zijn – maar de gemiddelde corbières die op je pad komt, lijkt toch op een sympathiek boerenpersonage uit James Herriot. Dit is de plaatselijke landheer, gekleed in duur tweed. Corbières vol kersenfruit en zomerzon, een goede vleug garrigue, de geur van Provençaalse kruiden in het wild, en het stalluchtje dat corbières zo kenmerkt is hier te herleiden tot het classicistisch verblijf van de Arabi-sche volbloeds, of hoe dure paarden ook maar mogen heten, dat u kent uit *A View to a Kill*.

Loire

DOMAINE DES BAUMARD, € 12,50 🚲🚲🚲🚲

LOGIS DE LA GIRAUDIÈRE, ANJOU 2010

Rode loire, van cabernet franc (en in Anjou ook een beetje cabernet sauvignon) is een lastpak. Door de noordelijke ligging zijn de druiven vaak zuur en onrijp, en smaakt de wijn naar paprika. En hoewel er onverschrokken lieden bestaan die paprika's rauw wegkanen, wil ik ze zeker niet in m'n wijn. Dan is er de gelukkig uitstervende authentieke stijl, met wijnen geurend naar jute, inkt en gelooide knoestige wijnboer, of juist de te moderne, met veel nieuw hout, waardoor de wijnen lijken op een mislukte kruising tussen testosteronbordeaux en parketwas. En zelfs al is alles goed, zoals hier, dan nog is rode loire niet ieders wijn. Een uitgesproken persoonlijkheid, je ziet 'm graag of kan 'm niet luchten. Ter kennismaking is dit een ideale introductie. Zacht, sierlijke zuren, behulpzame tannines. Helder van geur, alles prachtig in balans, kabbelt lichtvoetig en vrolijk naar binnen. Beaujolaisbordeaux, karakteriseerde de Californische schrijver en wijngoeroe Kermit Lynch rode loire in zijn boek *Adventures on the Wine Route* (het leukste boek over wijn). Rood fruit, en de geur van rode loire, die je met van alles kunt gaan vergelijken, maar die je, als je 'm eenmaal kent, ook blind geproefd immer identificeert als 'Rode loire! En ik heb m'n proefglas zomaar leeggedronken. Mag ik nog wat?'

Rhône

DOMAINE BRUSSET, LES TRAVERS,   € 12,95
CÔTES DU RHÔNE VILLAGES CAIRANNE 2011

Dat lijkt duur, en wat lijkt tegenwoordig niet duur, voor een côtes-du-rhône, want die kocht je ooit voor een scheet en drie knikkers, hoewel een paar guldens – zo heette de euro toen – gebruikelijker was. Mooie tijden. Minpuntje was wel dat die côtes-du-rhône ook de enige fles was die uw puisterige wijncolporteur te bieden had, en dat hij naar hergebruikte limonade of naar motorolie smaakte, en als het echt tegenzat naar beide. Beduimelde blaadjes met blote foto's kon de wijncolporteur ook bieden, benevens Oostblokpreservatieven met getuigschriften van vorige gebruikers, want de jeugd van tegenwoordig, nietwaar? Die houdt het niet bij bladeren. Kwam allemaal door die vieze Elvis de Pelvis. Maar ter zake en met beide benen op de grond. We hebben het hier wél over cairanne, inmiddels bevorderd tot dezelfde hoogte van zaligheid als châteauneuf-du-pape, de rhône die we toen gekocht zouden hebben als we niet aan die puisterige kinderen begonnen waren met hun rokkerol en even ongecontroleerde voortplantingsdrift als wij. Dan waren we rijk geweest en hadden we ons kunnen wentelen in weelde, met op zondag een glaasje châteauneuf-du-pape waar Wina Born zo mooi over schreef in de *Avenue*. Châteauneuf-du-pape die omgerekend fiks prijziger was dan deze cairanne nu, terwijl in de verste verte niet zo lekker. Ook menig hedendaags châteauneuf-du-pape haalt het niet bij deze cairanne, en is nog duurder ook. Smaakt naar uw vakantie op die camping tussen Châteauneuf-du-pape en Cairanne (als dat geografisch kan), maar roept vooral vergezichten op van kerst en in alle mensen een welbehagen. Zelfs in mensen die zich aan puisterige papes hebben bekocht.

DOMAINE DE MONTINE, ÉMOTION, € 13,60
GRIGNAN-LES-ADHÉMAR 2011

Lang, lang geleden, nog voordat ik het in m'n dronken hoofd haalde om wijn niet alleen te drinken maar de mensheid er ook nog mee lastig te gaan vallen door er stukjes over te schrijven, dronk ik de wijn uit Tricastin. De buurtkruidenier, Pasteuning, was dol op wijn, en gaf er ook steeds meer aandacht aan in de winkel. Zo kon je naast de hagelslag flessen Mouton vinden. Een van hun huiswijnen was de tricastin van de familie Bour. Een feest, want goede wijn uit Zuid-Frankrijk was toen, in de punk- en kraakjarentachtig, heel wat zeldzamer dan nu. Zoals u bij de witte wijn van Montine kunt lezen, is dit tricastin, al heet het nu iets moeilijks anders. Joyeuze wijn vol fruit en hartverwarmende kruidige geuren, vervolmaakt met fijne chocoladetannines. Had zo naast de hagelslag van Pasteuning kunnen staan.

ITALIË

BADIA A COLTIBUONO, CETAMURA, CHIANTI 2011 € 12,50

Toen een nichtje dat voor chirurg leert beeldend vertelde hoe amputeren gaat, moest ik in enen weer aan m'n lievelingsboek van ooit denken, van het Amerikaanse echtpaar Wasserman over Italiaanse wijn. Vooral overjarig vonden ze onbetaalbaar. Gierig scharrelde ik toen wijnwinkels af op zoek naar bloedarmoedige vaalbruine chianti's en andere overleden winkeldochters. Later schopte ik het zover dat ik bejaarde wijnen mocht degusteren bij oude adel. Jammer dat hun roestige chianti's vooral naar koude thee smaakten, met een ernstig vermoeden van veldhospitaal en gangreen in de afdronk. Nee, dan deze van nu! Op Badia a Coltibuono maken ze al zo'n duizend jaar wijn, en die is altijd vrolijk en levendig. Nou ja, de drie decennia dat ik ze ken. Deze landedel- manwijn is het lekkerst. Niks mis met hun sjiekere wijnen, maar dit is mijn chianti. Bescheiden van alcohol, vrolijk rood als de beste bourgogne, licht en vrolijk van smaak, vol opgewekt rood fruit naast dat karakteristiek Toscaanse vleugje zonnig herfstbos en bedachtzaamheid. Chianti zoals chianti bedoeld is. De voornaamste druif heet sangiovese: bloed van Jupiter.

COSSETTI, LA VIGNA VECCHIA, BARBERA D'ASTI 2010 €12,50 ♟♟♟

Op zondag gaat men ter kerke, en drinkt men in Piemonte barolo en barbaresco. De andere dagen geloven we lekker wat we willen en drinken de Piemontezen barbera. Barbera geurend naar donkere kersen, naar herfstblade- ren, haardvuur, een voedzame maaltijd in de gastvrije herberg. En dan die opgewekte frisse zuren, dat gezellig eigengereide bittertje. Tenminste, zo zou het moeten zijn. Veel barbera is helaas dun, zuur en troosteloos. Andere lijden aan hoogmoedswaanzin, denken barolo te zijn, bluffen met intensiteit en concentratie, zijn onverteerbaar als een vooroorlogse zwartekousenpreek. Nee, dan deze! Eindelijk weer eens een oprechte, vrolijke barbera! Komt bij mij ook op zondag op tafel, en is zelfs voor de kerst genood. Vindt u dat wat ver gaan, ziet u liever zondagswijn in de kerstglazen schitteren: vraag De Gouden Ton om de heerlijke nebbiolo en barbaresco van Vietti en Sandrone (moet u wel wat meer geld meenemen dan nodig is voor deze...).

SANDRONE, DOLCETTO D'ALBA 2011 € 16,75 ♀♀♀♀

Lang geleden waren de Van Coevordens machtige landheren. Of kok Schilo van Coevorden afstammeling of slechts naamgenoot is, weet ik niet, maar hij is een indrukwekkende heerser over de keuken van het restaurant in het Conservatoriumhotel te Amsterdam. Dé keukenprins om te koken bij de barolo's en barbera's van Barbara Sandrone, wijnen die smaken naar geschiedenis, naar romantiek gehuld in de nevelen van de tijd. We beginnen gezellig met dolcetto, de Piëmontese versie van beste beaujolais – wijn die volgens de Piëmontezen een soort tamme dolcetto is. Je moet de zaken wel in verhouding zien. In beide gevallen slechts te pruimen indien gemaakt door wijnmakers met hart voor de zaak en een baldadig humeur. Hetzelfde geldt voor barbera, al mag die ook wel wat serieuzer smaken. Slordig gemaakte is dun, zuur, onbestemd, maar te deftige, barbera die Grote Wijn wil zijn, deugt ook niet. Barbara Sandrone en haar vader maken barbera zoals barbera bedoeld is. Een vleug hout, vooruit, en dan veel pittig kersenfruit en een lekker weerbarstige inborst. Dan de barolo, die niet naar z'n druif nebbiolo heet, maar naar woonplaats Barolo. Volgens de boeken geurt barolo naar teer en rozen. Dat klopt – meestal, want ook: de droefgeestige geur van een B-weggetje met doodgereden egeltjes; in de verte een vervallen hoeve waar een inteelttweeling slobberend kijkt naar *Boer doet enge dingen met vrouw*; en tannines doods en dor als de bomen in het laat seizoen. De barolo's van Sandrone ruiken ook naar herfst. Herfst in de mistige heuvels van Piemonte. Rook krinkelt uit de schoorsteen van de gastvrije herberg, waar kok Schilo de pollepel zwaait. De oven is gestookt met druiventakken, tegen de oude warme bakstenen muren

bloeien uitbundig rozen in de najaarszon, de truffelleve-
rancier klopt aan... Wina Born zaliger werd bespot om
haar poëtische Piëmontebeschrijvingen, maar kijk nou,
na één lunch begin ik ook al. Romantische wijnen. Deze
nog jonge dolcetto biedt kersenfruit en vrolijke zuren.
Italiaanse morgon.

OOSTENRIJK

HEINRICH, BURGENLAND, RED 2011   € 11,95   ♟♟♟♟

Stoer en charmant rood, welgemanierd, ondeugend, geurend naar verboden fruit en dure
sigaren. Peperig, spannend als een jongensboek.
Technischer gezegd: Oostenrijkse wijn van
druiven zweigelt, blaufränkisch en st-laurent.
St-laurent, een druif waarvan ooit gedacht werd
dat hij familie was van pinot noir, door mensen
die meer verstand hadden van druiven dan van
wijn. Veels te stoer, st-laurent. Wel lekker
stoer, een beetje zoals de tannat van madiran.
Blaufränkisch kom je behalve in Oostenrijk onder
diverse namen ook tegen in Hongarije, de rest van
Oost-Europa en in Noordoost-Italië. Er zijn mensen die
denken dat het gamay is. Die mensen moeten heel rare
beaujolais gedronken hebben. Blaufränkisch doet meer
denken aan loirerood van cabernet franc. Zweigelt ten
slotte is wat dr. Zweigelt in 1922 verkreeg uit een
kruising tussen blaufränkisch en st-laurent. Het geheel
smaakt spannend meeslepend naar meer en meer.

SPANJE

EL SEQUÉ, LADERAS DE EL SEQUÉ, ALICANTE,   € 8,95
MONASTRELL SYRAH 2012

Terwijl iedereen hier eind januari 2013 vernik-
kelde, ging ik lekker naar Zuid-Spanje. Beroeps-
halve, dus gratis ook nog en goed van eten &
drinken. 'Bofkont!' klappertandde iedereen
jaloers. Mwa. De eerste dag stuurde een wijnboer me langs hoogtevreeshaarspeldbochten
steil omhoog naar wijngaarden waar het veertig
graden was. In de zomer. Nu woei de storm-
wind me met diepvriesgevoelstemperatuur uit
de sokken. De volgende ochtend vroeg lag er
vijftien centimeter sneeuw rond het dorpshotelletje waar
we bivakkeerden. Met meer in het verschiet. En ik vond
de omgeving toch al niks. Leuk hoor, die ongerepte
natuur, maar wel erg veel van hetzelfde. 'Maar hier kom
je jezelf toch echt tegen!' genoot een medereizigster. Het
leek me niet heel waarschijnlijk. Als ik mezelf al
tegenkom in den vreemde, in de natuur, zal dat hooguit
in de Jardin du Luxembourg zijn, want m'n andere ik is
net zo stadsmusserig als ik. Wijn uit woeste streken
blief ik daarentegen wel, vooral als hij zo geciviliseerd,
zo zijdezacht romig smaakt als deze. Zonnig peperig,
intens kersenfruit. Drinken bij gunstig weder met een
Spaanse Grande op het terras met uitzicht over de door
gedienstig personeel zorgvuldig bijgepunte bosschages.

ENATE, SOMONTANO, CRIANZA 2007   € 13,50 ░░░░

Als u iemand bent die stiekem, als niemand kijkt, dat eigenlijk best wel heel erg lekker vindt, zo'n gerijpte mooie rioja reserva, maar bij het drinken dan toch weer immer somber peinst dat uw liefde nog veel groter zou zijn als het fruit van zo'n rioja niet zo wee was, maar perfect rijp, met wat hulp van pittige cabernet sauvignon naast de zijdezachte tempranillo, en hoe fijn het zou zijn als dat waaibomenhout dat zo zaagselachtig kan smaken een perfect gedoseerd bescheiden vleugje mooi eikenhout zou zijn, volmaakt in balans met het heldere fruit, dat tuiltje specerijen en die lang bijblijvende afdronk, dan is dit uw omfietswijn. Oké, niet uit Rioja, wel uit Somontano, maar een kniesoor, nietwaar.

ZUID-AFRIKA

BELLOW'S ROCK, COASTAL REGION, SHIRAZ 2011   € 7,95 ░░░

Kersenfruit, bramenfruit, peper, eikenhout, specerij, stoer, pit. Mocht u nou denken: gut, ik zoek een barbecuewijn, maar 't hoeft niet op een koopje, het mag best wat sjieker, m'n koteletten komen tenslotte ook van de vleesju-welier: dit is uw wijn. Kan trouwens ook met kerst dienen als Zuid-Afrikaanse châteauneuf. Geen geld.

OVERIGE WIJNEN

WIT

Domaine Sylvain Pataille, marsannay 2010 (FR)   € 29,95   🍷🍷🍷🍷🍷
Puur, verleidelijk, intens. Maar niet
zo lekker als die van Merlin.

Domaine A. Cailbourdin, Les Cris, pouilly-fumé 2011 (FR)   € 19,95   🍷🍷🍷🍷
Zo'n sauvignon, dat kan Nieuw-Zeeland niet!

Domaine Mourgues du Grès, Terre d'Argance, gard 2011 (FR)   € 14,95   🍷🍷🍷🍷
Frisvol, fruitig en kruidig van viognier,
marsanne en roussanne.

Domaine Serge Laloue, cuvée silex, sancerre 2011 (FR)   € 19,95   🍷🍷🍷🍷
Zo'n sauvignon, dat kan Nieuw-Zeeland niet!

Enate, somontano, gewürztraminer 2011 (ES)   € 14,95   🍷🍷🍷🍷
Weelderige en subtiele gewürz vol
rozengeur en maneschijn.

Hans Wirsching, iphöfer,   € 14,95   🍷🍷🍷🍷
scheurebe kabinett trocken 2012 (DE)
Zacht, druivig, spannend, subtiel.

Laposa, badacsony szürkebarát, pinot gris 2012 (HU)   € 9,95   🍷🍷🍷🍷
Weelderig zacht, aristocratisch strak.

Loimer, kamptal, grüner veltliner 2012 (AT)   🥂 € 15,95   🍷🍷🍷🍷
Strakdroog, druivig, bloesem, spannend, subtiel.

Pieropan, soave classico 2012 (IT)   € 13,50   🍷🍷🍷🍷
Soave zoals soave bedoeld is.

Tenuta Lageder, Porer, südtirol-   🥂 € 19,95   🍷🍷🍷🍷
alto adige, pinot grigio 2012 (IT)
Zacht en verfijnd. Helaas meer
cerebraal dan domweg lekker.

Txomín Etxaníz, txakoli 2012 (ES)   € 13,95   🍷🍷🍷
Straffe strakdroge Baskische 'muscadet'.

Weingut Sattlerhof, südsteiermark,   € 18,95   🍷🍷🍷
sauvignon blanc 2012 (AT)
Pittig en frisfruitig.

Domaine des Baumard, Clos de Saint Yves,   € 18,95   🍷🍷
savennières 2009 (FR)
Keurig zachtfruitig, maar 't is geen savennières.

ROOD

Altaïr, Sideral, rapel valley 2009 (CL) € 21,50 ♟♟♟♟
Chileense sjiek van médocdruivenmix.

Altos las Hormigas, mendoza, valle de uco, malbec 2010 (AR) € 17,50 ♟♟♟♟
Malbec opgevoed door médocaristocratie.

Badia a Coltibuono, chianti classico 2010 (IT) ✿ € 19,95 ♟♟♟♟
Jaar in jaar uit gesoigneerd en charmant.

Domaine Anne Gros & Jean-Paul Tollot, € 17,50 ♟♟♟♟
L'O de la vie, vin de table, syrah 2011 (FR)
Bourgogne van Zuid-Franse druiven, gesoigneerd
fruitig, beschaafd wat syrahpeper.

Domaine Anne Gros & Jean-Paul Tollot, € 16,50 ♟♟♟♟
La 50/50, vin de table 2011 (FR)
Bourgogne van Zuid-Franse druiven,
zacht en subtiel fruitig.

Domaine Anne Gros & Jean-Paul Tollot, € 23,50 ♟♟♟♟
La Chiaude, minervois 2011 (FR)
Bourgogne van Zuid-Franse druiven,
intens fruitig, zijdezacht, subtiel.

Domaine Anne Gros & Jean-Paul Tollot, € 36,00 ♟♟♟♟
Les Carrétals, minervois 2011 (FR)
Bourgogne van Zuid-Franse druiven,
intens fruit, gebrande koffie, lang.

Domaine Anne Gros & Jean-Paul Tollot, € 19,95 ♟♟♟♟
Les Fontanilles, minervois 2011 (FR)
Bourgogne van Zuid-Franse druiven, luxe
fruit, beschaafd hout, iets rokerig.

Domaine Leon Barral, faugères 2010 (FR) € 24,95 ♟♟♟♟
Herenboerenwijn vol fruit, stal, platteland.

Heinrich, burgenland, zweigelt 2011 (AT) € 15,95 ♟♟♟♟
Subtiel fruit, kampvuur, vleug hout.

Les Obriers de la Pèira, coteaux du languedoc, € 19,50 ♟♟♟♟
terrasses du larzac 2011 (FR)
Stoer doch zonnig kruidig. Kersenfruit, cacao.

Vietti, Tre Vigne, barbera d'alba 2010 (IT) € 22,50 ♟♟♟♟
Meer plezier dan menig barolo.

Artadi, rioja, tempranillo 2010 (ES) € 13,95 ♟♟♟
Deftig fruitig, beschaafde vleug hout.

Cantine Lupo, Primolupo, lazio, merlot 2011 (IT) € 12,95 ♟♟♟
Prachtmerlot, maar waarom merlot?
Heerlijke oerdruiven in Lazio...

Domaine des Hauts Châssis, Les Galets, € 23,50 ♟♟♟
crozes-hermitage 2011 (FR)
Prima syrah, maar mist dat spannende,
rokerige noord-rhôneluchtje.

Pittacum, bierzo, mencía 2008 (ES) € 15,50 ♟♟♟
Intens fruitig en kruidig, rokerig. En duur.

HEMA

▷ Spreiding: Nederland, België, Duitsland,
  Frankrijk en Luxemburg
▷ Aantal filialen: 653 (waarvan 524 Nederland,
  94 België, 10 Duitsland, 4 Luxemburg en
  21 Frankrijk)
▷ Voor meer informatie: 020 - 311 44 11
  of www.hema.nl

Een aantal kleine Hema-filialen heeft slechts
een beperkt wijnassortiment; wijn is ook te
bestellen via www.hema.nl.

Wijnen met * zijn slechts in een beperkt
aantal filialen te koop.

OMFIETSWIJNEN

WIT

FRANKRIJK
Bourgogne

CAVE DE VIRÉ, MÂCON-CHARDONNAY 2012 € 7,50 ♀♀♀

Zoals trouwe lezers weten, maar nieuwelingen nog niet: dit is chardonnaywijn van chardonnaydruiven geoogst rond het plaatsje Chardonnay in Mâcon. Het is allerminst zeker dat Chardonnay het geboortedorp is van de beroemdste witte druif, maar toch: chardonnay uit Chardonnay! En een heel lekkere ook nog, zo slank en droog en naturel is hij. Puur sappige chardonnay. De oervorm. Het rolmodel. Lekker leerzaam. Ingetogen. Heel anders dus dan broeders en zusters van overal op de globe met veel hout, alcohol of poeha. Niks van die aanstellerij hier. Gewoon: chardonnay. Uit Chardonnay.

TERRES BURGONDES, CRÉMANT DE BOURGOGNE BRUT € 12,50 ♀♀♀

Hoewel Gerard Reve innige omgang had met Onze-Lieve-Heer, had hij van theologie niet veel kaas gegeten. Zo verkondigde hij dat arme mensen slecht waren – anders zouden ze toch niet arm zijn? Los van de cirkelredenering, iets waar religies wel vaker last van hebben: er zijn, zoals u maar al te deerlijk beseft als de wrede landheer u op kerstavond uit uw eenvoudige doch knusse plaggenhut zet, ook veel rijke mensen slecht, al was het maar omdat ze hun rijkdom hebben verkregen door het geknechte lompenproletariaat uit te buiten. Als ze daar klaar mee zijn voor de dag, drinken de slechte rijke mensen champagne. Want dat hoort zo, denken ze, filmsterren en andere Rijkaards doen het immers ook, en het is duur, en duur is goed, vooral als anderen zien dat je iets duurs doet. Nu is champagne inderdaad duur, maar ook zelden te zuipen, tenzij je champagne van een gezellige boer weet, en dat weten de rijke mensen niet, want die denken wel wat belangrijkers te doen te hebben, dus laten ze de inkoop van champagne over aan hun kelder-manager, die ook van niks weet, want niet bezig met wijn maar met Hogerop komen, zodat hij of zij zo gauw mogelijk het keldermanagen aan een volgende onderge-schikte kan overlaten, en zelf samen met de belangrijke mensen ook vieze champagne mag nippen, en wie weet zelfs gefotografeerd worden door de pers! Terwijl dat toch het leukste baantje is: lekkere wijn uitzoeken. Laat ze. Wij drinken deze van de Hema, de Hema die het immer zo goed met ons eenvoudige mensen voorheeft. Crémant de bourgogne wordt net zo gemaakt als cham-pagne, van dezelfde druivensoorten, maar mag geen champagne heten, want komt niet uit Champagne. Zuur voor de boer, fijn voor ons: het is een stuk goedkoper, zonder dat woord 'champagne' op het etiket. Goeddroge bourgogne met prik en de volle smaak van chardonnay. Zachter en fruitiger dan heel veel champagne.

Loire

CAVES DE LA TOURANGELLE, GRANDE RÉSERVE, TOURAINE, SAUVIGNON 2012

€ 5,75

Archetypische sauvignon. Sauvignon met pit in z'n donder. Vol rijp fruit, en niet die overdreven lentefrisse kiwismaak van B-merk-Nieuw-Zeelanders, die even overdondert – wat een geur! – maar net zo snel verveelt, of de gekunstelde geur van veel sauvignons uit verre landen met hun vaak branderig achterblijvende dot alcohol. Nee, gewoon: sauvignon. Drinken in plaats van al die tobberige sancerres en pouilly's.

Zuidwest

HUISWIJN WIT DROOG

€ 2,75

Uit Gascogne. Sappig fruitig, een stuk plezieriger dan de soms wel heel frisse wijnen uit deze contreien. Mede door de weggeefprijs het omfietsen waard.

HUISWIJN WIT HALFZOET € 2,75

Uit Gascogne. Heet halfzoet, maar, waarde zoetekauwen, 'kwartzoet', 'heel zacht' of 'mild' is een betere omschrijving. Mollig fruitig, met pit van de kruidige manseng. Dat, en de weggeefprijs, maakt 'm het omfietsen waard. Voor bij blauwschimmelkazen, als sjiekere manseng zoals jurançon (www.okhuijsen.nl, www.pieksman.nl, www.heisterkamp.com, www.sauterwijnen.nl) de begroting te boven gaat, en om iets in huis te hebben voor lieden die wel wijn willen, graag, dank je, maar benauwd zeggen 'maar niet zo droog hoor!' en die je toch iets lekker opvoedends wilt schenken.

ITALIË

SAN LAZZARO, SOAVE 2012 € 7,75

Het leuke van achterlopen is dat er zoveel te ontdekken valt. *Kind of Blue* van Miles Davis is ouder dan ik, maar voor mij reuze nieuw. Thuis, toen ik klein was, heette God Bach. Het onderwijs deugde ook toen al niet: ik kwam in aanraking met Beatles, Stones, Bowie, punk. En later Mahler. Maar toen, zomaar, doordeweeks, op een zonnige lentedag, zong Dietrich Fischer-Dieskau op een grijsgedraaide plaat *Ich habe genug*, en ik besefte dat muziek Bach was. En zo is het maar net, mocht u het niet weten. Toch, er is meer dan Bach, Zijn Naam zij geprezen. Andere barok. Barock-'n-roll. Woest improviserende voorgangers van God. Net jazz. 'Vin je dat wat?' zeiden vrienden met kennis en dedain. 'Ga eerst maar eens *Kind of Blue* horen.' En ik luisterde en was verkocht. Jezus, Miles! Maar wat drink je erbij? Wat is jazzwijn? *What Kind of White and Red*? Mijn jazzhelden uit de jaren vijftig en zestig beperkten zich veelal tot de hardere drank en drugs. Een geliefde importeur, Marga van Winsen van rhonevaluewines.eu zegt: 'Eerst zocht ik naar perfecte wijnen. Maar die met een rafelrandje zijn zoveel spannender.' Zo is het maar net. Dat zijn jazzy wijnen. Puur, spannend, levend, intens. Zet deze maar eens op, plus z'n rode bandgenoot. Dat zachte fruit, die geur van amandelen en limoen, van verse lakens op het bed… Bijna niemand lukt dat, eenvoudige vriendenwijn maken die zo zuiver en eerlijk smaakt. Een gave, het wijn maken. En verder hard werken. Bij Ekoplaza hebben ze ook een soave van Faso Ligino. *My kind of wine*.

OOSTENRIJK

DOMÄNE WACHAU, GRÜNER VELTLINER 2012 € 6,50 ♀♀♀

Normale mensen denken bij 'Oostenrijk' natuurlijk *The Sound of Music*, maar u en ik kennen nóg *one of our favorite things* aldaar: 'hip, slank, fruitig wit met bloesemgeur waar de Michelin-horeca verzot op is'. Volgens het *Jeugdjournaal* zullen ook deze lente en zomer weer meer terrassen worden veroverd door de grüner veltliner. De eerste en lange tijd enige importeur van Oostenrijkse wijnen, Regina Meij van Imperial Wijnkoperij, heeft jaren moeten strijden voor ze uiteindelijk geaccepteerd werden. Heeft de frisheid van sauvignon, maar dan minder opdringerig. Lichtvoetig, kruidig, zacht, opgewekt en welopgevoed. Zeer charmant. En dat geldt ook voor de wijn. Deze komt van Domäne Wachau, een sympathieke coöperatie die heerlijke wijnen maakt maar het weer nog niet helemaal onder controle heeft. Op reis daar ontdekten wij van de wijnschrijverij al snel dat als we ergens buiten gingen eten, het binnen vijf minuten ging regenen of erger. 'Nee, hoor, het is dertig graden, zonovergoten, en we hebben prachtparasols!' zeiden hullie van Wachau. Nog voor onze eerste bordjes volgeschept waren, vliegerden de parasols het loodgrijze zwerk in. Maar lekker was het. En de quiz 'wie kan proeven hoe oud en van welke druiven deze wijnen zijn' had ik nog goed ook.

SPANJE

COPA SABIA, CAVA BRUT RESERVA EMOCIÓN €7,50 ♀♀♀

En zo is het alweer oud & nieuw. Waar blijft de tijd, wat u zegt. Het lijkt jandorie gister, de nieuwjaarskater, en nu motten we alweer aan de poepel. Laten we dit jaar nou eens even serieus iets afspreken. We houden ons verre van de 'echte champagne' van diverse dubieuze panjeknallers, vermijden ook de categorie Beroemde Merken Nu Extra Voordelig en houden het op deze prima cava in grote hoeveelheden bij alles, of anders frisfruitige druivige moscato d'asti bij de oliebollen, en daarna drinken we gezellig ruig rood, zoals het een christenmens betaamt, met piepers, blinde vinken en een kuiltje sju, en de ware champagne schenken we op de eerste mooie voorjaarsdag. Voor de enkeling die het nou nog niet weet: prima strakke fruitige cava. Beetje ruig, beetje aards. Dit is nou wat zo'n gespierde, tanige, bruinverbrande woest aantrekkelijke Spanjaard met van die diepdonkere ogen drinkt, proseccodrinksters.

MEMENTO, CARIÑENA, MACABEO * € 3,50 ♙♙♙

Van eenvoudige komaf, maar voelt zich ook aan de tafels van de rijken gezellig thuis, gemoedelijk en zachtzinnig fruitig als hij is, en pittig van afdronk bovendien.

VAL DE VOS, SOMONTANO, GEWÜRZTRAMINER 2012 € 5,75 ♙♙♙

Prima gewurz vol fruit en bloesemgeur. Kan de Elzas nog wat van leren. (Ja, ja, Elzassers, koest maar, ik weet dat jullie ook heel bijzondere gewurztraminers kunnen leveren, maar die kosten dan wel een veelvoud van deze).

W' BY ANTONIO, RUEDA, VERDEJO VIURA 2012 € 5,50 ♙♙♙

Een fles vrolijke, grapefruitfruitige, lichtvoetige witte lentewijn met de geur van bloesem, lentezon en kalverliefde.

ROSÉ

ARGENTINIË

VIÑAS DE BARRANCAS, ARGENTINA, € 5,25
ROSÉ MALBEC SHIRAZ 2013

Terecht populair Argentijns druivenduo voor sappige machorosé vol rijp zacht fruit. Drinken bij Green Egg of Weber, al bevalt-ie midwinter naast het gasfornuis ook uitstekend.

FRANKRIJK

CHAT-EN-OEUF PAYS D'OC 2012 € 5,25

Gezellig zacht rood fruit zonder poespas. Niks meer, maar ook zeker niks minder. Menig prestigieuze rosé schuifelt na het proeven van deze verlegen met de voeten, het blozend hoofd hangend: 'Ja, nee, inderdaad: wij zijn wel moeilijker en duurder, maar niet zo lekker als deze zonder gedoe.'

Rhône

DOMAINE SAINT-MARTIN, CUVÉE JULIET,   € 5,75   🍷🍷🍷🍷
CÔTES DU RHÔNE 2012

Gemaakt door een Nederlander met de mooie Bint-achtige naam Rutger Grijseels. Hij doet aan *lutte raisonnée,* wat vrij vertaald betekent dat hij biologisch flexwerkt. Vol en zacht en toch goed droog. Extra lekker dit jaar.

SPANJE

COPA SABIA, CAVA BRUT ROSÉ   € 7,50   🍷🍷🍷

En ja hoor, ook dit proefseizoen was het weer een paar keer raak. De muselet (dat ijzeren muilkorfje rond de prikwijnkurk) nog niet losgedraaid, of de onderliggende inhoud spoot als de fonteinen van Versailles richting de kroonluchters van het proefhok. En dat terwijl de lakei van dienst ze net gepoleerd had. Enige voordeel: proeven is niet meer nodig, want u weet: hoe harder de knal, hoe gemener de kwaliteit. En dan helpt zelfs dit advies niet: dé manier om champagne te schenken: voorzichtig aan. Goed de kurk vastpakken, langzaam de fles draaien, de kurk met een zachte zucht – van u en van de fles – laten ontsnappen. Ruiken, proeven, zuchten: heb ik hier nou vijfentwintig harde euro's voor betaald? Het schuimt feestelijk, en het is niet vies, al ruikt het een beetje naar doje visjes, maar de euforie van 'echte champagne, jongens!' zakt nog sneller in dan de schuimkraag. Zeg de butler toch deze fijne cava te bestellen. Rood fruit, aards, sappig. Strakdroog. Van de plaatselijke beroemdheid druif trepat.

É BY ANTONIO, RUEDA ROSADO, TEMPRANILLO 2012 €5,50

Wat voor weer zal het zijn als u dit leest? Verlate sneeuwstorm, eerste hittegolf, vader- lands druilerig? Wat het KNMI ook verzint, drink deze rosé uit het Noord-Spaanse Rueda. Bessen en kersen, opwekkende kruiderij, dartele zuren met het voorjaar in de bol.

HUISWIJN ROSÉ €2,75

Vol zacht en vriendelijk fruit van kersengarna- cha uit Noordoost-Spanje. Dat, en de vriende- lijke prijs, maakt 'm het omfietsen waard.

ROOD

ARGENTINIË

VIÑAS DE BARRANCAS, MENDOZA, MERLOT 2012 € 5,25 🍷🍷🍷

Gespierde, maar ook gevoelige machomerlot
vol fruit met een fijn vleugje kojbojleer.

CHILI

G7, THE 7TH GENERATION, LONCOMILLA VALLEY, € 4,50 🍷🍷🍷
CABERNET SAUVIGNON 2013

Soepel, slank en sappig fruitig. mooi rijp
bessenfruit, blije tannines. Geen geld.

FRANKRIJK
Beaujolais

BEAU! BEAUJOLAIS 2011 € 5,50

Zoals u weet, wordt de Ware Beaujolais gemaakt door de Bende zonder Zwavel, de Vier Gekken van de Beaujolais en hun discipelen. Nu zijn er scherpslijpers en sulfietfundamentalisten die prediken dat alle andere beaujolais dus verdoemd en van de duivel is, nog nauwelijks goed genoeg voor het klootjesvolk en het liebfraumilchproletariaat, maar zo is het niet, waarde glazenheffers en kannenkijkers. Menigmaal, nou ja, zo af en toe, zeg eens in de anderhalf jaar, komt er bij het roemruchte WIREKUF, de navolgelingen van profeet Otterman, Hij die de wijnen van de Bende naar deze kusten bracht, een fles ter tafel waarvan de goegemeente oordeelt: 'Voor een fabrieksbeaujolais helemaal niet gek.' Dit is er zo eentje. Prima confectiebeaujolais. Vol fruit en ondeugende gedachten, zoals 't hoort. En omdat er maar zo weinig licht en vrolijk rood in de vaderlandse schappen staat, het omfietsen waard. En mocht u daarna de smaak te pakken hebben, fiets dan door naar firma's als De Wijnvriend, De Vier Heemskinderen, Vleck, Bolomey, De Smaakimporteur of Vinoblesse voor beaujolais van de Bende.

Bordeaux

CHÂTEAU FOURREAU, BORDEAUX 2012 € 5,00 ♙♙♙

Opgewekte, ouderwets beleefde kleine bordeaux met 80 procent merlot en verder cabernet sauvignon. Wat van die onverstaanbaar bekakt mompelende Britten noemen: 'quite a nice luncheon-claret'. Voor wie gewend is aan soepele merlots en cabernets uit Chili en Australië is 't even wennen. Toch, probeer het eens. Bevalt 't, fiets dan eens door naar de La Tulipe de la Garde prestige (Albert Heijn), Château Auguste (Ekoplaza), Château David (Gall), Château Penin (Les Généreux), Carnaval de Couronneau (natuurvoedingswinkels), enzovoort.

Languedoc-Roussillon

CHAT-EN-OEUF, PAYS D'OC 2012 € 5,25 ♙♙♙

Met druiven grenache – roepnaam Vrolijk Kersenfruit – en de peperige syrah kun je alle kanten uit. Je kunt er serieuze, lang te bewaren châteauneuf-du-papes van maken, bloedarmoedige rhônes, en ook wijn als deze. Ook dit jaar weer vrolijk en fruitig (iets steviger dan de 2011), als een beaujolais gemaakt van Zuid-Franse druiven en zomerzon. De naam is een grapje, spreek 'm maar eens slordig uit.

Rhône

DOMAINE SAINT-MARTIN, CUVÉE ANGELIQUE,   € 5,75 🍷🍷🍷🍷
CÔTES DU RHÔNE 2011

Goede côtes-du-rhône is overal lekker bij.
Goed, reuzen als châteauneuf en gigondas
vooral bij winterse kost, als gure wind door de
schoorsteen van de boerenhoeve loeit, maar er
zijn ook genoeg lichtvoetige versies voor onder
de zomerzon. En dan hebben we het nog niet
eens over de witte en rosé-varianten. Die rode,
fruitig, kruidig, zonnig, die hebben ieder hun
eigen receptuur van druiven grenache, carignan,
mourvèdre, cinsault, syrah – maar zijn met alle
verschillen één grote familie. Net als gehaktballen.
Probeer deze côtes-du-rhône er eens bij. Van de Hema.
Huiselijker en Hollandser kan niet. Een beetje bio, ook
nog.

ITALIË

FASOLI GINO, SAN LAZZARO, BARDOLINO 2011   🌿 € 7,75 🍷🍷🍷🍷

Terwijl u in uw hangmat of zeewaardig jacht
luiert, ploeg ik me door duizenden proefflessen
voor de *Omfietswijngids* heen. Het is ongelijk
verdeeld. Anderszins heb ik als kleine zelfstandige het voordeel dat ik door Venetië banjer
terwijl u bezig bent bedrijven over te nemen of
de wereldpolitiek te sturen. Bij millevini.it aan
een pleintje met plaatselijke bevolking is het
plezant lunchen, met fijne wijnen. Wijnen zoals
deze koele bardolino. Lichtrood uit Veneto, het
achterland van Venetië. Gemaakt van een laagopgeleid
kansarm druivendrietal met criminaliseringsrisico:
corvina, ondinella en molinara. Reuze onguur, veel
bardolino. De ware echter is lichtvoetig, geestig, char-

mant. Rood fruit, rozengeur, kersenpit. Nu nog sparen voor een bijpassend palazzo aan het Canal Grande.

SCUSI, DAUNIA, SANGIOVESE MERLOT * € 4,25 ♀♀♀

De innige samenwerking van vriendelijk zachte merlot en de pittige sangiovese heeft hier geleid tot een gezellig kittige huiswijn die ieder fatsoenlijk Italiaanse restaurant op de kaart zou moeten hebben staan.

TESORUCCIO, CHIETI, SANGIOVESE 2012 * € 5,50 ♀♀♀

Een parvenu, geen stamboom van betekenis, maar hij kan net als de vorige oogsten doorgaan voor zo'n chianti die in advertenties in dure glimbladen staat, met het eeuwenoude voorvaderlijke *castello* te midden van de pittoreske landerijen op de achtergrond en de producent met z'n qua uiterlijk geslaagdste dochter op de voorgrond – en heeft bij die deftige smaak ook veel vrolijkheid te bieden.

SPANJE

ALTO CRUZ, ROBLE, RIBERA DEL DUERO 2009 € 8,50

Een jaartje ouder, maar 't is 'm niet aan te zien. Geurt nog steeds naar zo'n stoffig W.G. van de Hulst-landweggetje, al ruik je nu onder het fruit ook de naderende herfst en zijn die tannines wat zachter geworden. Verder helder, elegant, fijnbesnaard en toch goed gezelschap.

HUISWIJN ROOD € 2,75

Veel mensen staan wat huiverig tegenover het begrip 'huiswijn'. Kies in een restaurant de huiswijn en je bent een knieperd. Dus kiest men de net wat duurdere wijn, die, wordt wel gezegd, helemaal niet beter is, alleen duurder, omdat restaurants hun pappenheimers kennen. Hoe dan ook, een goed restaurant, een goede wijnwinkel of een goede supermarkt weet wat dat is, de huiswijn. Het is het visitekaartje. Een goede huiswijn hoort de wijn te zijn die de uitbater zelf ook dagelijks met plezier drinkt, de wijn die de filosofie, het uitgangspunt van de zaak vertegenwoordigt. Laat me uw huiswijn proeven en ik weet wie u bent. Mooi voorbeeld: de huiswijnen van de Hema. Hema-achtig etiket, Hema-kwaliteit (prima zonder poespas), Hema-prijs. Blij rood fruit uit Noordoost-Spanje.

MEMENTO, CARIÑENA, TEMPRANILLO GARNACHA * € 3,50

Ernstige deceptie laatst: vrienden hadden 'een barbecueding' gekocht. Kwamen we eten? Sta ik vijf minuten later op de stoep, blijkt het barbecueding geen Weber of Green Egg, maar een veredeld tostiapparaat. 'En weten ook nog niet hoe 't werkt.' Ik heb ze gestraft door uitvoerig te verhalen over een barbecue met Jonnie Boer, met varkens aan het spit. Daar gaan geen verfijnde wijnen bij, maar wel onvervaard lekkere. U weet, in het seizoen dat échte vrienden lekker fikkies stoken en naar de vleesjuwelier karren, werk ik me door de duizenden wijnen voor de *Omfietswijngids* heen. Ook dit jaar zijn er weer van die gezellige huiswijnliters bij die het omfietsen waard zijn, kijk maar bij bijvoorbeeld Albert H., Plus en hier de Hema. Ook voor al uw vrolijke wijnpakken met zo'n knus tapkraantje. Deze beperkt zich tot driekwartliter, dus koop genoeg flessen. Welgemutst, vol fruit, kruiden, een vleugje chocola. Vriendelijk fruitig, zachtmoedig, en heeft gelukkig ook pit in z'n donder. En u kent de barbecue-etiquette: ook rood goed koel, en drinken uit duralexjes.

R' BY ANTONIO, TINTA DE TORO 2011 € 5,50

Heerlijk als immer. Vol uitgelaten kersenfruit, dartele peper en swingende tannines.

VIÑA DUCARO, CAMPO DE BORJA, TINTO 2012 € 3,75

Zoals immer: geen geld voor zo'n gezellige kersenfruitige wijn.

ZUID-AFRIKA

FALSE BAY, WESTERN CAPE, SHIRAZ 2011 € 6,25

Een jaartje ouder dan in gids 2013, maar de reactie van omstanders is als immer: 'Nou, buurman, als ik je niet ontrief, een wijntje graag, jawel! Wat schenk je, iets Zuid-Afrikaans? Och ja, dat is goedkoop, nietwaar? Dank je. Proost!' (Lange stilte.) 'Nounounou, buurman, hebben jullie de loterij gewonnen of zo? Wat een luxe en weelde, rijp fruit als van die bongerd naast de stacaravan, specerijen, cacao, het lijkt wel de volwassenenafdeling van Sjakies chocoladefabriek! Waar hebben we dat aan te danken? En wat mag dat wel niet kosten? Ga weg! Gewoon bij de Hema?'

ZONHOEK, RODE WIJN, WESTERN CAPE, PINOTAGE-CINSAULT RUBY CABERNET (DRIELITERPAK) € 11,00

Het is januari en het is crisis, dus tijd voor de aloude armoeschotel van de Volkskeuken uit de dagen dat Wouter Klootwijk daar pollepel en koksmes zwaaide. Ook toen was het crisis. Het jaar rond. Maar niet getreurd! Bak spekjes van een blij varken, kook piepers, kook snij- of sperziebonen, hak uien en een forse bos pieterselie. Meng, en laat in de spekjespan nog een goede scheut azijn opbruisen en giet over het gemeng. Een forse lepel mosterd is een goed idee. De pepermolen ook. Een duralexje volgetapt uit het drieliterpak Zuid-Afrikaans rood van de Hema smaakt er prima bij. Donkerfruitige, stoere, aardse wijn voor geen geld. Maar met zo'n goedkoop bordje op tafel kunnen we natuurlijk ook luxer drinken. De rode False Bay van de Hema bijvoorbeeld. Net zo karakteristiek Zuid-Afrikaans, maar zachter, zwoeler, sjieker. Moet het Zuid-Afrikaans zijn? Welnee. Als de wijn maar net zo oprecht eenvoudig naar plezier smaakt als de armoeschotel. Wat dit pak betreft: nee, geen wonder van verfijning; nee, geen wijn vol verleidelijke geuren om lang over te peinzen; ja, wel een karaktervolle ruige, aardse Zuid-Afrikaan vol rijp fruit. Uw steun en toeverlaat bij barbecues, feesten en partijen. Mede door de prijs (€ 2,75 per driekwartliter) het omfietsen waard.

OVERIGE WIJNEN

WIT

Domaine des Brangers, menetou salon 2012 (FR) €12,50 🍷🍷🍷
Prima zachtfrisse sauvignon. Wel duur.
Koop toch lekker Hema's touraine!

Domaine des Sansonnets, pouilly-fuissé 2012 (FR) €15,00 🍷🍷🍷
Fijne, elegante chardonnay. Maar wat
een decadente luxe, Hema!

Viñas de Barrancas, mendoza, chardonnay 2013 (AR) €5,25 🍷🍷🍷
Prima lenige en sappige chardonnay.

Chat-en-oeuf, pays d'oc 2012 (FR) €5,25 🍷🍷
Purrrrfect is wat overdreven, maar
gezellig kruidig en fruitig.

Clairette de Die tradition (FR) €6,75 🍷🍷
Zachtzoet bellenblazend, geurend en
smakend naar rijpe muskaatdruiven.

Domaine Saint-Martin, cuvée isebel, pays d'oc 2012 (FR) €5,75 🍷🍷
Zonnige zachtfruitige chardonnay.

La Forcine, pouilly-fumé 2012 (FR) €10,00 🍷🍷
Meer lome zomerdag dan voorjaarsfris.

Les Classiques, pays d'oc, chardonnay 2012 (FR) €4,75 🍷🍷
Eenvoudige maar oprechte chardonnay vol rijp fruit.

Les Classiques, pays d'oc, sauvignon blanc 2012 (FR) €4,75 🍷🍷
Zacht frisfruitig.

Perla del Sur, vino dulce moscatel 2012 (ES) €4,50 🍷🍷
Zoete muskaatwijn.

Sotto il cipresso, prosecco treviso frizzante * (IT) €6,50 🍷🍷
Frisfruitige prikwijn.

Ten rocks, marlborough, sauvignon blanc 2012 (NZ) €6,75 🍷🍷
Karakteristiek enigszins overdreven lentefris.

Tesoruccio, salento bianco 2012 * (IT) €5,75 🍷🍷
Zachtfruitig, zonnig, kruidig.

Tesoruccio, terre degli osci, pinot grigio 2012 * (IT) €5,50 🍷🍷
Sappig zachtfruitig.

Viña Ducaro, campo de borja, macabeo 2012 (ES) €3,75 🍷🍷
Vol zacht fruit en pittige kruiderij.

Vredelust, eerlike uitgawe, stellenbosch, chenin blanc 2013 (ZA) € 5,75 ♀♀
Fair trade. Fris zachtfruitig.

Zonhoek, witte wijn, western cape, chenin blanc colombard (drieliterpak) (ZA) € 11,00 ♀♀
Onbekommerd fruitig. Beetje snoepjesachtig, maar kost dan ook niks.

Dreambird, pinot grigio (RO) € 3,75 ♀
Krek Italiaanse pinot grigio: onbestemd fruitig.

Dreamfish, sauvignon blanc (RO) € 3,75 ♀
Snoepjesfruit. Niks met sauvignon van doen.

G7, the 7th generation, loncomilla valley, sauvignon blanc 2013 (CL) € 5,00 ♀
Kunstmatig frisfruitig.

Karl kaspar, nahe, riesling 2012 (DE) € 4,25 ♀
Mollig druivig.

Les Oliviers, pays d'oc, sauvignon blanc vermentino 2012 (FR) € 5,50 ♀
Wie gooit nou sauvignon b. bij vermentino?
Overdondert de arme v.

Piqniq, wine to go, gascogne (FR) € 4,50 ♀
Vroeger betekende goed milieu keurig gedrag, nu een lichtgewicht plastic fles. Onbehouwen frisfruitig.

Signos, san juan, chardonnay 2013 (AR) € 3,75 ♀
Zachtfruitig – met een vleug torrontés.

The Accomplice, south eastern australia, chardonnay 2012 (AU) € 4,75 ♀
Mollig snoepjesfruit.

ROSÉ

Bailli de Provence, côtes de provence 2012 (FR) € 7,50 ♀♀
Vriendelijk zachtfruitig.

Piqniq, wine to go, pays d'oc, grenache rosé (FR) € 4,50 ♀♀
Fruitige, kruidige rosé in een plastieken fles.

Viña Ducaro, campo de borja, rosado 2012 (ES) € 3,75 ♀♀
Eenvoudig, maar vol fris fruit.

Zonhoek, roséwijn, western cape, pinotage (drieliterpak)* (ZA) € 11,00 ♀♀
Veel vriendelijk zacht fruit voor weinig geld.

Champteloup, rosé d'anjou 2012 (FR) € 4,50 ♀
Ietwat laf zachtfruitig. In z'n soort niet gek...

ROOD

Les Classiques, pays d'oc, cabernet sauvignon 2010 (FR)　　€ 4,75　♟♟♟
Klassieke cabernet, met bessenfruit en bordeauxtannines.

Primi, rioja 2012 (ES)　　€ 5,50　♟♟♟
Keurig fruit, zakelijke tannines. Médocrioja.

Viñas de Barrancas, argentina, malbec 2012 (AR)　　€ 5,25　♟♟♟
Prima malbec, slank met fruit en
leer, maar iets tam dit jaar.

CDA (Corona D'Aragon), cariñena, old vine garnacha 2009 (ES)　€ 5,75　♟♟
Wel heel zacht en soepel kersenfruit. Mist wat pit.

Dreambird, pinot noir (RO)　　€ 3,75　♟♟
Zachtfruitige doch ook droppige pinot noir.

Gigondas première cuvée 2011 (FR)　　€ 10,00　♟♟
Prima rhône vol kersenfruit, maar niet
de ware gigondas. Mist diepte.

Les Classiques, pays d'oc, merlot 2012 (FR)　　€ 4,75　♟♟
Goede naam: klassieke merlot, vol fruit en zwier.

Les oliviers, pays d'oc, merlot mourvèdre 2012 (FR)　　€ 5,50　♟♟
Veel soepele merlot, weinig pittige mourvèdre.

Tesoruccio, montepulciano d'abruzzo 2012 * (IT)　　€ 5,50　♟♟
Stevigfruitig en kruidig.

Tesoruccio, puglia, primitivo 2012 * (IT)　　€ 6,25　♟♟
Warmbloedig donkerfruitig.

The Accomplice, south eastern australia, shiraz 2012 (AU)　　€ 4,75　♟♟
Gemoedelijke mollige pepershiraz vol fruit.

Vredelust, eerlike uitgawe, stellenbosch, merlot 2012 (ZA)　　€ 5,75　♟♟
Fair trade. Ouderwets aards met veel merlotfruit.

Champteloup, france, pinot noir 2012 (FR)　　€ 5,50　♟
Hoort in het dropschap.

Domäne Wachau, zweigelt 2011 (AT)　　€ 6,50　♟
Was ♟♟♟♟, nu wat oud en vermoeid.

Haut Marquis, saint-estèphe 2007 (FR)　　€ 12,50　♟
Wat moet deze krijtstreep- &
sigarenasbordeaux in de Hema?

Karl kaspar, mosel, dornfelder 2011 (DE)　　€ 4,75　♟
Schonkig en kommervol.

HENRI BLOEM

▷ Spreiding: Landelijk
▷ Aantal filialen: 18
▷ Voor meer informatie: www.henribloem.nl

OMFIETSWIJNEN

WIT

FRANKRIJK
Languedoc-Roussillon

DOMAINE DE DIONYSOS, LA DEVÈZE,   € 8,95
VAUCLUSE, VIOGNIER 2012

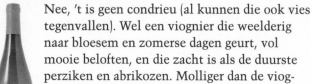

Nee, 't is geen condrieu (al kunnen die ook vies tegenvallen). Wel een viognier die weelderig naar bloesem en zomerse dagen geurt, vol mooie beloften, en die zacht is als de duurste perziken en abrikozen. Molliger dan de viogniers van Montmarin en Moulinier.

DOMAINE DE MONTMARIN, THONGUE, VIOGNIER 2012   € 6,25

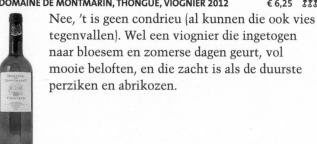

Nee, 't is geen condrieu (al kunnen die ook vies tegenvallen). Wel een viognier die ingetogen naar bloesem en zomerse dagen geurt, vol mooie beloften, en die zacht is als de duurste perziken en abrikozen.

DOMAINE LA COLOMBETTE, € 5,95 ♙♙♙

COTEAUX DU LIBRON, SAUVIGNON 2012

Druif sauvignon heeft het niet zo op de warmte. Hij wordt te rijp, z'n wijn log en wee. Deze komt uit Zuid-Frankrijk, maar is toch fris als loiresauvignon. En: slechts 11,5 procent! Tip: ziet u een sauvignon in het wild en vraagt u zich af of het goed volk is, kijk dan naar het alcoholgehalte. Is dat meer dan 13 procent, dan is de kans groot dat de desbetreffende sauvignon niet deugt.

DOMAINE LA COLOMBETTE, ELEVÉ EN DEMI-MUID, € 8,95 ♙♙♙♙

COTEAUX DU LIBRON, CHARDONNAY 2011

Mocht u voornemens zijn uw zuurverdiende, met genieperig samenwonen verdiende driedubbele bijstandsuitkering (jaja, ik ken mijn lezers; viespeuken, met z'n drieën ook nog!) te verbrassen aan een kist dubieuze meursault, zet die perverse gedachte dan per direct uit uw hoofd. Doe boete, en als u dan na vele jaren zuchten in de kerkers van de Belastinginquisitie weer in het zonlicht staat, een beter en uitgemergeld mens, ga dan met uw reclasseringsambtenaar naar Bloem en koop een fles van deze. Ter loutering, en om te beseffen dat duursmakende wijn geen gestolen godsvermogen hoeft te kosten. Romig zacht, vol fruit, zuchtje hout van de demi-muids (grote vaten), en verrassend lichtvoetig: 11,5 procent! Drinken bij *La Gloire de Mon Père*.

OMFIETSWIJNEN | HENRI BLOEM

DOMAINE MONTROSE, LA BALADE DES LÉZARDS,   € 6,95   ♙♙♙♙
CÔTES DE THONGUE 2011

Ik ben dol op Zuid-Frans wit. De bouw van rijpe, rijke chardonnay, en dan geurend naar venkel, anijs, rozengeur en maneschijn. Helaas zie je wit Zuid-Frans veel minder dan rood. Net als rood hebben ze allemaal wat van elkaar, zo zachtfruitig en lichtkruidig, en smaken ze toch allemaal anders, omdat ze een keur aan druiven hebben die op talloze manieren gecombineerd kunnen worden. Deze luxe smakende feestwijn is het resultaat van viognier, roussanne, grenache blanc en rolle. Een jaartje ouder geworden, maar dat deert 'm geenszins.

DOMAINE MOULINIER, PAYS D'OC, VIOGNIER 2012   € 8,50   ♙♙♙

Nee, 't is geen condrieu (al kunnen die ook vies tegenvallen). Wel een viognier die ingetogen naar bloesem en zomerse dagen geurt, vol mooie beloften, en die zacht is als de duurste perziken en abrikozen. Nog verfijnder dan de viognier van Montmarin.

DOMAINE REINE JULIETTE, TERRES ROUGES, € 5,95 🍷🍷🍷
PICPOUL DE PINET 2012

Druif picpoul heet officieel piquepoul, ze kennen 'm in Zuid-Frankrijk al zo'n zeven eeuwen. Je mag 'm net als z'n broertje pique-poul noir gebruiken in châteauneuf, en de wijn in Pinet, van louter piquepoul blanc, wordt wel de muscadet van het zuiden genoemd. Een goede vergelijking, want net als muscadet is picpoul voornamelijk nietszeggend. Fris – en soms ook minder fris – wit met veel zuren en verder niks. Net zoals bij muscadet zijn er gelukkig ook vrolijke uitzonderingen. Zoals deze. Zelden zo'n lekkere geproefd (niet dat je nou zoveel picpoul tegenkomt, maar goed). Fris fruit, toefje gedroogde kruiden, anijs, lekker briesje zuren. Drinken bij bouillabaisse in een restaurant dat nog niet verpest is door toeristen (behalve uzelf dan).

Loire

DOMAINE DE LA CHARMOISE, 🚲 € 7,95 🍷🍷🍷
TOURAINE SAUVIGNON 2012

Laatst at ik weer eens in Joop Braakhekkes Le Garage. Jaja, dat doet maar. Evenwel niet van uw centen, noch gelukkig van de mijne, maar op uitnodiging van iemand die iets van me wou. In het nette, wees gerust. Het was als immer gezellig, het eten was weer heerlijk, de wijn van De Bende Zonder Zwavel, wat wil je nog meer? Nou, een patatje, eigenlijk. Want de iemand die iets van me wou, wou een proeverij voor z'n bedrijf, en de besprekingen waren inmiddels genaderd tot het agendapunt 'en wat eten we daarbij'. Het zou een namiddagproeverij betreffen, en van proeven krijg je honger, en van namiddagproeven helemaal, maar je wilt daarna nog wel echt eten, met nog meer verrukkelijke wijn, want was het allemaal lekker en gezellig, dan gaan we niet thuis op de bank zitten met Senseo. Le Garage zou iets kleinschalig culinairs verzorgen na die proeverij, en stelde als uitsmijter friet voor. Zeg 'friet' en iedereen wil friet. Ik in ieder geval wel. Ook als mensen niet 'friet' zeggen. Bij die proeverij, en nu, tijdens onze vergaderlunch. En daarom is Le Garage het beste restaurant ter wereld: we kregen ook direct friet. Grote, gloeiend hete frieten in een geruite puntzak. Met mayo. Kom daar eens om bij El Bulli zaliger. Wat je daarbij drinkt? Losbandige rode bourgogne, wij, want dat hadden we in ons glas en smaakte heerlijk, dus ook bij friet. Maar allerhande ander vrolijk onbekommerd rood had ook gekund, om van wit maar te zwijgen. Wat is eigenlijk niet lekker bij friet? Friet en vrolijke wijn, dat geeft nooit venijn. En bier – Jopenbier, IJbier! – kan ook geen kwaad. Toch zou ik qua blonde rakkers eerder deze ongetemde sauvignon schenken, opgewekt geurend naar een pasgemaaid gazon op een mooie lentemorgen, terwijl je in de verte de bel hoort van het gemotoriseerd frietkot van Sjefke en z'n Sidonie die ondanks haar tweeëntachtig jaren en vergrijsde okselbosschages nog steeds iedere patat perfect à point frituurt.

Zuidwest

BRUMONT, CÔTES DE GASCOGNE, €6,50 ∀∀∀
GROS MANSENG-SAUVIGNON 2012

Fris als gascogne, maar veel voller, rijker en kruidiger, dankzij de manseng, een druif uit Baskenland en aangrenzend Zuidwest-Frankrijk, leverbaar in gros en petit. Te proeven in gascogne, pacherenc du vic-bilh en vooral jurançon. Behalve de gros manseng, die meestal voor de droge wijn wordt gebruikt, is er ook petit, waar ze in Jurançon sjiek zoet van maken. Dat u maar effe weet dat u op niveau zit te zuipen.

DOMAINE DE CAILLAUBERT, CÔTES DE GASCOGNE, €7,95 ∀∀∀
CHARDONNAY-SAUVIGNON 2012

Zacht en vol chardonnayfruit, subtiel verfrist met citrus en grapefruit. Van de familie Grassa, die een boel lekkere gascogners maakt. Dit oogstjaar bestonden ze precies een eeuw als wijnmaakfamilie en nodigden ze zelfs mij uit om het te vieren. Hoe komen ze erbij? Een dagenlang samenzijn met allemaal wildvreemden, die ook nog Buitenlands praten, dan kun je net zo goed direct door naar het voorgeborchte. Ik heb één keer een week lang met veertig mij volstrekt onbekende, Bourgondisch dialect mompelende inboorlingen van l'Hexagone druiven geplukt en dat is genoeg voor nu en de komende reïncarnaties. Sinds het welpenkamp niet zo'n heimwee gehad.

DOMAINE DE TARIQUET, CÔTES DE GASCOGNE 2012 €4,95 ♀♀♀

Waarom smaakt niet alle gascognewit zo simpel *sympa*? Zacht, met wat frisse voorjaarsgeuren van druif sauvignon. Van de familie Grassa, die een boel lekkere gascogners maakt.

ITALIË

OTTELLA, LUGANA 2012 €7,95 ♀♀♀

De fles met ingeblazen poeha doet patserswijn vrezen, maar ruik en u haalt opgelucht adem: louter broederschap en 's mensen welbehagen. Genereus voorzien van rijp fruit met daartussen een fris limoentje. De druif is trebbiano di lugana, wat u verder worst zal wezen, al is het opzienbarend dat van zo'n druif van zeer eenvoudige komaf zo'n keizerlijke wijn gemaakt kan worden. Zo zie je maar, lezers die voor een dubbeltje geboren zijn, soms zit het ook weleens mee. Komt uit het achterland van het mooie Venetië, bij het Gardameer. Rijke Romeinen hadden hier al villa's en dronken deze wijn terwijl ze opstandig of anderszins lastig gepeupel aan de roofvissen voerden, en wachtten tot de kookslavinnen kwamen met de gefrituurde pauwentongen, gevulde kolibries, in parfum gemarineerde schoothondjes aan het spit en andere eenvoudige aperitiefliflafjes. Drinkt ook hun rood!

SPANJE

MONTEABELLÓN, RUEDA, VERDEJO 2012 € 6,95

In haar boek *Wijnen, druiven en wijngaarden* schrijft m'n beroemde Engelse collega Jancis Robinson dat 'van alle witte druivenvariëteiten uit de Spaanse top twintig de verdejo waarschijnlijk de grootste aristocraat is'. Rueda in Noord-Spanje is z'n geboorteland en, vervolgt Robinson, de kalkgronden van het tot 900 meter hoge gebergte en de koele en vochtige atmosfeer dragen waarschijnlijk bij aan de adeldom van de verdejo. Mooi gezegd, al vind ik de gemiddelde rueda eerder gezellig dan aristocratisch. Niet dat aristocraten niet gezellig kunnen zijn, maar u begrijpt wat ik bedoel. Of niet. Deze is wat duurder dan de meeste andere rueda's in deze gids, maar hij is dan ook intenser gezellig. Druivig en met bloesemgeur. Voor het sjiekere tuinfeest, en hij fleurt ook het balkon driehoog-achter op.

OMFIETSWIJNEN | HENRI BLOEM

ROSÉ

FRANKRIJK

DOMAINE MOULINIER, SAINT-CHINIAN 2012   € 6,95 ♟♟♟

Zachter dan de stoere 2011, wel idyllisch boers in de zin van zonnige weiden vol klaprozen en dartele koeien.

Languedoc-Roussillon

DOMAINE LA COLOMBETTE,   € 4,95 ♟♟♟
COTEAUX DU LIBRON, GRENACHE 2012

Rosé met zo'n ouderwets beschaafde 11,5 procent, een percentage dat niet eens zo heel veel decennia geleden doodgewoon was, omdat mensen toen nog geen gedoemde zoetekauwen waren die alles wat niet mollig overrijp veertien procenten alcohol bevatte 'zo zuur' vonden, maar integendeel, zo'n lentefrisse wijn als deze waardeerden, ook omdat je er niet van in slaap valt, maar gezellig nog een flesje opentrekt. En morgen net zo hoentjefris weer op.

ROOD

FRANKRIJK
Languedoc-Roussillon

DOMAINE FOURCADE, CÔTES DU ROUSSILLON-VILLAGES 2011

€ 5,95

Fransen, dat zijn viezerds. Ze wassen zich niet, trekken de wc niet achter zich door en daarbij, de helft is behalve arrogant ook nog ambtenaar. Onbegrijpelijk dat je op je reizen toch steeds weer redelijk gewassen aardige Fransen ontmoet. Ook nu weer, de eerste wijnboer in een rondje Roussillon. Een ouderwets Franse wijnboer. Trots op wat hij had bereikt. Vandaar dat hij een heus proeflokaaltje had ingericht.

Om een hoekje naast de schuurdeur was een wandje geklust van triplex en glas. In dat hokje stond heel hightech een wit aanrecht met vier hygiënische spuugbakjes plus kranen. Net een laboratorium. Knap ongezellig; ik proef liever in de kelder, in de geur van gistende vaten en uitgespuugde bewijsjes nieuwe oogst. Het laboratoriumhoekje was krap twee toiletten groot, dus we waren wat blij dat de journalist die we toch niet kenden net voor ons persreisje ziek was geworden. Zo hadden we ieder een kruk en een kraan om te proeven. De wijnboer had geen spuugkraan nodig, die sloeg elk proefbodempje achteloos naar binnen. De glazen voor de proefbodempjes hingen professioneel ondersteboven in een rek te wachten op bezoek. Ze waren lang geleden slecht schoongemaakt. De wijn was niveau huiswijnliter voor weggeefprijs – en had toch dat fijne droogkruidige, stugge roussillonkarakter. Verkoopt geweldig hier. Want Nederlanders, dat zijn zunigerds. Frisgewassen, maar het geld is ze de broek niet uit te branden. Vooruit, mijnheer Rutte zei het ook al, geld moet rollen! Doe eens gek, koop hier een fles van. Prachtroussillon voor geen geld. Drinken uit Riedelglazen bij *Les Intouchables*.

DOMAINE LA COLOMBETTE, €8,95 ♟♟♟
COTEAUX DU LIBRON, PINOT NOIR 2011

Licht en opgeruimd fruitig. Pure pinot noir die met een zonnig toefje kruiden laat merken dat hij uit Zuid-Frankrijk komt.

DOMAINE MOULINIER, SAINT-CHINIAN 2011 €6,95 ♟♟♟

Erfenis gekregen, loterij gewonnen, kraak gezet? Een kelder vol bordeaux grand cru gekocht en sindsdien al tien jaar duimen aan het draaien tot het spul eindelijk op dronk is? Ja, het kan het wachten waard zijn. Toch, schenk hier in de tussentijd eens van in. Languedoc dus, met de kenmerkende piets kruidigheid, en verder vol sjiek, vloeiend zijdezacht fruit, en aan het eind de pittige 'sombere beet' van hooggestemde tannine à la bordeaux. Smaakt sjiek-de-friemel duur. Naar de veiling dus met die grand cru's, en dan met zo'n bouwmarkt-bakkie achter de Maserati naar de heer Bloem, die deze heerlijkheid met gevaar voor eigen leven en z'n vintage-Bentley in het verre Frankrijk heeft gezocht en gevonden en daarna onder luid gejuich van onze dappere douane-beambten en verdere medelanders het vaderland in heeft gereden om het ons voor een vriendenprijsje te doen toekomen.

Rhône

DOMAINE DES AMOURIERS, SUZANNE, PAYS DE VAUCLUSE 2010

€ 5,95

Niet de klasse van Santa Duc, wel fruitige, Zuid-Franse kruidige landwijn uit de tijd dat wijnboertjes nog met een stokbrood onder hun arm rondliepen, Ilja Gort niet de laatst overgebleven aardbewoner met een alpinopet was, het enige probleem met roken was of je nou Gitanes of Gauloises moest kiezen, iedereen nog een fles van deze wijn bij iedere maaltijd dronk, en alle Fransen altijd staakten en protesteerden tegen niemand weet wat. Geen geld.

SANTA DUC, LES PLANS, PAYS DE VAUCLUSE 2010

€ 5,95

We waren weer eens naar Parijs, mevrouw Omfietswijn en ik, en het was weer reuze fijn. Goed, je moet er wat voor overhebben. Opblijven tot heel laat, of reuze vroeg opstaan, om drie maanden tevoren de allergoedkoopste kaartjes te kunnen kopen, en dan nog een keer nog vroeger opstaan, om de soms zo snelle trein te halen, die om kwart over zes vertrekt. Maar dan ben je ook goed half tien op Gare du Nord. Dat is geen goed tijdstip. Half twaalf of later, dat moet het zijn. En dan slenteren naar Terminus Nord, voor oesters, als je daarvan houdt (ik niet, ik probeer er iedere keer eentje als ik deftig eet, en ik vind het nog steeds naar tweedehands zeewater smaken) of zuurkool, of frieten, steak tartare en sla – alles zoals God het heeft bedoeld. Maar die latere tijden zijn duurder, en mevrouw Omfietswijn vindt de sloten van de wc's

van Terminus Nord onbegrijpelijk, waardoor ze er eens
een kwartier opgesloten heeft gezeten, dus we gingen
lekker vroeg en liepen tegen tienen opgewekt de hon-
derdzoveel wenteltraptreden van metro-uitgang
Lemarck-Caulaincourt omhoog en vervolgens de trappen
buiten om daarna heerlijk aan de redelijk drinkbare
koffie te zitten tussen boodschappendoend Parijs. Een
Parijs zo mooi als op oude zwart-witfoto's, en toch geen
toerist te bekennen (behalve wij), al is het om de hoek
van de Sacré-Coeur. Waar de wijngaard St-Vincent is,
een van de laatst overgebleven Parijse wijngaarden. In de
Rue Caulaincourt – een mooie boulevard op minifor-
maat – lunchen we later in Café Francoeur. Betegelde
wanden, spiegels met 't weer d'r in. Ouderwetse jonge
obers knipmessen, een oude mevrouw uit Maigret geniet
net als wij een heerlijke omelet zonder aanstellerij, mooi
hip volk zit met hun MacBook achter een espresso.
Buiten lopen poedels met hun mens. En dan 's avonds
met dank aan de website http://www.onboitquoicesoir.
fr/vins-naturels/vins-naturels-paris naar Le Café Qui
Parle, waar ze een eerlijk bord warm eten serveren, met
een fles puurnatuurwijn. Regnié van Descombes,
dronken wij. De andere Bendeleden zonder Zwavel
waren ook aanwezig. Lapierre, Foillard, Métras, Breton,
enzovoort. En toen we de volgende dag weerom kwamen
deze vrolijk roodfruitige kruidige vaucluse. Puur, zuiver,
goedertieren – en verduveld verleidelijk. Heerlijk, Parijs.
Fijn dat die wijnen ook hier te koop zijn.

SANTA DUC, LES QUATRE TERRES, CÔTES DU RHÔNE 2010 € 8,95

U zult het niet geloven, maar er zijn mensen die geld doneren omdat mensen rondrennen of zich rond eten voor een goed doel. Ik geef geld omdat ik iemand zielig vind, en om m'n knagend geweten een drumstick toe te werpen, maar een cheque uitschrijven opdat iemand zich het schompes loopt of vreet voor de verworpenen der aarde? Schrijf zelf een cheque uit! En ga na het filantropen lekker *Downton Abbey* kijken. Meer resultaat met minder moeite. Wilt u toch goeddoen: drink lekkere natuurlijk gemaakte wijn. Goed voor uzelf en 't milieu, en je redt er pittoreske wijnboertjes mee van 't grootkapitaal. Niet dat ze hier redding nodig hebben. Ze redden zichzelf prima, eenvoudigweg door hele blije oprechte wijnen te maken. Puur natuur. Geen chemische bestrijdingsmiddelen in de wijngaard, geen geklooi in de kelder. Wijn van druiven. Dit is de grote, bedachtzame broer van Santa Ducs 'Les Plans'. Volbloedig zonovergoten rode côtes-du-rhône met de geur van rijp kersenfruit, zonnige kruiden en vergeven zonden. Een grote vriendelijke reus. Geen geld.

ITALIË

LA VALENTINA, MONTEPULCIANO D'ABRUZZO 2010 € 7,95

Hoewel mijn vader z'n leven lang PvdA stemde en mijn moeder in haar wilde jaren zelfs PPR, ging het met mij al vroeg van kwaad tot erger. Al het kapitaal dat op mijn weg kwam – dubbeltjes, kwartjes, soms zelfs een rijksdaalder voor verjaardagen en rapporten, ja, toen stelde ik nog wat voor – schonk ik niet aan het uitgebuite proletariaat, laat staan aan de onderdrukte vriendinnen van Joke

Kool-Smit of opstandige horden in verre warme landen, nee, het werd per direct omgezet in Dinky Toys of op het Spaarbankboekje gezet om als er genoeg was te beleggen in onroerend legogoed. Het waren mijn kapitalistische hoogtijdagen. De bank, die ik de giro noem, denkt dat ik nog steeds zo ondernemend ben en moedigt me bij ieder afschrift aan te sparen of te beleggen. Voor mijn pensioen of hoe dan ook voor later als ik groot ben. Weet ik wel hoe het zit met mijn vermogen dan? Nee, maar ik koop heel veel wijn om me optimistisch te stemmen. En ik heb ook nog steeds vertrouwen in dat lego, al heb ik het weggeschonken aan de kinders van m'n broer. Een zwerver aan de deur bleek wél ondernemend. Hij had honger en geen bed. Zou ik een tekening van 'm willen kopen? Tuurlijk. Wij kleine zelfstandigen helpen elkaar. De week daarop belde hij weer aan. En een paar dagen daarna. Om de dag. En toen zonder tekeningen, maar zou ik toch wat willen geven, want het regende zo? Laatst was z'n vermogenssituatie dermate verbeterd dat hij aan de deur kwam om geld, 'want mijn vriendin heeft een badpak gekocht en nu hebben we geen geld meer voor iets leuks'. Als hij zo doorgaat zullen zijn accountants z'n jaarverslag 2013 vast goedkeuren. Zelf ging ik ook maar aan het werk. Wijn proeven, want ook in aangebroken flessen is de zwerver geïnteresseerd. Deze kon onze gezamenlijke goedkeuring zeker wegdragen. Ja, er staan ook omfietsmontepulciano's in deze gids die goedkoper zijn, maar dit is een zeer aristocratische versie, en dat kost geld. Is het waard. Proef maar. Verleidelijk genoeg om alle arbeiders van de klassenstrijd af te houden en het op een gezellig kameraadschappelijk zuipen te zetten.

OTTELLA, GEMEI, ROSSO ALTO MINCIO 2012 € 7,95 �

De fles met ingeblazen poeha doet patserswijn vrezen, maar ruik en u haalt opgelucht adem: louter broederschap en 's mensen welbehagen. Genereus voorzien van kersenfruit (van die dure donkere, als pruimen zo groot), kameraadschappelijke kruidige geuren en tannines die je warm omhelzen. Is gemaakt van de valpoliccella- en bardolinodruiven plus cabernet en merlot, komt (dus) ook uit het achterland van het mooie Venetië. Drinken terwijl je uit je palazzoraam neerkijkt op het dobberend toeristendom. Drinkt ook hun wit!

SCHOLA SARMENTI, TEMPO AL VINO, € 4,95 �
SALENTO, PRIMITIVO 2011

Uit de hak van Italië, van nietsontziende hardwerkende druiven met namen als primitivo (die in de USA 'zinfandel' heet) en negroamaro, de 'bittere zwarte'. Ze voorzien ons voor een budgetprijsje genereus van zonnig zacht donker fruit met exotische specerijgeuren. 'Als goede châteauneuf,' zegt een gerenommeerd standaardwijnwerk. Wel met Zuid-Italiaans temperament en veel vrolijk kersenfruit dan. Wacht een jaartje – of kieper 'm nu in de karaf – en u krijgt er woeste kruidige geuren bij, terwijl de wijn tevens zacht en romig wordt. 'Hé,' zegt iedereen blij verrast, 'eigenlijk veel lekkerder dan die dure wijnen die we vroeger in onze welvaart dronken, en die zo moeilijk smaakten. Dit geeft gewoon plezier!'

OMFIETSWIJNEN | HENRI BLOEM

SPORTOLETTI, ASSISI ROSSO 2011 € 7,95

Uit Assisi, in Umbrië, vooral bekend door de heilige Franciscus van, die voor hij z'n leven beterde een losbol was die dagelijks minstens drie flessen van deze wijn dronk. Wilt u ook heilig worden, zodat de mensheid u nog eeuwen later vereert, u weet nu hoe te beginnen. En dat is geen straf. Lenig, soepel, vol lichtvoetig rood fruit, met daaronder spannende geuren en smaken en tannines met beet en volharding die u op het rechte pad wijzen, en op het feit dat de volgende slok weer net zo barmhartig over de tong zal gaan. Van de broertjes Sportoletti uit Umbrië, wier voorvaderen al eeuwen rondspoken in de familiekelder en eentje zelfs nog met Franciscus achter de meiden aan heeft gezeten. Half sangiovese (het rode fruit, die vleug Indian summer) met 40 procent soepele leermerlot en verder bessenfruit van de cabernet sauvignon.

SPANJE

BODEGAS CARCHELO, CARCHELO, JUMILLA 2011 € 6,95

Gooit u niet achteloos een kiloknallerpakket op de grill, maar behoort u tot de Weber- of Green Egg-elite, dan hoort daar natuurlijk ook wijn van dat niveau bij. Zoals deze vol deftig fruit uit Zuidoost-Spanje, van stoere druiven als rokerige monastrell, peperige syrah en om de fles vol te krijgen cabernet sauvignon met z'n deftige bessengeur. Voelt zich ook thuis aan de deftige kerstdis.

FINCA ATHUS, RIOJA, TEMPRANILLO 2011 € 4,95 ♀♀♀

Begin januari 2013 was ik in Zuid-Frankrijk. Het was er fiks kouder dan in het vaderland. Eind februari was ik in Zuid-Spanje. Ik ben er bijna ingesneeuwd. Nu was dat in Alpujarra, het voorgeborchte van de Sierra Nevada, maar dan nog. De troost van Spanje: er is altijd wel iets lekkers om te eten. Dus glibberden we te voet en soms op de bipsen van ons hotelletje naar de hammendrogerij beneden in het dorp. En toen we alle tienduizenden hammen gezien hadden en er ook veel hadden geproefd, scheen de zon en begon het te dooien. We konden op weg. Jammer. Ik had best bij de hammen willen blijven. Aan de andere kant: de zelfgemaakte wijn van de varkensmagnaat was wel wat heel grof in de mond. Gelukkig zijn z'n heerlijke hammen ook hier in 't vaderland te koop (saborpuro.nl) en kunnen we er lekker rood op niveau bij drinken, zoals deze rioja zonder poespas en met veel rood fruit. Geen geld.

MONTEABELLÓN, AVANIEL, RIBERA DEL DUERO, € 5,50 ♀♀♀
TEMPRANILLO 2012

Vol gepast vrolijk doch niet ordinair uitgelaten rood fruit en met zeer bescheiden wat ernstige tannines. Pret met diepgang. De Spaanse uitvoering van de betere morgon. Iets koelen is een goed idee.

MONTEABELLÓN, RIBERA DEL DUERO, TEMPRANILLO 2011

€ 6,95

Ribera del Duero? Ga van Madrid noordwaarts tot je ter hoogte van de noordgrens van Portugal bent aan de rivier de Duero. In Portugal stroomt die het Portgebied in onder de naam Douro. Ribera betekent 'oever'. De rode druif hier heet tinto fino, ook bekend (nou ja…) als tinto del país. Het is een plaatselijke variant van de tempranillo. Decennialang werd Ribera del Duero hooguit in de boeken genoemd omdat hier de legendarische vega sicilia vandaan komt, Spanjes duurste wijn. Inmiddels zijn er veel meer onbetaalbare top-icoonwijnen in de aanbieding. Als je een weekje wat anders drinkt, kan je van het bespaarde geld een aardige sportauto kopen. Gelukkig zijn er ook wijnen met prijskaartjes die de gewone man behappen kan. Smaakt als de andere rode Monteabellón van Bloem, vol gepast vrolijk doch niet ordinair uitgelaten rood fruit, maar dan met een vleug hout en iets steviger tannine. Leuk excuus om nog een fles open te trekken: proef 'm eens bij de ribera Baluarte, van Albert Heijn. Verschillen en overeenkomsten.

WIT

Adega de Pegões, colheita seleccionada, setúbal 2012 (PT)   € 7,95
Rijpe chardonnay plus inheemse druiven plus wat hout.

Château de Parenchère, bordeaux blanc sec 2012 (FR)   € 6,95
Witte bordeaux kán wel lekker zijn!

Contini, karmis, bianco tharros 2012 (IT)   € 9,95
Vol rijp fruit, bloesem, kruiden.

Contini, pariglia, vermentino di sardegna 2012 (IT)   € 8,25
Zacht, zilt, bloesemgeur.

De Martino Reserva, Legado, limarí valley, chardonnay 2011 (CL)   € 8,95
Braaf, maar duursmakend.

Domaine Montrose, thongue, chardonnay 2012 (FR)   € 5,95
Sympathieke slanke chardonnay.

Fulget, rías baixas, albariño 2012 (ES)   € 8,95
Druiven, bloesem, pit en zwier.

Mocén, rueda, verdejo 2012 (ES)   € 7,50
Verfijnd en vrolijk voorjaarsfris.

Pfaffenheim, alsace, pinot blanc 2012 (FR)   € 6,50
Stuk vriendelijker dan de gemiddelde pinot blanc.

Prà, otto, soave 2012 (IT)   € 9,95
Het bestaat wel, lekkere soave! Fris en druivig.

Soligo, veneto, pinot grigio 2012 (IT)   € 6,50
Het bestaat echt, lekkere sappige pinot grigio!

Sportoletti, assisi grechetto 2012 (IT)   € 6,95
Volfruitig en kruidig.

Weingut Knab, baden, endinger engelsberg, grauer burgunder trocken 2011 (DE)   € 9,95
Weelderige subtiele pinot gris.

Cantine Buglioni, Il Disperato, bianco delle venezie 2012 (IT)   € 8,95
Frisfruitig, bloesem, en wel heel veel citrus.

Clos de Belloc, pays d'oc, réserve 2012 (FR)   € 4,95
Fris zachtfruitig, beetje kruidig.

De Martino Estate, maipo valley, chardonnay 2012 (CL)   € 5,95
Niet de molligste chardonnay.

De Martino Reserva, 347 vineyards, € 7,95 ♟♟
casablanca valley, sauvignon blanc 2012 (CL)
Correcte sauvignon.

Domaine La Prade, elevé en fût de chêne, € 7,50 ♟♟
pays d'oc, chardonnay 2011 (FR)
Zachtfruitig met veel hout.

Domaine La Prade, pays d'oc, chardonnay 2012 (FR) € 5,95 ♟♟
Vrolijk fruitig.

Falchetto, langhe, arneis 2012 (IT) € 9,95 ♟♟
Fris, druivig, bloesemgeur.

Garofoli, € 6,95 ♟♟
verdicchio dei castelli di jesi classico superiore 2012 (IT)
Kruidig, frisfruitig.

Goldwater, marlborough, wairau valley, € 9,95 ♟♟
sauvignon blanc 2012 (NZ)
Iets te kiwifris en stuivend voorjaarsfris.

Mocén, rueda, sauvignon blanc 2012 (ES) € 7,50 ♟♟
Voorjaarsfrisse sauvignon.

Pascual Toso, mendoza, chardonnay 2012 (AR) € 6,95 ♟♟
Chardonnay met pit.

Pascual Toso, mendoza, torrontés 2012 (AR) € 6,50 ♟♟
Fris geurend als muskaatdruiven.

Pecan Stream, western cape, chenin blanc 2012 (ZA) € 7,95 ♟♟
Eenvoudig fruitig.

Robertson Winery, robertson, chenin blanc 2012 (ZA) € 4,50 ♟♟
Eenvoudig fruitig.

Terlan, alto adige, pinot bianco 2012 (IT) € 9,95 ♟♟
Fruitig, kruidig, duur.

Terlan, alto adige, terlaner classico 2012 (IT) € 9,95 ♟♟
Fruitig, kruidig, duur.

Tripoz, clos des tournons, mâcon charnay 2011 (FR) € 8,95 ♟♟
Brave bourgogne.

Markowitsch, carnuntum, grüner veltliner 2012 (AT) € 7,50 ♟
Frisfruitig, bloesemgeur.

Pascual Toso, mendoza, sauvignon blanc 2012 (AR) € 6,50 ♟
Verlept en wee.

ROSÉ

Domaine Montrose, La Balade des Lézards, thongue 2012 (FR) € 8,95 ♀♀♀
Beschaafd en afstandelijk – maar goed gezelschap.

Garofoli, Kòmaros, marche rosato 2012 (IT) € 6,95 ♀♀♀
Sappig roodfruitig.

Saint Jean de Villecroze, réserve, côtes de provence 2012 (FR) € 8,95 ♀♀♀
Slank, rood fruit en deftig

Saint Jean de Villecroze, cuvée spéciale, € 5,95 ♀♀
varois en provence 2012 (FR)
Slank, rood fruit.

ROOD

Adega de Pegões, setúbal, trincadeira 2011 (PT) € 7,95 ♀♀♀
Zijdezacht fruitig met hout en fiks
parfum. Interessant apart.

Bodegas Carchelo, Altico, jumilla, syrah 2011 (ES) € 9,95 ♀♀♀
Prima peperige machosyrah.

Brumont, gascogne, merlot tannat 2011 (FR) € 6,50 ♀♀♀
Sympathiek stoer neefje van bordeaux.

Château de Parenchère, bordeaux supérieur 2010 (FR) € 8,50 ♀♀♀
Supérieur aan menig médoc.

Château Fongaban, castillon côtes de bordeaux 2010 (FR) € 7,95 ♀♀♀
Ouderwetse charme.

Château Hyot, cuvée prestige, € 9,95 ♀♀♀
castillon côtes de bordeaux 2009 (FR)
Straffe nog jeugdige bordeaux.

Clos de Belloc, pays d'oc, syrah 2010 (FR) € 6,95 ♀♀♀
Fijn fruit, pittige peper, mooi helder
van smaak, zij het iets stug.

Contini, Tonaghe, cannonau di sardegna 2011 (IT) € 8,25 ♀♀♀
Cannonau = grenache. Net als goede
rhône vol kersenfruit dus.

De Martino Estate, maipo valley, carmenère 2011 (CL) € 5,95 ♀♀♀
Vol fruit; mist dat rokerige carmenèregeurtje.

Domaine Coste Chaude, Florilège, côtes du rhône 2011 (FR) € 6,95 ♀♀♀
Rijp fruit, cacao, zacht en vol.

Domaine de Beaurenard, côtes du rhône 2010 (FR) € 9,95 ♀♀♀
Rijp fruit, kruidig, slank.

Domaine Fontanel, côtes catalanes 2011 (FR) € 5,95 ♀♀♀
Soepel fruit met pit.

Domaine Fontanel, côtes du roussillon 2011 (FR) € 5,95 ♟♟♟
Stoer fruit met garrigue.

Domaine Lafond, roc-epine, côtes du rhône 2011 (FR) € 7,50 ♟♟♟
Rijp fruit, cacao, zacht en vol.

Domaine Lafond, roc-epine, lirac 2010 (FR) € 9,95 ♟♟♟
Rijp fruit, cacao, likeur, zacht en vol.

Fattoria le Pupille, morellino di scansano 2011 (IT) € 9,95 ♟♟♟
Wat gelikte fruitige sangiovese uit Toscane.

Le Cecche, langhe rosso 2010 (IT) € 8,95 ♟♟♟
Stevigfruitig neefje van barolo.

Le Clos du Caillou, côtes du rhône 2011 (FR) 🐌 € 9,95 ♟♟♟
Helder, verfijnd, invoelend.

Pascual Toso, mendoza, malbec 2012 (AR) € 6,95 ♟♟♟
Slank, lenig, gespierd, stevigfruitig.

Pascual Toso, mendoza, merlot 2011 (AR) € 6,50 ♟♟♟
Slank, lenig, gespierd, zachtfruitig.

Pascual Toso, selected vines, mendoza, malbec 2011 (AR) € 9,95 ♟♟♟
Slank, lenig, gespierd – met fiks wat hout.

Tripoz, clos des tournons, mâcon charnay 2011 (FR) € 8,50 ♟♟♟
Opgewekt rood fruit met pit.

Weingut Prechtl, niederösterreich, zweigelt 2012 (AT) € 8,25 ♟♟♟
Rijp donker fruit, vleug kampvuur.

Château de Riberon, bordeaux supérieur 2010 (FR) € 5,95 ♟♟
Prima kleine bordeaux voor geen geld.

Château Tour Puyblanquet, saint-émilion 2009 (FR) € 9,95 ♟♟
Brave belegen bordeaux.

Clos de Belloc, pays d'oc, merlot 2012 (FR) 🐌 € 5,25 ♟♟
Vriendelijk zacht fruit.

Clos de Belloc, pays d'oc, réserve 2012 (FR) 🐌 € 4,95 ♟♟
Vriendelijk fruitig en kruidig.

De Martino Reserva, 347 vineyards,
choapa en cachapoal valley, syrah 2012 (CL) € 7,95 ♟♟
Wat suffe syrah met fiks fruit en tannine.

Domaine Coste Chaude, Madrigal,
côtes du rhône villages 2010 (FR) € 7,95 ♟♟
De Florilège van Coste met te veel van 't goede.

Domaine La Colombette, hérault, grenache syrah 2011 (FR) € 5,95 ♟♟
Licht en vrolijk fruitig, mist beet.

Domaine Montrose, La Balade des Lézards, thongue 2011 (FR) € 7,95   ✳✳
Stevig fruit van cabernet en syrah.

Domaine Montrose, thongue, cabernet/syrah 2011 (FR)   € 5,95   ✳✳
Saai fruit van cabernet en syrah.

Robertson Winery, robertson, ruby cabernet 2012 (ZA)   € 4,95   ✳✳
Ietwat grof, maar vol fruit.

Robertson Winery, robertson, shiraz 2012 (ZA)   € 6,50   ✳✳
Nogal tam fruitig.

Terlan, alto adige, lagrein 2012 (IT)   € 9,95   ✳✳
Bescheiden fruitig, afstandelijk.

Tripoz, vieilles vignes, bourgogne, pinot noir 2010 (FR)   € 9,50   ✳✳
Brave bescheiden bourgogne.

HOOGVLIET

▷ Spreiding: Noord- en Zuid-Holland,
  Utrecht en Gelderland
▷ Aantal filialen: 62
▷ Voor meer informatie: www.hoogvliet.com

OVERIGE WIJNEN

ROOD

Graffigna Centenario, reserve, san juan, malbec 2010 (AR)   € 5,99   ⚲⚲
Wrang met hout. Ook te koop bij Vomar.

Graffigna Clásico, san juan, malbec 2012 (AR)   € 4,39   ⚲
Droppig. Ook te koop bij Jan Linders,
Poiesz, Spar en Vomar.

Graffigna Clásico, san juan, shiraz 2012 (AR)   € 4,39   ⚲
Dun en wrang. Ook te koop bij Jan
Linders, Poiesz, Spar en Vomar.

JAN LINDERS

▷ Spreiding: Gelderland, Limburg, Noord-Brabant

▷ Aantal filialen: 58

▷ Marktaandeel: 1,0%

▷ Voor meer informatie: 0485 - 34 99 11
  of www.janlinders.nl

WEGGIETWIJNEN

ROSÉ

SPANJE

PLATINO, PINK MOSCATO € 3,99 ⊛

Wij van WC-Eend adviseren voor echt hardnekkig vuil
Platino. Getuigenissen van vermaarde deskundigen
liggen ter inzage: 'Na reiniging met Platino kan ik mijn
gebruikte grafkisten weer verkopen als nieuw!' Tevens
geliefd bij het soort mensen dat zich graag in latex giet
en met veel plezier nog een extra tepelklem met weer-
haakjes plaatst, om van nog gevoeliger lichaamsdelen
maar te zwijgen. Niet durven proeven.

OVERIGE WIJNEN

WIT

Rey de los Andes, reserva, sauvignon blanc 2012 (CL)   € 3,99
Verlopen groente met zuurtjesfruit.

ROSÉ

Drakensberg, wes-kaap, droë rosé 2012 (ZA)   € 3,69
Klapkauwgomrosé. Ook te koop bij Hoogvliet en Vomar.

LIDL

▷ Spreiding: landelijk
▷ Aantal filialen: 210
▷ Voor meer informatie: www.lidl.nl

WEGGIETWIJNEN

ROSÉ

ITALIË

ITALIA, PINOT GRIGIO BLUSH 2012   € 3,79 ⊛

Intrigerend bouquet van zuurballen – Bonbons Napo-
léon – met een vleug mottenballen. Ach ja, Italië is een
land waar je dat nog vindt, zulke charmante wijnen
gemaakt volgens eeuwenoude plaatselijke gebruiken,
door bijna net zo oude boertjes die trots zijn op de wijn
die ze al sinds 1536 zo maken, wijn die het zo goed doet
bij de plaatselijke keuken, robuust en eerlijk, genuttigd
met de hele familie onder de olijfbomen, die na vele
generaties inteelt geheel immuun is voor het zinsbegoo-
chelende bouquet en de verstandsverbijsterende afdronk,
en vrolijk smakkend de afvalcontainers van het plaatselijke abattoir erbij leeglepelt.

OVERIGE WIJNEN

WIT

Allini, asti dolce (IT) € 4,99 ♟
Wat grofgebekte zoete schuimwijn.

Cimarosa, south eastern australia, chardonnay 2012 (AU) € 3,19 ♟
Snoepjesfruitig met zowaar een vleug chardonnay.

Visigodo, rueda, verdejo 2012 (ES) € 4,49 ♟
Vaagfruitig.

**Cimarosa, south eastern australia,
colombard chardonnay 2012** (AU) € 3,19
Een boeket van plastic rozen.

Italia, pinot grigio delle venezie 2012 (IT) € 3,79
'Pinot grigio met karakter!' Helaas wel, ja.

ROSÉ

Cimarosa, california, zinfandel rosé 2012 (US) € 2,99
Klapkauwgum en kinderleed.

ROOD

Barceliño, catalunya 2011 (ES) € 3,99 ♟
Fruit, hout en drop.

Carles, crianza, priorat 2009 (ES) € 5,49 ♟
Fruit, raspende droptannines.

Cepa Lebrel, joven, rioja 2012 (ES) € 3,79 ♟
Iets droppig, verder vol fruit.

Cimarosa, south eastern australia, shiraz 2012 (AU) € 3,19 ♟
Snoepjesachtig syrahfruit.

Mezquiriz, la mancha, tinto roble, tempranillo 2012 (ES) € 2,99 ♟
Dun fruit met waaibomenhout.

Baywood, california, ruby cabernet 2011 (US) € 2,99
Dunne cassislimonade met schuurpapierafdronk.

Cimarosa, valle central, merlot 2012 (CL) € 3,29
Veterdrop en schoenzolentannines.

Cimarosa, western cape, pinotage 2012 (ZA) € 2,99
Mismoedig fruit en dood paard.

Corbières 2012 (FR) € 2,29
Dunfruitig, stoffigkruidig.

MARQT

▷ Spreiding: Amsterdam, Den Haag,
  Haarlem, Rotterdam
▷ Aantal filialen: 9
▷ Voor meer informatie: www.marqt.nl

OMFIETSWIJNEN

WIT

DUITSLAND

EYMANN, PFALZ, RIESLING TROCKEN 2012　　　€ 6,29

Vrolijke, druivige puurnatuurriesling. *Früchtig*, noemen de Duitsers zo'n volmaakte balans tussen fijne zuren en heel licht friszoet. Ja, zulke lichtvoetige vredelievende wijn zijn ze ook begonnen, Basil Fawlty!

FRANKRIJK
Languedoc-Roussillon

ANDRIEU FRÈRES, OC NATURE, AUDE,　　　€ 7,99
CHARDONNAY/VIOGNIER 2011

Zacht en verleidelijk, die bloesem- en perzikgeur van de viognier, dat rijpe chardonnayfruit – maar wat 'm het omfietsen waard maakt, is dat het niet te veel van het goede is, dat alle zondige weelde in toom wordt gehouden door springerige frisse zuren.

PURE, VIN DE FRANCE, BLANC 2012　　　€ 6,99

Van Domaine de Bassac. Idyllische picknickwijn. Geurend naar bloemenweide, zon en warme huid.

SPIRIT OF NATURE, CUVÉE OLIVIER AZAN, HERAULT 2011　€ 6,99

Zacht viognierfruit met een vleug muscat. Net als bij de chardonnay plus viognier van Oc Nature van Marqt het omfietsen waard omdat al die vriendelijke zachtheid ook fris is, pit heeft. Viognier, en muscat nog veel meer, heeft de neiging tot patserige overdrijving. Niks daarvan hier. De charmante bescheidenheid zelve. Een dorpse schone.

ITALIË

PURATO, TERRE SICILIANE,
CATARRATTO PINOT GRIGIO 2012

€ 5,99

Zeker zo'n tweeënhalf millennium lang beroemd
geweest, de krachtige zoete wijnen van Sicilië. Daarna
werd het minder. Je wilt tenslotte ook weleens wat
anders. Maar wat? Veel goedkope wijn, dacht men in
de jaren zeventig van de vorige eeuw. Of een moderne
internationale stijl! Daar komen ze nu van terug. Kwaliteit, geen kwantiteit, en ondanks een dosis cabernet,
merlot, syrah en chardonnay aandacht voor de inheemse
druivensoorten. Zo hebben we hier een verrukkelijk
fruitige en kruidige witte combinatie van pinot grigio
(Frans/Noordoost-Italiaans) plus de inheemse catarratto.
Volgens het net verschenen prachtboek *Wine Grapes*
van Jancis Robinson (drie kilo gedegen onderzoek met
de nieuwste inzichten over herkomst en verwantschap
van de 1368 belangrijkste wijndruiven) werd catarratto
al in 1696 door botanicus Francesco Capani genoemd als
karakteristiek Siciliaanse druif. Oude adel dus? Nee. Als
de wijnboer niet erg z'n best doet, is wijn van catarratto nogal gewoontjes. Iets wat ook geldt voor familielid garganega, de druif van soave. De boer van deze
biologische uitvoering weet gelukkig wat wijn maken
is. Vrolijke, zonnige wijn die de somberste winterdag
opfleurt. Z'n rode kompaan komt van dé druif van Sicilië: nero d'avola. Ook al genoemd door Capani, de Jancis
Robinson van de zeventiende eeuw. Avola is het uiterste
zuidpuntje van Sicilië, in de provincie Siracusa, waar
deze nero, donkere, het heel goed doet. Tot in de jaren
negentig werd hij vooral verscheept naar elders (Toscane, Piemonte, Languedoc, enzovoort) om bleekneuzige
wijntjes illegaal wat kleur en kracht te geven. Inmiddels
maakt men er trots zelf wijn van. Warmbloedige, hartverwarmende wijn, die in de beste gevallen toch mooi

fris en helder smaakt. Proef maar deze van Purato, waar ze niet alleen biologisch zijn in wijngaard en kelder, maar in alles: het etiket is van gerecycled pleepapier. Mooi, natuurlijk, maar het gaat om de inhoud. En die mag er dus wezen. Van Feudo di Santa Tresa. Lekker anders wit – sappig, rond, fruitig en pittig zonnig kruidig wit, vrolijk lang nablijvend wit. 't Is effe zo'n 2500 jaar wachten, maar dan krijg je ook wat.

SPANJE

NAVARRO LÓPEZ, PARA CELSUS, TIERRA DE CASTILLA 2011

€ 6,99

Arme airén! Niemand zegt ooit iets aardigs over 'm. Een kwart van de Spaanse wijngaarden staat er vol mee, het is een heel oude, zij het niet bepaald adellijke, druif, en toch, zelfs de vriendelijke Jancis Robinson zegt in haar prachtboek *Wine Grapes* dat er geen reden is waarom iemand airén aan zou planten. Gelukkig zijn er altijd uitzonderingen. Bofferds. Geluksvogels. Uitzonderingen die iets bijzonders in zich hebben en ontdekt worden door lieden die het goed met hen voorhebben, zodat ze met hun talenten kunnen woekeren en tot ongekende hoogten kunnen stijgen. Talloze achterbuurtwezens gingen onopgemerkt naar de verdoemenis, want armen zijn slecht, anders waren ze niet arm, vraag maar aan onze apologeet De Volksschrijver, maar gelukkig zag Volksschrijver Dickens dat anders en vond hij Oliver Twist. In de Wijnwereld doet Oliver ons goed met zacht fruit, pittige volharding en een afdronk die ook ons betere mensen maakt.

SAVIA VIVA, CAVA BRUT RESERVA   € 9,95

Zo'n 95 procent van alle Spaanse schuimwijn, cava, komt uit de buurt van Barcelona. Het wordt net zo gemaakt als champagne, maar dan van hun eigen druiven: macabeo, xarel-lo, parellada en trepat voor rosé. Champagnedruiven pinot noir en chardonnay worden ook gebruikt. Cava smaakt aardser, ruiger dan champagne. Ik mag dat wel. En dan ook nog voor zo'n prijs dat je zomaar op een mooie zomerdag de kurken kan laten knallen. De Hema heeft prima cava's. Deze biologische Savia Viva en de Azimut (Vinoblesse, ook te koop bij De Natuurwinkel) zijn duurder, maar dan ook nóg lekkerder. Vriendelijke, fruitige schuimwijn. Welopgevoed, schoongewassen en zuiver van hart, benevens verleidelijk geurend. Voor cava iets braaf, maar het vele fruit maakt dat goed. Duur? De eerste de beste naar doje visjes riekende kiloknallerchampagne kost het dubbele!

ZUID-AFRIKA

HEAVEN ON EARTH, WESTERN CAPE,   € 7,99
ORGANIC SWEET WINE (HALF FLESJE)

De druiven voor deze Zuid-Afrikaanse wijn hebben ze op een bedje van organische rooibosthee en stro laten indrogen, net zoals ze doen voor de Toscaanse vin santo dus. Geurt intens naar abrikozen en is voluptueus zoet zonder ordinair of plakkerig te zijn.

ROSÉ

FRANKRIJK

CHÂTEAU AUGUSTE, BORDEAUX, ROSÉ 2012   € 6,99

Rosé? Is bordeaux daar niet veuls te deftig voor? Eigenlijk wel, maar dit is dan ook reuze deftige rosé. Echte bordeauxrosé. Behoorlijk straf en streng. Lekker straf en streng, want ook goed voorzien van fruit. Rosé voor wie rosé te wuft vindt.

PURE, VIN DE FRANCE, ROSÉ 2012   € 6,99

Van Domaine de Bassac. Prima zachtfruitige eerlijke rosé zonder poespas met de smaak van voor het eerst kamperen met je lief. En jawel: puur.

OMFIETSWIJNEN | MARQT

ROOD

FRANKRIJK
Languedoc-Roussillon

ANDRIEU FRÈRES, OC NATURE, AUDE, €7,99
MERLOT CABERNET 2011

Kijk, dat is nou terroir, de invloed van wijngaard en
klimaat: serieuze bordeauxdruiven cabernet en merlot
worden hier geen knorrig imitatiebordeauxtje, maar een
zonnig Zuid-Franse wijn vol kersenfruit en zomerzon.

LES PARCELLES DE VENTENAC, PAYS D'OC, SYRAH 2011 €7,99

Heerlijk, het trio Parcelles, maar pas voor deze fiets ik
om. Zit 'm in de druif. Cabernet en merlot voelen zich
overal thuis, maar zijn zo invoelend en meegaand dat
hun wijn wat karakterloos kan worden. De ideale reis-
genoot: 'Ik doe wat iedereen doet, ik vind alles gezellig!'
Druif syrah is eigengereider, zeker hier, in de streken
waar hij zich thuis voelt, misschien vandaan komt oorspronkelijk. Hij uit zich met meer diepgang en finesse
en de lange afdronk van z'n peperige bessensmaak.

PURE, ROUGE, VIN DE PAYS D'OC 2011 €6,99

Van Domaine de Bassac. Gezellig, fruitig en
zomers kruidig landwijntje. Wel een heel puur
en zuiver landwijntje, waarin niks wringt of
stoort, een landwijntje dat soepel slobbert en
toch karakter heeft.

SPIRIT OF NATURE, CUVÉE OLIVIER AZAN, HERAULT 2011   € 6,99

Merlot en cabernet met carignan: slank als de betere bordeaux, zonnig kruidig Zuid-Frans met de ongetemde vlezige smaken van de carignan.

ITALIË

PURATO, TERRE SICILIANE, NERO D'AVOLA 2012   € 5,99

Wijn kan geuren als rijpe bramen, als dikke donkere kersen, maar ook als rottend ooft in de goot. Wijn kan schrieperig, gul, serieus en als een sloerie smaken. Wijn kan ontleed worden in bitters, zuren, concentraties, chemische onvolkomenheden. Bij deze nero d'avola uit Sicilië was m'n associatie economisch: jee, wat smaakt dat duur! De geur en smaak van luxueuze weelde. Rijke wijn. Breed en diep, met veel van alles, fluweelzacht verpakt.

Siciliaans rood van druif nero d'avola vinden we de laatste jaren meer en meer in de supermarkt, vol fruit, cacao en zon, en vaak biedt hij veel waar voor z'n vijf, zes euro. Dat zonnige fruit heeft deze ook, maar wat 'm zo sjiek doet smaken is dat hij heel opgewekt fris en helder is. Meer van hetzelfde – meer fruit, meer van alles, nieuw hout – smaakt proleterig. Maar verfijning en plezier, dat mag van mij wat kosten. Dus ik vreesde dat deze Chanel-achtig duur zou zijn. Maar kijk nou!

SPANJE

ABRIL DE AZUL Y GARANZA, NAVARRA 2012   € 7,49

Dwing tempranillo en cabernet sauvignon samen in een fles, en wat krijg je? Vaak iets nurks dat het slechtste van spinnenwebbenreserva en stoffige bordeaux in zich verenigt. Hier echter levert het een gezellige Spaanse versie van de beste beaujolais. Vol kersenfruit, en de tannines zijn verpakt in dure chocola.

NAVARRO LÓPEZ, PARA CELSUS,
TIERRA DE CASTILLA, TEMPRANILLO 2011

€ 6,99

De 2009 deed nogal moeilijk, was kommervol serieus, zoals je ook al vreest van wijn met zo'n pretentieuze naam, want hoedt u voor wijn met interessantdoenerige namen, die beduiden niet veel goeds. Bacchus zij dank in 2010 wederom vrolijk en spannend, met rood fruit, tabak en fijne sportschooltannines. Die lenige sportiviteit heeft 2011 ook, maar hij is steviger, gespierder. Donker rijp fruit, vleug cacao. Uw metgezel voor lange winteravonden.

OVERIGE WIJNEN

WIT

Diwald, niederösterreich, grüner veltliner 2012 (AT)   € 8,49
Druiven, bloesem, fris en zacht. En steeds duurder.

Les Grands Arbres, france, chardonnay 2011 (FR)   € 8,99
Vriendelijk fruitige Zuid-Franse 'bourgogne'.

Les Parcelles de Ventenac, pays d'oc, chardonnay 2011 (FR)   € 7,99
Volfruitige Zuid-Franse 'bourgogne'.

Riesling feinherb, mosel 2011 (DE)   € 8,99
Slank, mild, druivig, bloesemgeur.

Bodegas Enguera, valencia, verdil 2012 (ES)   € 7,99
Zacht fruit, lentegeuren.

Domaine Begude, Le Bel Ange,
pays d'oc, chardonnay 2012 (FR)   € 7,99
Vriendelijk zachtfruitig.

Elemental reserva, casablanca valley,
chardonnay 2012 (CL)   € 7,49
Slanke chardonnay met wat citrus.

Menade, rueda, verdejo 2012 (ES)   € 7,99
Gezellig doch prijzig frisfruitig.

Cévennes, chardonnay 2012 (FR)   € 5,79
Zuurtjesfruitig.

Reserve naturelle, pays d'oc,
chardonnay sauvignon 2012 (FR)   € 5,99
Zuurtjesfruit.

Cuvée le Soleiller, france, blanc 2011 (FR)   € 5,49
Zuurtjesfruit en oud vuil.

ROSÉ

Cévennes, grenache 2012 (FR)   € 5,79
Bescheiden fruitig.

Cuvée le Soleiller, france, rosé 2012 (FR)   € 5,29
Snoepjesfruit.

Reserve naturelle, pays d'oc, cinsault 2012 (FR)   € 5,99
Terwijl je zulke lekkere wijn kunt maken van cinsault!

ROOD

Bodegas Enguera, valencia, tempranillo 2012 (ES) € 7,99
Gezellig en toch stevigfruitig.

Les Grands Arbres, france, merlot 2011 (FR) € 6,99
Vriendelijk stevigfruitig.

Les Parcelles de Ventenac, pays d'oc, € 7,99
cabernet sauvignon 2011 (FR)
Prima stevigfruitige cabernet.

Les Parcelles de Ventenac, pays d'oc, merlot 2011 (FR) € 7,99
Prima stevigfruitige merlot.

Cévennes, merlot cabernet sauvignon 2012 (FR) € 5,79
Soepele Zuid-Franse bordeaux.

Ecologica, shiraz malbec reserve 2012 (AR) € 6,99
Fair trade. Stevig fruit, malbecleer, shirazpeper.

Cuvée le Soleiller, france 2011 (FR) € 5,49
Vaag fruitig.

Diwald, selektion, niederösterreich, zweigelt 2011 (AT) € 7,99
Stevig donker fruit. Wat kaal.

Reserve naturelle, pays d'oc, € 5,99
merlot cabernet sauvignon 2012 (FR)
Cassissnoep.

MCD

▷ Spreiding: Gelderland, Noord-Brabant,
  Utrecht en Zuid-Holland
▷ Aantal filialen: 64 (waarvan 6 MCD Alledag,
  23 niet-formulegebonden vestigingen en 35 MCD)
▷ Marktaandeel: 1,0%
▷ Voor meer informatie: www.mcd-supermarkt.nl

OMFIETSWIJNEN

WIT

CHILI

EL DESCANSO, RESERVA, CASABLANCA VALLEY, € 5,89 ♟♟♟
LATE HARVEST SAUVIGNON BLANC 2012 (375 ML)

Eigenlijk is zoet niet om voor om te fietsen, maar vooruit, omdat u het bent. En omdat het zo'n keurige wijn is voor weinig geld (voor goedzoetbegrippen). Luxueus uitgevoerd verfijnd zoet, voorzien van wat frisse zuren.

EL DESCANSO, RESERVA, VALLE CENTRAL, € 5,99 ♟♟♟♟
CHARDONNAY 2013

Slank, ingetogen, sappig verfijnd, net wat intenser dan de niet-reserva.

EL DESCANSO, VALLE CENTRAL, CHARDONNAY 2013 € 5,49

Slank, ingetogen, sappig verfijnd, met dit jaar als extra's subtiel wat ananas en grapefruit. Zeer subtiel gelukkig, want we willen wel wijn, geen vruchtensap.

OMFIETSWIJNEN | MCD

ROOD

CHILI

EL DESCANSO RESERVA, VALLE DE COLCHAGUA,   € 5,99 ♟♟♟♟
CARMENÈRE 2013

Smaakt als ongetemde oermédoc. Mooi helder
(fruit, mokka, exclusieve rookwaren) en met
bekoorlijke tannines.

EL DESCANSO, VALLE CENTRAL,   € 5,49 ♟♟♟
CABERNET SAUVIGNON 2013

Geurt ook dit jaar weer als een prijswinnende
bramenstruik, vol, soepel en toch manhaftig
van smaak, en, voor uw gerief, ook in drieliterpak à € 15,99 oftewel vier euro de driekwartliter.
Met zo'n handig tapkraantje. Mieters.

EL DESCANSO, VALLE CENTRAL, CARMENÈRE 2013   € 5,49 ♟♟♟
Chileense bordeaux voor geen geld. Hoera! Biedt dit jaar
weer die verleidelijke rokerige carmenèregeur. Verder
veel stevig donker fruit. Verleidelijk, soepel, doch manhaftig en rechtdoorzee. Hoezee.

EL DESCANSO, VALLE CENTRAL, MERLOT 2013 € 5,49

Arme merlot! De duurste wijn ter wereld (Pétrus) is een merlotwijn, Le Pin mag er qua euro's en dollars ook wezen, en toch wordt merlot niet serieus genomen. Komt doordat ze deze niet genoten. Lekker sappig merlotfruit, goed gespierd dit jaar.

FRANKRIJK
Languedoc-Roussillon

CHÂTEAU LA PAGEZE, € 5,99
COTEAUX DU LANGUEDOC LA CLAPE 2012

Alsof ik me te buiten ben gegaan bij de groentejuwelier en nu met een heerlijk fruitige, kruidig geurende boodschappentas op een bankje mijmer in een park zonder hondendrollen op een mooie herfstdag, met daarna een gesprek met een opwekkende Carmiggelt-bejaarde in een belegen kroeg.

OVERIGE WIJNEN

WIT

El Descanso single vineyard wild ferment,   € 11,49   ♟♟♟
casablanca valley, chardonnay 2012 (CL)
Jong en krachtig: giet 'm in een karaf.

The Shy Albatros, marlborough, sauvignon blanc 2010 (NZ)   € 6,49   ♟♟♟
Zuurtjesfruitig.

Drakenkloof, wes-kaap, chenin blanc/colombard 2013 (ZA)   € 4,99   ♟♟
Frisfruitig, sappig.

El Descanso, valle central, sauvignon blanc 2013 (CL)   € 5,49   ♟♟
Strafdroge voorjaarsfrisse sauvignon.

Feudo Monaci, salento, fiano 2012 (IT)   € 6,49   ♟♟
Zachtfruitig, lichtkruidig.

Jean Rosen, alsace pinot gris 2012 (FR)   € 7,69   ♟♟
Vriendelijk zachtfruitig.

Jean Rosen, alsace, pinot blanc 2012 (FR)   € 5,99   ♟♟
Vriendelijk zachtfruitig.

Jean Rosen, gewurztraminer 2012 (FR)   € 8,79   ♟♟
Rijpe abrikozen en rozengeur. Maneschijn laat 't afweten.

Kaapse Roos, western cape, chenin blanc 2013 (ZA)   € 5,19   ♟♟
Vol fris perenfruit.

Les Haut-Mesnil, prestige, sancerre 2012 (FR)   € 12,59   ♟♟
Frisfruitige sauvignon. Prijzig.

Torresaracena, terre siciliane, catarratto-chardonnay 2012 (IT) € 3,99   ♟♟
Beetje kruidig, zachtfruitig. Goed voor 't geld.

Château Pradeau, mazeau, bordeaux blanc sec 2012 (FR)   € 5,29   ♟
Hou het maar bij rood, Pradeau.

Domaine Chauveau, pouilly-fumé 2012 (FR)   € 9,99   ♟
Duur zuurtjesfruit

Jean Rosen, riesling 2012 (FR)   € 5,99   ♟
Frisfruitig, geen lachebekje, brildragend,
ernstig veel zuren.

François Lurton, Les Terrasses de l'Argentier,   € 5,69
gascogne, gros manseng sauvignon 2012 (FR)
Zuurtjesfruitig.

Manoir de La Hersandière, muscadet sèvre &   € 4,59
maine sur lie 2010 (FR)
Toch bestaat het echt, lekkere muscadet.

ROSÉ

El Descanso, valle central, syrah rosé 2013 (CL)   € 5,49
Stevigfruitige machorosé.

François Lurton, Les Terrasses de l'Argentier,   € 5,69
pays d'oc rosé 2012 (FR)
Vriendelijk fruitig.

Drakenkloof, wes kaap, pinotage rosé 2012 (ZA)   € 4,99
Iets onrijp fruitig.

Kaapse Roos, western cape, rosé 2013 (ZA)   € 5,19
Stevig (snoepjes)fruitig, aards.

La Châsse, pays d'oc, syrah rosé 2012 (FR)   € 4,99
Riekt onrijp, smaakt vaal.

ROOD

El Descanso, single vineyard, old vine red,   € 10,99
valle de colchagua 2012 (CL)
Duursmakende wijn vol bessenfruit – niet heel spannend.

Château Pradeau, mazeau, bordeaux 2012 (FR)   € 5,29
Goed gemanierde stevigfruitige bordeaux.

Domaine Trianon, excellence, saint-chinian 2011 (FR)   € 5,79
Tussen het rijpe fruit een vleug
Herfsttij der Middeleeuwen.

El Descanso reserva, valle de colchagua, shiraz 2013 (CL)   € 5,99
Rijp donker fruit, specerijen, peper.

Feudo Monaci, salice salentino 2011 (IT)   € 6,49
Donker fruit, zwoele geuren, rijpe tannines.

Grande Réserve, côtes du rhône villages 2012 (FR)   € 5,99
Huiswijn van een stevig gebouwde
kersen- en kruidenboer.

Charles Méras, beaujolais villages 2011 (FR)   € 6,99
Soepel fruitig met fiks wat chocola.

Château la Croix, côtes du rhône 2011 (FR)   € 5,29
Vol donker rijp kersenfruit, met cacaotannines.

Château Roches Guitard, montagne-saint-émilion 2012 (FR)   € 8,99
Wat mistroostige bordeauxmerlot.

Château Rouvière, minervois 2011 (FR)   € 4,25
Fruitig, kruidig, maar niet heel vrolijk.

Château Rouvière, minervois 2011 (FR)   € 4,25
Fruitig, kruidig, maar niet heel vrolijk.

Château Saint-Christophe, médoc cru bourgeois 2011 (FR) € 8,99   🍷🍷
Boel geld voor bescheiden bordeaux.

Drakenkloof, wes-kaap, rooiwyn 2012 (ZA) € 4,99   🍷🍷
Vriendelijk fruitig.

Feudo Monaci, salento, primitivo 2011 (IT) € 6,49   🍷🍷
Vol donker fruit, stevige tannines.

François Lurton, Les Terrasses de l'Argentier, € 5,69   🍷🍷
pays d'oc, merlot 2012 (FR)
Vriendelijk fruitig.

Kaapse Roos, rooiwyn 2012 (ZA) € 5,19   🍷🍷
Stevig donker fruit met stoere aardse ondertoon.

Charles Méras, fleurie 2012 (FR) € 9,89   🍷
Bescheiden fruitig.

Torresaracena, terre siciliane, nero d'avola 2012 (IT) € 6,99   🍷
Vaag donkerfruitig.

NATUURVOEDINGSWINKELS

▷ Spreiding: landelijk
▷ Aantal filialen: 258 zelfstandige winkels
▷ Voor meer informatie: www.biogids.nl

Diverse wijnen van de Natuurvoedingswinkel
zijn ook bij andere natuurwinkels te koop.

OMFIETSWIJNEN

WIT

ITALIË

CIÙ CIÙ, ORIS, FALERIO 2012   € 5,99

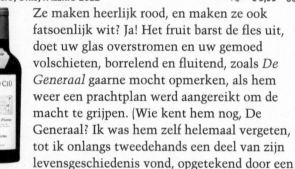

Ze maken heerlijk rood, en maken ze ook fatsoenlijk wit? Ja! Het fruit barst de fles uit, doet uw glas overstromen en uw gemoed volschieten, borrelend en fluitend, zoals *De Generaal* gaarne mocht opmerken, als hem weer een prachtplan werd aangereikt om de macht te grijpen. (Wie kent hem nog, De Generaal? Ik was hem zelf helemaal vergeten, tot ik onlangs tweedehands een deel van zijn levensgeschiedenis vond, opgetekend door een zekere De Smet, en ik werd overspoeld door jeugdherinneringen.) Maar deze wijn dus. Ach, wat is de wereld ineens mooi, en wat houdt u toch van iedereen, zelfs een beetje van uw collega Jan-Hendrik die altijd wat te zeiken heeft en steeds net voor u de laatste warme kantinecroquet wegsnaait. Schenk 'm hier een glas van, en binnen de kortste keren zingt u met bloemen in het haar samen *All you need is love*. Te gekke witte wijn.

EMPIRIA, PROSECCO   € 7,79

Prosecco, maar prosecco met pit, prosecco gemaakt van druiven. Vriendelijk zachtfruitig, opgewekt schuimend. Het omfietsadvies geldt slechts voor proseccodrinkers, om hen op het rechte pad te brengen, van prosecco als accuzuur via prosecco die onbenullig naar niks smaakt, naar deze en dan, halleluja!, naar de echte wijn, die zonder belletjes is en vol verleidelijke zonde.

SPANJE

ARAO, ALICANTE 2012  € 4,99

Van La Bodega de Pinoso. Hoe doen ze dat toch? Naast dat warmbloedig rood ook zo'n verrukkelijke witte voor een filantropenprijs. Vol verleidelijk fruit met fijn wat venkel. Nee, niet zeuren, venkel is lekker. Zo'n licht anijsachtig groen geurtje doet de volle wijn goed, en ook in het echt is venkel heerlijk. Kom, waag eens wat! Doe gek, eet een venkel! We eten er maar zeven gram per jaar van, gemiddeld, als rechtschapen vaderlanders, en aan die zeven gram komen we dan nog omdat mijn huishoudinkje disproportioneel veel venkels wegwerkt. Stoof ze, bak ze, schaaf ze rauw dun. En drink er deze wijn bij. En wat zegt u dan? Precies. Pas maar op, voor u het weet loopt u rond in een T-shirt met een hartje en een venkel achter de letter I.

BODEGAS PARRA JIMÉNEZ, LA OVEJA NEGRA, LA MANCHA, VERDEJO MOSCATEL € 5,99

 Ik vreesde dat moscatel zoet in de wijn zou gooien, maar nee. De verdejo heeft de opstandige moscatel effectief onderdrukt, die heeft niks in te brengen, hooguit wat welschapen zachtheid. Wijn als een mooie zomerdag, met grote wattenwolken in het Wedgwoodblauwe zwerk, en u met uw tenen in het aquarium als meester Van Zoeten. Biodynamisch, dus gewrocht bij gunstige sterrenstand en tot heil van het Al. En dat voor deze prijs Ze hebben echt het beste met ons voor, de biodynamisten.

FLOS DE PINOSO, ALICANTE 2011   € 5,00

Van La Bodega de Pinoso. En van druiven airén en macabeo. Zacht, vol, fris, rijk, rijp, verleidelijk. Oudmodische
weelde, de haremwijn van macho's met smaak, werd
door de eeuwen heen geschonken in de beste bordelen,
gefrequenteerd door mannen van aanzien, en ondanks
z'n ietwat gedateerde opvattingen ook nu nog alom
geliefd dankzij een grondige heropvoedingscursus door
Cisca Dresselhuys zelve. Ook duurder het omfietsen
waard. Ook te koop via www.denieuweband.nl.

ROSÉ

SPANJE

BODEGAS PARRA JIMÉNEZ, LA OVEJA NEGRA, LA MANCHA, GARNACHA € 5,99

Garnacha, ook wel geheten grenache, uit La Mancha, het grootste wijngebied van Europa (dat wist u niet, hè?), liggend in Midden-Spanje onder Madrid. Krachtdadige rosado die van aanpakken weet, en overal de beste tapastentjes weet te vinden. Biodynamisch, dus gewrocht bij aangeschoten sterrenstand. En voor geen geld, ook nog.

VERGEL, ALICANTE ROSADO 2012 € 6,75

Van La Bodega de Pinoso. Rosé van mourvèdre, of monastrell, zoals ze hier in Zuidoost-Spanje zeggen. Rijp, vol fruit, zachtmoedig – maar rosé om u tegen te zeggen. Ook te koop via www. denieuweband.nl.

OMFIETSWIJNEN | NATUURVOEDINGSWINKELS

ROOD

FRANKRIJK
Bordeaux

CARNAVAL DE COURONNEAU,   € 9,99
BORDEAUX SUPÉRIEUR 2011

Ja, je hebt bordeaux zwartgallig als een boer die pasgeboren lammetjes schopt en op z'n verjaardag biggetjes vraagt om te castreren, maar – 'Say Hallelujah!' – er is ook bordeaux als deze. Bordeaux goedertieren en welopgevoed als de bekakt pratende plattelandsdominee met gevoel voor humor uit een Agatha Christie, die hier met Miss Marple tevreden een fles van opentrekt als blijkt dat de boer het heeft gedaan en naar de kerkers van Scotland Yard is afgevoerd om gehangen te worden. Fijn fruit, vleug leer. Stevig en sympathiek, slank en verfijnd.

Languedoc-Roussillon

DOMAINE DE L'ATTILON,   € 6,99
PAYS DE MÉDITERRANÉE, MERLOT 2011

Heerlijk, heldere fruitige merlot. Kijk, veels te veel andere merlots uit Zuid-Frankrijk en de rest van de aardkloot, zó moet 't nou! Niks geen driekwartliter harde dan wel zachte drop, maar een zonnige versie van blije bordeaux, met spannende verrassingen in de diepten van geur en smaak. Ook te koop via www.denieuweband.nl.

DOMAINE DES SOULIÉ, CUVÉE RÉMY, €5,99
MONTS DE LA GRAGE 2012

Fietsen is net zoiets als vliegen. Eigenlijk kan 't niet, maar we doen het achteloos toch. Met die tere vleugeltjes, op die smalle bandjes. Nooit nadenken dus, over hoe moeilijk het leren fietsen ooit was, gewoon gedachteloos gelovig doortrappen. En de natuurkunde kan me nog zoveel vertellen, ik ben altijd bang dat juist als ik in de lucht ben, ze ineens ontdekken dat het inderdaad niet kan, zo'n grote ijzeren machine vol mensen en rolkoffertjes, zomaar zwevend tussen de wolken op twee van die kleine vleugels. Blij dus dat je naar Parijs met de trein kan. Ja, dat kan ook misgaan, maar een trein snap ik tenminste. Snel met de metro – ook begrijpelijk – naar een hippe bistro om dankbaar en veilig ouderwets lekkere wijn zonder moeilijk gedoe te genieten. Gewoon, zorgeloos geurend naar fruit in de aangeharkte natuur, kruiden in heuvels en dalen, en de zon op je bol.

DOMAINE DES SOULIÉ, SAINT-CHINIAN 2012 €6,39

In het begin zat het zo. Ik wou meetellen. Een grote jongen zijn. Dat de mensen wisten, dat is niet zomaar een jongen, die daar gaat met z'n boodschappentas vol flessen, dat is een man die van wijn weet. Dus proefde ik overal moeilijke, indrukwekkende wijnen. En dat moeten jullie zeker ook doen, jongens en meisjes die aan de wijn beginnen, want niks zo leerzaam als veel proeven. En je ontdekt je eigen smaak. Ik ontdekte dat ik hou van niets-aan-de-handwijn. Wijn die niet meer wil zijn dan pure, eerlijke wijn met de geur en smaak van druif en wijngaard en de wijnboer, die zegt dat hij niks bijzonders doet, gewoon druiven plukken en die tot wijn laten gisten. Klinkt goed, en je ziet 'm voor je, hij en mevrouw wijnboer, hand in hand door de wijngaard slenterend, voor het slapengaan nog even een kijkje bij de slapende koters en het gistend wijnvat, en klaar. Zo smaakt deze wijn. Hard werk om zoiets zorgeloos te maken.

ITALIË

CIÙ CIÙ, BACCHUS, ROSSO PICENO 2012   € 5,99

Er staan behoorlijk wat rosso piceno's in deze gids. Terecht: karaktervol ruig rood zonder flauwekul. Ook deze smaakt weer als een zeer plezante boerse chianti, vol rood rijp fruit plus gezellige geuren uit de kruidentuin.

SPANJE

ARAO, ALICANTE 2012   € 4,99

Van La Bodega de Pinoso. Hoe doen ze dat toch? Weer zo'n Zuidoost-Spaanse mourvèdre van Pinoso, boordevol rijp fruit en warme nachten. Niet zo spannend als hun Flos, maar het omfietsen waard, want geen geld voor zulk een hartverwarmende wijn, die doet denken aan oude foto's van mannen met grote snorren, trots naast de wijnvaten.

OMFIETSWIJNEN | NATUURVOEDINGSWINKELS

BIURKO, RIOJA CRIANZA 2008 € 8,99

Wat bedachtzamer dan de tinto, maar nog jeugdig fruitig en slechts bescheiden betimmerd (want dat betekent crianza: heeft op jonge leeftijd een tijdje doorgebracht in houten vaten).

BIURKO, RIOJA TINTO 2011 € 5,99

Vol en soepel roodfruitig, wat exquise specerijen, toefje zware Van Nelle en vooral veel gepaste vrolijkheid. Net als blij Zuid-Frans rood te drinken zonder dat je ervoor doorgeleerd hebt, met in de diepten van het glas toch zo'n ruikertje spannende geuren en smaken, net wat diepgang, waardoor je benieuwd bent naar iedere volgende slok en de wijn nooit verveelt, zodat je bij je eigenste zelf beseft: ik zit hier niet zomaar ongeschoold te zuipen, ik geniet van echte wijn en snap in enen hoe mensen daar zo gegrepen door kunnen worden dat ze er in een onbewaakt ogenblik zelfs boekjes over gaan schrijven.

BODEGAS PARRA JIMÉNEZ, LA OVEJA NEGRA, LA MANCHA, TEMPRANILLO-SYRAH

€ 5,99

Een verwarrende diversiteit aan Parrawijnen onder allerhande op elkaar lijkende namen is er bij diverse winkels te koop. Zo zelfs, dat ik hier in het proefkot drie Parrawijnen heb die niemand thuis kon brengen. Ze waren ingestuurd voor deze Gids voor Alle Mensen (voor zover ze een kurkentrekker in huis hebben), maar er zat geen stickertje op of briefje bij met zulke nuttige informatie als alwaar te koop. Overal navragen (dank, Jessica van de uitgeverij!): nee, niemand een idee. Wat gelukkig wel duidelijk is: de Parra's zijn drie grote stoere broers die reuze gezellige wijnen maken. Puur, helder, soepel fruitig. Zomerse geuren, goedwillende tannines. Zonnig humeur. Biodynamisch, dus gewrocht bij losbandige sterrenstand. En voor geen geld, ook nog, ze hebben werkelijk het beste met ons stervelingen voor. Na één glas ben je al je zorgen vergeten, ook die over de nergens thuishorende Parrawijn Platero.

DRÁGORA ORGANIC, TIERRA DE CASTILLA, SYRAH 2011

€ 4,99

Soepel fruitig, prettig peperig. Bioslobber op niveau, ook voor uw verantwoorde barbecue, en houdt u tevens warm als uw zonnecellen zijn ondergesneeuwd. Mede door de prijs het omfietsen waard.

FLOS DE PINOSO, ALICANTE 2011 € 5,00

Van La Bodega de Pinoso. Zuidoost-Spaanse mourvèdre, geurend naar rood fruit met zonnige inborst en met een vleug goudblonde zware sjek (heerlijk, je neus in zo'n pakje en stevig inhaleren; dat er mensen zijn die het in een papiertje rollen en de fik erin zetten). Iets koelen. Gul schenken. Ook duurder het omfietsen waard. Ook te koop via www.denieuweband.nl.

PONTOS, CEPA 50, VIÑAS VIEJAS, € 6,25
ALICANTE, MONASTRELL 2011

Van La Bodega de Pinoso. Uitgerust met rijp donker fruit, pure chocolade, specerijen, een vleugje tabak en stevige doch beminnelijke tannines. En dan dus in wijnvorm. Ook duurder het omfietsen waard. Ook te koop via www.denieuweband.nl.

OMFIETSWIJNEN | NATUURVOEDINGSWINKELS

UNCASTELLUM, FLORAL DE UNCASTELLUM, TIERRA DE RIBERA DEL GÁLLEGO, TINTO JOVEN 2011

€ 6,95

Laatst at ik weer eens in een restaurant. Sommige dingen moet je gewoon niet doen, maar ja. Het was met kenners, ook nog. De kenners denken dat ik een van hen ben, omdat ik stukjes over wijn schrijf, dus ze vragen moeilijke vragen terwijl ik kauwend peins dat het een etmaal op herfstmiddagtemperatuur gegaarde en daarna gegrilde stukje bil van een pure authentieke ambachtelijke koe best lekker is, maar niets beter dan de biefstuk die ik bij mijn slager voor alle mensen haal. 'Wijn moet met eten erbij, vind je ook niet, Nicolaas?' vragen de kenners bij de vieze wijn bij het gegrilde designkoestukje. Nee. Dat vind ik niet. Ik snap ook niet wie op dat malle idee is gekomen. Nog niet zo lang geleden kraamde niemand zulke onzin uit. Laat staan dat ze termen als 'eetwijn' gebruikten. 'Ja, nogal stevig, nogal fors in de alcohol, maar: het is ook een eetwijn!' Ik ken alleen maar drinkwijn. En wijn die niet te drinken is, maar die laten we in het schap staan voor mensen die eetwijn willen. Eetwijn was er vroeger wel, maar dan zoals Louis Mercier, de biograaf van Parijs, schreef: 'Niemand ontbijt meer met een glas wijn.' Ontbijtwijn. Wijn als maaltijd. Eetwijn. Wijn moet lekker zijn. Het kan altijd dat de wijn met een bepaald bordje eten erbij nog lekkerder smaakt, maar dat geldt voor meer. Met goed gezelschap smaakt wijn ook beter (ja, nu nog wat straf en gesloten, maar wat wil je, het is een gezelschapswijn). Probeer het maar. Deze duursmakende rozengeurige aristocraat van de oude stempel, pikant gehuld in verleidelijk rood fruit, is heerlijk bij Michelin-eten, bij een blinde vink en bovenal bij u en uw lief. Ook te koop via www.denieuweband.nl.

VERGEL, ALICANTE 2011   € 7,95

'En, Nicolaas, wat vind jij van de wijn-spijs-combinatie?' 'Dat vind ik toch zo'n vies woord! Spijs! Doet me altijd denken aan die kledder die ze in paasbroden en aanverwant onheil proppen, en aangezien krenten in brood en helemaal poedersuiker erop een ernstige vergissing is van het Astraal Plan, associeer ik spijs daarenboven ook nog met spugen. Maar als je bedoelt of ik de inhoud van glas en bord bij elkaar vond passen: het eten was op een Michelin-achtige manier best lekker, al was het weinig, en de wijn was ook nogal pretentieus, dus dat combineerde best aardig.' Thuis om bij te komen meteen hier een fles soldaat van gemaakt. Van La Bodega de Pinoso. Grote broer van Flos, donkerder, kruidiger, krachtiger, een lik dure sjokola, maar even opgewekt, niks zwaarwichtigs of interessant-doenerigs. Spaanse gigondas. Lekker bij alles. Nou, vooruit, laat ik ook eens advies geven: misschien niet direct bij een zomerse afslanksalade, en op z'n best bij herfst- en wintereten. Ook te koop via www.denieuweband.nl.

OVERIGE WIJNEN

WIT

Carnaval de Couronneau, bordeaux blanc 2011 (FR)   € 7,75
Fijn fris fruit, deftige afdronk.

Engelhard, feinherb, scheurebe 2012 (DE)   € 6,25
Rank en slank, fruitig en kruidig.

Engelhard, spätlese trocken, riesling 2012 (DE)   € 7,60
Rank en slank, zachtdroog, fruitig.

Fattoria San Donato,   € 8,25
vernaccia di san gimignano 2012 (IT)
Opgewekt landelijk fruitig, licht kruidig.

Frisach, selecció, terra alta 2012 (ES)   € 6,99
Grenache blanc. Volfruitig, vleug venkel. Helaas
iets alcoholisch. Anders het omfietsen waard.

Jaillance, clairette de die tradition (FR)   € 12,99
Friszoete, mousserende rhônewijn, gepast
geurend naar muskaatdruiven.

Château Grinou, tradition, bergerac sec 2012 (FR)   € 7,75
Fris zachtfruitig.

Di Giovanna, Feudo Paradiso,   € 6,99
terre siciliane, vino bianco 2012 (IT)
Zacht frisfruitig.

Domaine des Soulié, cuvée mathilde,   € 6,70
monts de la grage 2012 (FR)
Bedoelt het goed, maar is nogal vlak.

Drágora organic, tierra de castilla, blanco 2012 (ES)   € 3,99
Eenvoudig, doch opgewekt zachtfruitig.

Drágora organic, tierra de castilla, chardonnay 2012 (ES)   € 4,99
Gezellig zachtfruitig.

Drágora organic, tierra de castilla,   € 4,99
sauvignon blanc 2012 (ES)
Gezellig zachtfruitig.

Empiria, soave 2011 (IT)   € 6,50
Zacht frisfruitig.

Di Giovanna, Feudo Paradiso,   € 9,20
terre siciliane, grillo 2012 (IT)
Zuurtjesfruitig.

Ronde des saveurs, touraine sauvignon 2011 (FR)   € 8,99
Overleden.

ROSÉ

Di Giovanna, Feudo Paradiso, terre siciliane, rosato di nero d'avola 2012 (IT) € 6,99
Fruitig, kruidig.

Drágora organic, tierra de castilla, rosado 2012 (ES) € 3,99
Bescheiden fruitig.

ROOD

Bodegas Jalón, peña aldera, rioja crianza 2009 (ES) € 9,99
Prima rioja. Zijdezacht fruit, deftig hout. Finesse.

Bodegas Jalón, peña aldera, rioja reserva 2007 (ES) € 12,49
Fiks reservahout, maar ook veel fruit.

Bodegas Parra Jiménez, Viña Cuesta Colrá, la mancha, tempranillo viñas viejas, sulphite free 2012 (ES) € 5,99
Soepel fruitig.

Château Grinou, tradition, bergerac, merlot-cabernet 2011 (FR) € 7,99
Fruitige buur van Bordeaux. Puur maar braaf.

Di Giovanna, Feudo Paradiso, terre siciliane 2011 (IT) € 6,99
Kruiden, specerijen, zonnig droog.

Domaine de l'Attilon, pays de méditerranée, cabernet sauvignon 2011 (FR) € 6,99
Heerlijk, heldere fruitige cabernet.

Domaine des Soulié, le secret de rémy, monts de la grage 2010 (FR) € 9,99
(Te) serieuze versie van Cuvée Rémy.

Fattoria San Donato, chianti colli senesi 2010 (IT) € 7,99
Gezellige landelijke chianti; rood fruitig, kruidig.

Frisach, Cupatche, terra alta 2012 (ES) € 6,99
Vol en soepel, chocolatannines.

L'Écuyer de Couronneau, bordeaux supérieur 2011 (FR) € 7,99
Pure, fruitige merlot met stevige tannines.

Vergel, selección barricas, alicante 2009 (ES) € 14,75
Van La Bodega de Pinoso. Veel fruit, kruiden, zon, testosteron – en de barriekjes houden zich gedeisd.

Charmes de la Treille, touraine gamay 2011 (FR) € 8,99
Fruitig, maar op leeftijd.

Drágora organic, tierra de castilla, merlot 2011 (ES) € 4,99
Vol en soepel fruitig.

Drágora organic, tierra de castilla, tinto 2012 (ES)   € 3,99
Stevig doch soepel fruitig.

Empiria, montepulciano d'abruzzo 2010 (IT)   € 6,50
Fruitig, kruidig, maar op leeftijd.

Tiamo, barbera 2010 (IT)   € 5,99
Ietwat bedompt fruitig.

Tiamo, chianti 2011 (IT)   € 6,60
Bescheiden fruitig, kruidig.

DE NATUURWINKEL/
GOOODYFOOODS

▷ Spreiding: landelijk

▷ Aantal filialen: 31 (25 Natuurwinkel
  en 6 Gooodyfoods)

▷ Voor meer informatie: www.denatuurwinkel.nl

Alle wijnen van De Natuurwinkel zijn ook te koop
bij Gooodyfooods. Daarnaast zijn veel wijnen ook
bij andere natuurvoedingswinkels te koop – en
diverse van de in het vorige hoofdstuk vermelde
wijnen staan ook bij De Natuurwinkel in het schap.

OMFIETSWIJNEN

WIT

DUITSLAND

EYMANN, PFALZ, RIESLING TROCKEN 2012 € 8,49

Vrolijke, druivige puurnatuurriesling. *Früchtig*, noemen de Duitsers zo'n volmaakte balans tussen fijne zuren en heel licht friszoet.

FRANKRIJK
Bourgogne

DOMAINE PICO-RACE, CHABLIS 2011 € 16,95

Dit domaine gaat ook door het leven onder de naam Domaine de Bois d'Yver, zie de chablis van Ekoplaza. Puur en zuiver. Chablis volgens de boekjes, straf en strak en toch zeer bekoorlijk.

Languedoc-Roussillon

MARGALH DE BASSAC, VIN DE FRANCE 2011   € 6,99

M'n eerste Ruige Kok ontmoette ik zeker vijftien jaar geleden in Rotterdam. In een nauwelijks verbouwde opslagkeet, met alle pijpleidingen en elektriek open en bloot, een enorme ruwhouten tafel tussen ijzeren schappen. De kok zelf wist niet dat hij ruig was, want dat heette toen nog niet zo, maar hij was het wel, groot, breed, ongeschoren en met tatoeages. Die zag je toen nog niet zoveel, slechts een anker op de arm bij Popeye en andere zeelui. Of, nog mooier, een hart met daaronder Marie met een streep erdoor en daaronder dan Elsie. Dat zijn trouwens ook de enige tatoeages die mogen van God, en niet meer dan één per persoon. Maar daar komen al die mensen die er nu uitzien als een muur vol graffiti wel achter als het vel gaat lubberen, rimpelen en hangen. De kok was verder ruig door z'n koken. Lekker brutaal, een eerlijk bord warm eten van wat hij op de markt was tegengekomen die ochtend. Hij zocht nog lekkere wijn erbij. Had deze toen bestaan, de huiswijn van Ruig! Sappig fruitig, licht kruidig, geen kapsones, puur en zuiver, heerlijke eerlijke verrukkelijke eenvoud.

ITALIË

PIZZOLATO, TREVISO, PROSECCO VINO FRIZZANTE   € 7,49

Druivig, en dat is voor proseccobegrippen al heel wat. Strakdroog, boers, ruig bijna. Zo, daar hebben ze niet van terug in die wufte strandtent. Prosecco deugt niet, maar als u hem dan toch per se wil, neem dan deze. Bent u meteen ook uw modieuze vriendinnenkring kwijt.

SPANJE

AZIMUT BLANC, PENEDÈS 2011   € 7,29

Een vrolijke mevrouw aan de lijn: mijnheer Torres, dé Torres van Bodegas Torres (waar onder anderen de heren Gall veel wijnen van verkopen), wijntycoon, is in het land, en hij wil graag kennismaken met de mijnheer van de *Omfietswijngids*! Tsja, dan voel je je toch wat, als de groten der aarde belet komen vragen. Genadiglijk stemde ik toe in een ontmoeting. Een heel aardige en bevlogen mijnheer, Miguel, ernstig begaan met het milieu. Maar wat maakt hij serieuze wijn! Saai van perfectie. In zijn wijngaarden rond Barcelona ontdekte hij onbekende druivensoorten. Je hoopt dat hij daar dan gezellige oerwijn van maakt, maar nop: weer een gelikte jetsettopwijn. Lieve mijnheer Torres, proef deze eens, van een boer bij u in de buurt. Gezellige wijn vol fruit, plus eigenwijze geuren uit de tijd dat het milieu nog het woeste woud heette. Smaakten uw wijnen zo, de wereld zou meteen een stuk vrolijker zijn. Nee, niks uitgebalanceerd houtgebruik, tonen van limoen, papaja en meiknolletjes, tot op de seconde berekende afdronk. Het is wijn. Gewoon wijn. Vrolijk, puur en gezellig. Verdiep je erin, en je wordt niet wijzer. Van de wijnboer ook niet. 'Nou, ik doe m'n best in de wijngaard, en dan laat ik de druiven tot wijn gisten. En dan zie ik wel. Hoe de wijn smaakt? Naar onbekommerd geluk.' Zo maakt de Bende zonder Zwavel z'n puurnatuurwijnen, wijnen van druifjes en verder niks. Lanterfantwijnen. Kuierwijnen. Slenterwijnen. Flaneerplezier. Drinken bij niks of zomaar iets. Rond Barcelona maken ze cava, zoals die biologische van Azimut, die veel lekkerder is dan prosecco, maar er is ook wijn zonder belletjes. Zelfde druiven – voornamelijk macabeo –, vrolijk eigengereid van smaak. Fris, fruitig, kruidig, en zilt als een zonnige herfstdag aan het strand. En, mijnheer Torres, ook hun rood is lekkerder dan al uw door gepromoveerde oenologen knap geconstrueerde prestigewijnen bij elkaar.

AZIMUT, CAVA BRUT NATURE   € 13,25

Namen en gezichten onthouden, het is me wat. Of misschien zou ik het wel kunnen, als ik niet zo'n verlegen sul was. Want zo gaat dat. Mijn beroep is dat ik niet alleen maar dronken stukjes tik, maar soms ook naar wijnproeverijen ga. Andere mensen gaan daar ook naartoe, dat hou je niet tegen, en omdat wijndrinkers heel beleefd en aardig zijn, geven we elkaar keurig een handje. Dat kan ik, schutterig als ik ben. Hand uitsteken, vriendelijke grijns, naam zeggen. Of als je de ander kent, vrolijk roepen dat je het leuk vindt je weer te zien, Marie-Louise/Jochem/Pieternel! Maar ken ik ze? Heb ik Jochem al eens ontmoet? Hij lijkt wel op iemand. Maar misschien is die iemand de slager of een Beroemd Iemand van tv. De oplossing is simpel: de ander het initiatief laten nemen. Stelt hij zich voor, dan betekent dat dat ik hem of haar nog niet ken, en moet ik mezelf ook voorstellen. Maar met al dat gedoe let ik er dus helemaal niet op of Jochem nou Jochem heet of Rinnooy Kan Aangenaam, dus gebeurt een volgende keer krek hetzelfde. En begint zo'n proeverij ook nog met pretentieuze champagne. Stoere schuimwijn als deze, dat heeft een mens dan nodig. Een lekkere kameraad die op je afkomt met schuimwijn zoals schuimwijn bedoeld is, deze ware cava vol plezier en pikante belletjes. Rijp fruit, strakdroog, tikkie weerbarstig, revolutionair. Na de eerste kennismaking nooit meer vergeten.

CAMINO BLANCO, VINO DE ESPAÑA, AIRÉN 2012 € 5,25

De 2010 was gewrocht van druif airén en niets anders; in 2011 hadden ze er wat sauvignon bij gedaan voor extra frisheid. Dat staat ze vrij, en ook de 2011 was heerlijke wijn, schonk elke kroeg maar zoiets puurs en lekkers, maar hij smaakte toch iets minder dan die 2010 die slechts van achterbuurtdruif airén was gemaakt. Dat is allemaal mooi en aardig, en reuze lief, verheffing van het volk, maar bij druifjes werkt het averechts. Druiven als airén, verschoppelingen met een gouden hart, wachten niet op de socialistische heilstaat, maar op een dickensiaanse weldoener die het goed met ze voorheeft zoals ze zijn. Blij dus met deze 2012 van louter airén. Niks geen gesoigneerd briesje sauvignon, puur eerlijke armoe van propere, frisgewassen druiven, die in hun eenvoudige hoeve gelukkiger zijn dan de Grote Heer op het Kasteel.

PARRA JIMÉNEZ, LA MANCHA, VERDEJO 2012 € 6,99

Vriendin Barbara geeft op de Paul-van-Vliet-academie les aan mensen die straks allemaal Heel Beroemde Caberatiers gaan worden, en hoorde aldaar dat er een Haagse Stadswijngaard in wording is. Enthousiast kocht ze meteen een toekomstig stukje en spoorde mij aan om mee te crowdfunden voor het mooie plan. Ik ben wat zuniger, maar een paar rankjes, dat kan Bruin wel trekken. Want al kan je in Nederland beter bier brouwen of ciderappeltjes plukken, de wijn wordt er wel steeds beter, en het beste wat je met geld kan doen is het omzetten in wijn, zolang je tenminste wat overspaart voor op z'n tijd eerlijk brood, aardappels en een half pond gehakt, want we leven niet bij wijn alleen. In Parijs bezoek ik altijd even de stadswijngaard, in Montmartre, en wat een fijn idee dat dat binnenkort in Den Haag ook kan! Wat voor wijn zouden ze gaan maken in Den Haag? Ik hoop zoiets ondeugend flirterigs als deze, maar dat is vrees ik al te optimistisch. Maar wie weet. Als het lukt moet die wijngaard wel fiks groter, want stadswijn die op deze lijkt, daar krijgt niemand genoeg van. Vrolijk wit vol bloesemgeur schenken, met iets stenige, gezellig eigenwijze afdronk. Biodynamisch.

PARRA LA MESETA, LA MANCHA, AIRÉN SAUVIGNON BLANC 2012

 € 4,99

Huiswijn, dat is niet wat je thuis drinkt, maar elders. Logisch eigenlijk: een goede kroeg is als een tweede huis, en ook verder hoopt de horeca dat je je bij hen thuis voelt. Alsof we thuis ook onbeschoft personeel en vieze wijn hebben! Ook verkeerd: eethuiswijn met keuze of met uitleg – 'deze biologische grüner veltliner van de zuidwestelijke helling is dit oogstjaar...' Hou je mond, sommelier! Straks, bij het hoofdgerecht, mag er wat verteld over de wijn, als wij dat wensen, maar bij binnenkomst willen we het hebben zoals in de vroegere Parijse bistro. Pats, een glas of fles koel lichtrood voor je neus. Geen commentaar, dit is wat je hier geschonken krijgt, en als het je niet bevalt ga je maar naar huis. Huiswijn met de geur van heimwee naar vakantie, deze. Zon, dorre verdwaalweggetjes, een gastvrije schapenhoeder die z'n laatste fles hutwijn met u deelt...

ZUID-AFRIKA

HEAVEN ON EARTH, WESTERN CAPE, ORGANIC SWEET WINE (HALF FLESJE)

 € 7,99

De druiven voor deze Zuid-Afrikaanse wijn hebben ze op een bedje van organische rooibosthee en stro laten indrogen, net zoals ze doen voor de Toscaanse vin santo dus. Geurt intens naar abrikozen en is voluptueus zoet zonder ordinair of plakkerig te zijn.

ROSÉ

FRANKRIJK
Languedoc-Roussillon

MARGALH DE BASSAC, VIN DE FRANCE 2012 € 6,99

Terwijl het oude jaar ten einde liep, proefde ik op een dag dat de mist dik als snert was diverse namaakkippen bij een vriendin. Het was voor een stuk in een kwaliteitscourant, dus we mochten niet lachen om de vleesvervangers maar moesten serieus oordelen. Het huilen stond me nader. Als je, om wat voor reden ook, geen vlees mag of wil eten, dan eet je toch gewoon geen vlees? Genoeg heerlijke groenten. Waarom jezelf voederen met muf karton, schoenzool, piepschuim? Om van de écht vieze vleesvervangers niet te spreken. Ze combineren uitmuntend bij het kunststofsportschoenbouquet van alcoholloze wijnen, dat wel. Boetedoening is het. Zelfkastijding. Flagellatie. Dingen eten, dingen drinken die lijken op de heerlijke zonden die verboden zijn maar smaken als alle gruwelen van de hel. Terwijl je van goede wijn pas echt een beter mens wordt. Zeker van wijn als deze. Puur natuur, van boeren met klompen en een goed hart. Sappig, kruidig en ondeugend.

SPANJE

CAMINO ROSADO, TEMPRANILLO 2012  € 5,25

Vol vrolijk sappig fruit en optimistische kruiderij. Onstuimige doch tevens fijngevoelige rosé voor al uw gesprekken over de zin van het leven, dan wel voor uw losgeslagen zuippartijen.

PARRA LA MESETA, LA MANCHA, TEMPRANILLO ROSÉ 2012 € 4,99

Bescheiden, maar hups en charmant. Kent haar plaats, waagt zich niet op de tafels van de Rijke Mensen, maar olala! Biedt voor een tiende van de prijs meer plezier dan Ott. Vol uitgelaten en uitgelezen rood fruit, puur, zuiver, en vrolijk nakabbelend in de afdronk. Een lelijke eend is tenslotte ook mooier dan een Ferrari.

ROOD

FRANKRIJK
Languedoc-Roussillon

CHÂTEAU PECH REDON, LES CADES, € 10,95
COTEAUX DU LANGUEDOC, LA CLAPE 2012

Dacht ik altijd dat calorieën dingetjes waren die het perfide grootkapitaal in chips en snoep stopt om de arbeidersklasse vadsig van de revolutie af te houden, wil iemand me wijsmaken dat ze ook in echt eten zitten, zelfs in een boterham met kaas! Nou, ik geloof er niks niemendal van. En zelfs al is het waar: ze vertellen je zoveel raars, tegenwoordig. En zelden iets lekkers. Laatst nog, in een voormalige kwaliteitscourant, werden ons restaurants aangeraden die het beter willen weten dan wij. Restaurants van wie we boter links moeten laten liggen, gelijk zout en al het andere wat eten lekker maakt. Maar je gaat toch niet op restaurant, zoals de Vlamingen het zo mooi weten te zeggen, om je de les te laten lezen qua gezond te blijven? Gelukkig wil je worden, achter je bordje. Zo niet, blijf thuis en eet niks. Echt, dat is het beste, want volgens de wetenschap zitten dus in alles calorieën. En erger. Omdat niks wel erg karig is en er ook niet veel recepten mee zijn te maken, verzint om de paar weken weer een verdwaasde zot of charlatan een duur nieuw eetgeloof met cursus en kookboekjes om net zo slank als je dokter honderd te worden. Sommige zullen vast wel zinnig zijn, maar 't is net zoals met al die mensen die op lelijke gympen het park rond rennen alsof ze de bus moeten halen: misschien leef je wat langer, maar als je die extra jaren toch verdoet met achter imaginair openbaar vervoer aan hijgen en rauwgewokte tofoe wegkauwen, dan kuier ik liever op

m'n gemak naar die slager op de markt met haar briljante bloedworst, en fiets daarna nog efkes om voor een
puurnatuurwijn. En kijk nou! Rustig wandelen en
fietsen is veel beter dan al dat geren, zegt de wetenschap,
die altijd gelijk heeft, zoals u weet. Zoals ik elders in
deze Gids voor Beter Leven schreef, was ik begin 2013 in
Corbières, bij L'Horte (Plus), waar we bij hun fijne, ruige,
rode wijnen cassoulet aten, met meer calorieën per
portie dan er sterren aan de hemel staan. Weer veilig
thuis liet ik het onderdrukte proletariaat maar eens wat
van deze oudmodische aristocraat proeven, opdat de
door het oliekapitaal gefinancierde internationale
E-Nummerkongsi beseft wat een heerlijke wijnen er
werden gemaakt toen iedereen nog zijn plaats wist en
volkorenbrood at. Gegarandeerd vol plezier en met
louter ouderwets lekkere calorieën uit de tijd dat God
nog in Zijn Hemel bivakkeerde en alles Goed was in de
Wereld.

DOMAINE DE VALAMBELLE,   € 8,29
MILLEPEYRES, FAUGÈRES 2011

De Koningin had Haar Biezen nog niet gepakt,
of de republikeinse Rotary monkelde ook weer
eens wat. Watjes. Wees republikein onder het
beleid van een verlicht despoot, preek revolutie
tegen een absoluut alleenheerser – een nog
mooiere baan dan verlicht despoot – en ik heb
begrip. En de scherprechter dient klaar te staan,
want het oproerige grachtengordelgepeupel
moet wel z'n plaats weten. Maar mopperen
over een Werkneemster die nauwgezet en
succesvol Haar Werk doet, en ook nog zonder overuren
te rekenen... Misschien hebben republikeinen nuchter
bekeken gelijk. Is een president ook wat. Is water met
13 procent alcohol eigenlijk net zoiets als wijn. Is

water zonder alcohol zelfs wel zo verstandig. Rozig en romantisch proost ik op het sprookjesboekkoningschap met ouderwets gezellig volkse wijn uit Zuid-Frankrijk, uit de ruige Faugères, van volkse, aardse druiven als carignan, cinsault, grenache (plus wat volksverheffende syrah en mourvèdre). Wijn geurend naar ruig fruit, naar woest feest, de petten in de lucht, de voeten van de vloer, de pan op tafel. Uit de Franse Republiek.

DOMAINE DES 2 ÂNES, PREMIERS PAS, CORBIÈRES 2011 € 9,25

Een vriendin denkt elke zomervakantie weer over woningruil, om dan toch weer terug te schrikken voor de daadwerkelijke stap. Tsja. Het is verleidelijk. Voor enkele weken van huis ruilen met mensen Ver Weg, in een land waarnaar je op vakantie wilt maar dan niet in een kakkerlakkenpension of patsershotel, laat staan kamperen in een lekkende tent op camping Les Chiottes met elke avond in de kantine Hangjongerendisco de Breezer. Dus ga je op het wereldwijde web rechtschapen mensen zoeken die toevallig op vakantie willen naar waar jij woont, maar die niet in een oorwurmenjeugdherberg willen zitten, en dan vertel je elkaar wat voor huis je hebt, waarbij je natuurlijk heel eerlijk bent maar wel heel kien alles wat bij je thuis niet werkt of kapot is omschrijft als 'authentiek' of 'pittoresk', de hoeren- en junkiesbuurt waar je woont als 'vlak bij alle toeristische attracties' en de vele hondendrollen op straat als 'diervriendelijke omgeving', waarna je welgemoed op reis gaat, popelend van voorpret bij het verrukkelijke idee dat je bij die vreemde mensen heerlijk in alle kasten gaat snuffelen om te weten te komen wat die mensen eten en drinken en lezen en luisteren, en wat voor kleren ze hebben, en hoeveel geld op hun bankafschrift, en wat er voor

spannends in hun nacht- en medicijnkastje en bij hun
ondergoed zit, terwijl je kinderen al het speelgoed
moeren en je echtgenoot een deuk in de auto en de
garage rijdt die je bijna niet ziet, dus dat hoeven we ze
niet te vertellen toch?, de katten ontsnappen en dat
lieve konijn ineens dood in z'n kooi ligt net op de
ochtend dat je weg moet, zodat je door het begraven
geen tijd meer hebt om op te ruimen en de afwas van
drie weken weg te werken, maar zo netjes was het ook
niet toen we kwamen. En dan heerlijk naar je eigen huis.
Waar blijkt dat je ruilpartners net zo hebben huisgehou-
den als jij, maar gelukkig niks dronken beneden de 40
procent, zodat je een fles van deze ongerepte vurrukkul-
lukku ezeltjescorbières kunt opentrekken en meteen
weer helemaal gelukkig bent. Vakantie, begin er niet
aan. Blijf toch thuis met deze puurnatuurcorbières,
riekend naar boerenerf en viooltjes, rood zo fruitig, zo
kruidig, zo spannend als een sprookje van Grimm, en in
al z'n oprechte eenvoud met meer geur van heiligheid
dan menig opgedirkte châteauneuf-du-pape.

LES 5 SEAUX, COTEAUX DU LIBRON 2012   € 7,25

Zevenennegentig keer in Parijs geweest en nog
nooit in het Louvre, ik beken het. Maar het is
ook zo druk daar. Liever kuieren mevrouw
Omfietswijn en ik zomaar, alsof we er wonen,
wat iedereen gelooft zolang we onze mond
houden. Negen seconden kijkt een museumbe-
zoeker naar een kunststuk, en zo tussen neus
en lippen proeven we ook vlotweg wijn, schreef
Proefschrift, dat in z'n jeugdjaren achteloos
honderden wijnen op een avond wegstouwde
maar nu wijzer en bedachtzamer twaalf uren bedenktijd
aanbeveelt. Klopt. Sommige wijnen hebben tijd nodig.
Eenvoudige wijn is wat het is bij eerste kennismaking,

hoger opgeleide kan zich ontwikkelen met de tijd. In Parijs steken we op bij een kroegje, leggen aan bij een bistro, en genieten daar voor de zoveelste keer puurnatuurwijn die we o zo goed kennen. En nu nog beter, bij zoveelste nadere kennismaking. De beste wijnen zijn meteen lekker en worden bij herhaling steeds lekkerder. Vandaar vijf glaasjes voor de vijfemmertjeswijn. Van druif cinsault, vandaar die vijf emmertjes, *5 seaux*. Klinkt slordig uitgesproken als… Precies. Volgens veel appellationreglementen mag je geen druivensoort op het etiket vermelden, dus nemen inventieve wijnboeren hun toevlucht tot ingenieuze woordgrapjes. Over druif cinsault wordt weinig vriendelijks gezegd. Er wordt goedkoop Zuid-Afrikaans rood van gemaakt, en in Zuid-Frankrijk wordt hij gewoonlijk gemengd met deftiger druiven. Toch maken ze hier pure cinsault. Niet sjiek, wel lekker. Doet denken aan Swiebertje en Malle Pietje. Onaangepaste schoffies. Fruit en zomer en baldadige boerenbuitenlucht. Lekkerste oogstjaar tot nu toe.

MARGALH DE BASSAC, VIN DE FRANCE 2011   € 7,25

2010 was per abuis ietwat serieus, deze is weer zo onbezonnen vrolijk als eerdere oogsten, met uitgelaten kersenfruit. Drinken bij *Een Zomerzotheid*.

Rhône

DOMAINE LA CABOTTE, CÔTES DU RHÔNE 2011   € 9,25

Heel, heel ver hiervandaan, in het land dat Californië heet, maakt de familie Gallo al vele generaties iets waarvan ze denkt dat het wijn is. Ik ben er eens op bezoek geweest. Buiten werd de wereld in vorm gebulldozerd tot de Gallo's zagen dat het goed was. Binnen werden wijnen gefabriceerd naar de luimen van de klant. Een lichtzoete versie voor dit land, drogere of juist zoetere voor volkeren elders, en de overjarige meuk ging naar Noordwest-Europa, want dat vinden inboorlingen daar lekker. (Ja, dat dachten de Gallo'tjes oprecht. Inmiddels weten ze beter en krijgen we meuk meer richting houdbaarheids-datum.) Dat hale je de koekoek, bromt menig rozig aangeschoten romanticus: dat kan toch nooit wat zijn, wijn van het uitbuitend grootkapitaal? Toch wel. Genoeg de arbeidersklasse onderdrukkende kapitalisten die prima wijnen produceren voor de burgerij, met karakter bovendien. Penfolds in Australië (Albert Heijn en Gall & Gall), het Argentijnse Catena (Gall & Gall) en Norton (Albert Heijn), Concha y Toro uit Chili (ook Appie)… Wijnen die niet smaken naar wat de producent denkt dat de consument wil. Wijnen die smaken naar druif en land en oogstjaar. Tuurlijk, heeft u helegaar gelijk an, er zijn ook, alleen al in Australië, firma's als Lindeman's, Hardys, Jacob's Creek, De Bortoli, McGui-gan, noem maar op, die er jaar in jaar uit glansrijk in slagen de sufste saaiste wijnen van de planeet te maken (al doet het Spaanse Torres wat dat betreft ook serieus z'n best), en in grote hoeveelheden ook nog. Desalniet-tegenstaande, zoals Joop ter Heul graag schreef: tech-nisch gezien correcte wijnen. Zelfs van de wijnen van Gallo kun je zeggen dat ze deugen, als je tenminste net als Gallo van mening bent dat wijn zo veel mogelijk op gesmolten fruitellasnoepjes moet lijken. Zo'n wijntycoon kan naar believen kennis en techniek inkopen, terwijl het decoratieve kleine wijnboertje uit sagen en legenden maar wat aanklooide, en nog dronken bovendien. Soms, heel soms, kunnen zulke eigengereide wijnmakers iets wat die grote producenten nog nooit is gelukt: domweg lekkere wijn maken. Want hoe goed ook, Catena, Norton, Penfolds: ze zijn wel serieus. Niet zomaar zuipwijn. Dat kan bijna niemand. Wijn zoals deze rode puurnatuurwijn met fruit, zomerzon, kruiden en stoffige landweggetjes. Dit is de kersenrode. En hoewel ik het liever allemaal zelf opdrink, ben ik zo goed u te laten weten dat er ook een heerlijke venkelwitte is, te koop bij Vinoblesse.

SPANJE

ALEGRÍA DE AZUL Y GARANZA, NAVARRA 2012   €6,25

Deze purperrode Azul y Garanza is biologisch, wat mooi is en hart en tong verheugt, en wordt gemaakt door een oenoloog en een oenologe. Dat voorspelt meestal weinig goeds – perfect maar geen pret –, maar dit echtpaar heeft duidelijk lol in het leven en levert een Spaanse versie van hele beste beaujolais gekruist met hele vrolijke rhône. Nog vrolijker dan de 2011. Koelen opdat het u extra goed bekome!

AZIMUT NEGRE, PENEDÈS 2011 € 7,29

Wij van de Wijnomfietserij wonen in de Grote Stad, en al is het geen Jorwerd, Onze-Lieve-Heer is er niet helemaal verdwenen. Wij kennen onze naasten, en groeten ze zoals 't behoort, en eenmaal 's jaars is er een buurtborrel tot volle tevredenheid en vroeg in de ochtend. Dankzij gul venten met overgebleven proefflessen worden zelfs wij soms ergens genood, voor lunch of diner, wat immer voor problemen zorgt, want kun je dan alwéér aan komen zetten met een fles wijn, zelfs als het nu een behoorlijke is, die je ook zelf durft te drinken, voor het geval de gastgevers verder niks in huis hebben en in wanhoop deze opentrekken? Behoren doet het niet – 'Denken ze soms dat we zelf geen wijn in huis hebben, dat ze op de stoep staan met d'rlui eigen fles?' Maar ja, ik heb het excuus dat ik van de Wijnjehova's ben, dus doe het toch maar: 'Ja, nee, ik heb nu mijn voet tussen de deur, maar voel u niet verplicht, gewoon één glas, ter kennismaking, dat u weet hoe zaligheid smaakt.' In de buurt van Barcelona maakt Azimut cava, maken ze lekker wit zonder prik, en deze donkere vol fruit en ruige ondeugd. Zacht en zonnig, maar met pit in z'n donder. Van druiven merlot (die kent u), garnatxa (ja, die kent u ook, maar dit is zoals je garnacha oftewel grenache in het Catalaans spelt) en ull de llebre? Dat ziet er vreemd uit. Taalgevoelig aangelegde lieden associëren het wellicht met *oeil de lièvre* – hazenoog. Catalaans lijkt flink op Frans. Alleen, hazenoogdruif? Hoe ze erbij komen weten de druivenprofessoren niet, maar wel dat het hier tempranillo betreft.

INITIUM, NAVARRA 2012

€ 5,95

Ook dit jaar weer lekker rijp fruit, iets steviger en donkerder dan voorgaande jaren, wel gelukkig weer met dat stoffige van een lange zonnige dag in de wijngaard, die vleug specerijen en tabak, die heldere smaak die zo opgewekt langs je tong kabbelt... Alleen, dat die flessen zo snel leeg raken, daar moeten ze wat aan doen.

NATUVIN HUISWIJN ROOD SPANJE SOEPEL 2012 (LITER)

€ 5,99

Stukjes kun je ook 's avonds schrijven, dus heb ik overdag tijd om langs de markt en de middenstand met lekkere calorieën te lanterfanten. Mensen met echt werk moeten haastig door de supermarkt. Gezellig is het daar niet. Wel makkelijk en goedkoop. Bijna heel ons vaderland koopt daar z'n wijn, en vaak de huiswijnliter. Een dikke fles eenvoudige wijn. Vaak voornamelijk geschikt om slachtafval in te marineren, soms ook prima in z'n eerlijke eenvoud. Kijk maar bij AH en Plus. En hier. Ja, hij is duurder, deze liter eerlijk en vrolijk tempranillofruit met cacaotannines uit La Mancha, maar dan hebt u ook een bioslobber op niveau. Voor feesten en partijen op ecologische grondslag. Of zonder, en dan hebt u in ieder geval de wijn als aflaat naast uw zonden begaan aan harteloos vermoord kiloknallervee in poestasaus. Mede door de prijs het omfietsen waard.

PARRA LA MESETA, LA MANCHA, TEMPRANILLO CABERNET SAUVIGNON 2012

€ 4,99

Toen ik lang geleden een studentenbaantje in een slijterij had, waren het al de meest gestelde vragen: 'Is deze wijn lekker?', en: 'Krijg ik er hoofdpijn van?' Want op etiketten staat van alles en nog wat, maar zulke zinnige informatie ontbreekt: 'Puur natuur, gevaarlijk lekker, gegarandeerd katervrij.' Hoofdpijn en katers, die krijg je van wijn waarmee gerommeld is, die met allerlei hulpmiddelen in elkaar is gedokterd. Niet van wijn van druiven alleen. Dat staat er niet altijd op. Ja, je kunt biologische wijn kopen. Dan ben je een eind op streek. Maar daarna kom je bij het volgende: 'biologisch' is niet per definitie lekker. Van biologische druiven kan je heel vieze biologische wijn maken. En juist omdat de biologisch werkende boer wijn van alleen maar druiven wil maken, is zijn wijnmaakkunde zo belangrijk. Techniek en hulpmiddelen genoeg tegenwoordig om ook druiven met gebreken tot nog min of meer drinkbare wijn om te bouwen – maar wie alleen met de natuur werkt, moet meer in huis hebben. Hoe druifvriendelijk je ook bent in de wijngaard, je moet wel wijn weten te maken. Dus toen een zekere Derrick Neleman (inmiddels oprichter en baas van wijnwebsite By the Grape) me een handvol jaren her meldde dat hij biologische wijnen importeerde, viel ik hem niet meteen juichend om de hals. Eerst maar eens proeven. Genoeg tenenkaaswijn geproefd van Greenpeace-lieverds die niet konden proeven, of van snelle jongens die wisten dat bio hot was maar die ook niet méér wisten dan dat. Deze Derrick echter wist echt wat van wijn en verblijdde me met steeds weer andere biologische verrassingen. Van hele sjieke Chilenen tot: 'Derrick, klopt dat wel, zo goedkoop, dat omfiets-

Spaans in wit, rosé, rood dat je bracht, hoe heet 't, Parra?' Het klopte. 'Superieure charmante slobber,' schreef ik, 'vol opgewekt rood fruit met pit in z'n donder, vleug kampvuur, bescheiden en gezellige tannines, puur, zuiver, lang en vrolijk nakabbelend in de afdronk.' Zo is het nog steeds. Ook dit jaar weer. Veel moderne wijn is correct maar doods. De wijnen van Parra leven. Zijn energiek, blij, hebben een gezellig aangeschoten karma. Als ik nog steeds slijtershulpje was, had ik de hele zaak er vol mee gezet. Zie ook bij Plus de prima Parra By the Grape-wijnen. En bij Bij De Druif zelf natuurlijk.

REBEL.LIA, UTIEL-REQUENA, TEMPRANILLO-GARNACHA TINTORETTA-BOBAL 2012

€ 6,99

Spannende wijn met rood fruit van tempranillo (tot voor kort wist niemand hoe tempranillo smaakte, want ze timmerden 'm altijd weg achter oud hout), kersenfruit van de garnacha en de stoerheid van druif bobal, van wie gezegd wordt dat hij onbehouwen is, opgroeit voor galg en rad en slechts geschikt is voor bulkwijn, maar proef hier maar eens wat een goede invloed kameraadjes tempranillo en garnacha op 'm hebben. En met de gespierde tannines laat-ie zien nog steeds z'n mannetje te staan.

OVERIGE WIJNEN

WIT

Diwald, niederösterreich, grüner veltliner 2012 (AT) € 8,99
Druiven, bloesem, fris en zacht. En steeds duurder.

Domaine Eugène Meyer, alsace, pinot blanc 2011 (FR) € 9,99
Niet 't niveau van weleer, wel verfijnd fruitig.

Domaine Eugène Meyer, alsace, pinot gris 2011 (FR) € 13,99
Geurt luxueus naar abrikozen en perziken,
spreidt z'n weelde heel verfijnd tentoon.

Eymann, pfalz, pinot blanc 2012 (DE) € 9,99
Vrolijk druivig, fris en zacht, lang en zuiver.

Parra Jiménez, la mancha, sauvignon blanc 2012 (ES) € 6,99
Puur en zuiver, lentefris. Biodynamisch.

Moncaro, verdicchio dei castelli di jesi classico 2012 (IT) € 7,25
Zachtfruitig en kruidig met een bewijsje anijs.

Mundo de Yuntero, bio, la mancha,
airén macabeo verdejo 2012 (ES) € 6,29
Vriendelijk zachtfruitig, met een lentefris briesje verdejo.

Natuvin huiswijn, la mancha, airén 2012 (liter) (ES) € 5,99
Opgewekte Spaanse landwijn, vol fruit en voorjaar.

Stellar Organics, western cape,
african star organic white 2013 (ZA) € 6,49
Opgewekt zachtfruitig.

Vida Orgánico, mendoza, chardonnay 2013 (AR) € 7,29
Sappige, slanke, iets kruidige chardonnay.

Ycaro reserva, casablanca valley,
sauvignon blanc 2013 (CL) € 7,29
Gemaakt van citroentjes.

Stellar Organics, western cape,
organic white no sulphur added 2013 (ZA) € 7,29
Bedompt zuurtjesfruitig.

ROSÉ

Vida Orgánico, mendoza, malbec rosé 2013 (AR) € 7,29
Vol rijp rood fruit met een stevige bries malbecleer.

Stellar Organics, western cape,
rosé no sulphur added 2013 (ZA) € 7,29
Riekt bedeesd naar uitgewoonde kaplaarzen.

ROOD

Château Le Gorre, bordeaux supérieur 2011 (FR)   € 9,25
Sympathiek, slank en verfijnd. Veel
zachter dan vorige jaren.

Domaine Bassac, côtes de thongue,   € 7,49
cabernet sauvignon 2011 (FR)
Met onder het aantrekkelijke bessenfruit
goed gespierde tannines.

Domaine Bassac, côtes de thongue, syrah 2010 (FR)   € 7,49
Gezellige pepersyrah vol rijp donker fruit.

Domaine Bassac, thongue, merlot 2011 (FR)   € 7,49
Lekker landelijke merlot vol fruit met een vleug zadelleer.

Domaine de malavieille, charmille, pays d'oc 2011 (FR)   € 8,25
Biodynamisch, vol fruit en kruiden, zacht en verleidelijk.

Domaine des Carabiniers, côtes du rhône 2012 (FR)   € 8,75
Biodynamische rhône vol kersenfruit en kruiden.

Navarrsotillo noemus, rioja joven 2012 (ES)   € 7,25
Gul voorzien van uitgelezen fruit en pittige specerijen.

Parra Jiménez, la mancha, merlot 2012 (ES)   € 6,99
Puur en zuiver, wel nogal braaf. Biodynamisch.

Parra Jiménez, la mancha, syrah 2012 (ES)   € 6,99
Puur en zuiver, nogal braaf. Biodynamisch.

Romignano, Botteghino, chianti 2011 (IT)   € 8,75
Sympathieke ouderwetse chianti.

Vida Orgánico, mendoza, cabernet sauvignon 2012 (AR)   € 7,29
Intens fruit, vriendelijke tannines.

Vida Orgánico, mendoza, malbec 2012 (AR)   € 7,29
Vol rijp bessenfruit, met krachtige lederen tannines.

Vida Orgánico, mendoza, sangiovese bonarda 2012 (AR)   € 7,29
Sappig rijp rood fruit, specerijen.

Ycaro reserva, colchagua valley, carmenère 2012 (CL)   € 7,29
Rijp fruit, rokerig, potente tannines.

Camino tinto, tierra de castilla, tempranillo 2012 (ES)   € 5,25
Donker rijp fruit, chocolade,
specerijen. Simpel maar puur.

Era, montepulciano d'abruzzo 2011 (IT)   € 6,99
Fruitig, kruidig.

Mezzogiorno, terre siciliane, aglianico 2011 (IT)   € 6,99
Rood fruit, kruiden, soepel.

Mezzogiorno, terre siciliane, nero d'avola 2012 (IT) ⚜ € 6,99 ♟
Rijp donker fruit, sappig en lenig.

Mezzogiorno, terre siciliane, primitivo 2011 (IT) ⚜ € 6,99 ♟
Fruitig, specerijen, soepel.

Mundo de Yuntero, la mancha,
tempranillo syrah 2012 (ES) ⚜ € 6,29 ♟
Donker fruit met wat kruiderij.

Quaderna Via, especial, navarra 2010 (ES) ⚜ € 8,25 ♟
Ietwat vermoeid fruit-met-hout.

Quaderna Via, navarra, crianza tempranillo 2009 (ES) ⚜ € 9,25 ♟
Fruit-met-hout met stevige tannines.

Stellar Organics, western cape, african star 2013 (ZA) ⚜ € 6,49 ♟
Vol rijp donker fruit.

Stellar Organics, western cape,
cabernet sauvignon no sulphur added 2013 (ZA) ⚜ € 7,29 ♟
Sappig fruitig. Gezelligste van 't rijtje
Stellar-zonder-sulfiet.

Stellar Organics, western cape,
merlot no sulphur added 2013 (ZA) ⚜ € 7,29 ♟
Biologisch, veganistisch, geen toegevoegd
sulfiet, en ook weinig jolijt. Correct fruitig.

Stellar Organics, western cape,
shiraz no sulphur added 2013 (ZA) ⚜ € 7,29 ♟
Vol zacht rijp fruit.

Ycaro reserva, rapel valley, merlot 2012 (CL) ⚜ € 7,29 ♟
Vol rijp fruit. Keurig doch prijzig.

Ycaro reserva, rapel valley, syrah 2012 (CL) ⚜ € 7,29 ♟
Donker fruit. Keurig doch prijzig.

Ycaro reserva, rapel vally, cabernet sauvignon 2012 (CL) ⚜ € 7,29 ♟
Keurig, vol rijp bessenfruit.

Quinta da Esteveira reserva, douro 2010 (PT) ⚜ € 9,25 ♟
Stoffig en tobberig.

PLUS

▷ Spreiding: landelijk

▷ Aantal filialen: 255

▷ Marktaandeel: 5,8%

▷ Voor meer informatie: 030 - 221 92 11
of www.plussupermarkt.nl
of www.wijnenvanplus.nl

OMFIETSWIJNEN

WIT

ARGENTINIË

SIMBOLOS, MENDOZA, CHARDONNAY UNOAKED 2012   € 3,99

De naam is nogal lullig en doet denken aan iemand in een educatieve bijrol in een stripverhaal op antroposofische grondslag, maar de wijn heeft niks zweverigs. Simpel een sappige bekvol vrolijk chardonnayfruit. Mede door de prijs het omfietsen waard.

CHILI

CAMPAÑERO, CENTRAL VALLEY, CHARDONNAY 2013   € 3,99

Opgewekte sappigfruitige chardonnay. Mede door de schappelijke prijs het omfietsen waard.

EL DESCANSO, RESERVA, CASABLANCA VALLEY,   € 5,29
LATE HARVEST SAUVIGNON BLANC 2012 (375 ML)

Eigenlijk is zoet niet om voor om te fietsen, maar vooruit, omdat u het bent. En omdat het zo'n keurige wijn is voor weinig geld (voor goedzoetbegrippen). Luxueus uitgevoerd verfijnd zoet, voorzien van wat frisse zuren.

EL DESCANSO, RESERVA, VALLE CENTRAL, € 5,99
CHARDONNAY 2013

Slank, ingetogen, sappig verfijnd, net wat
intenser dan de niet-reserva.

EL DESCANSO, VALLE CENTRAL, CHARDONNAY 2013 € 5,49

Slank, ingetogen, sappig verfijnd, met dit jaar
als extra's subtiel wat ananas en grapefruit.
Zeer subtiel gelukkig, want we willen wel wijn,
geen vruchtensap.

HUISWIJN, CHILEENSE CHARDONNAY,   € 3,99
CENTRAL VALLEY 2013

Vol rijp en sappig chardonnayfruit. Mede door
de prijs het omfietsen waard.

FRANKRIJK
Languedoc-Roussillon

BLANC DE L'HORTE, VIN DE FRANCE,   € 4,99
CHARDONNAY SAUVIGNON 2012

Voor 't geval het u was ontgaan: onze konnegin
is dus met pensioen. Wat u zegt. Waren we net
aan Haar gewend, houdt ze er al mee op. Ze
lijkt Giroblauw wel. Toch, begrijpelijk. Het is
niet niks, vijfenzeventig jaar in het gareel
lopen, altijd maar je uiterste best doen en nooit
eens een dag geen zin kunnen hebben en dan
lekker op de bank in een ouwe pyjama kersen-
bonbons snoepen en Joop ter Heul herlezen.
Onderwijl vragen wij ons af: wat mot er in het
wijnglas, voor de heildronk? Goeje vraag. Er wordt
gezegd dat er bij staatsbezoeken louter Brave Wijn wordt
geschonken, en te oordelen naar wat ik aan staatsmenu's
heb gezien, klopt dat. Kun Je Je geen buil aan vallen,
maar feestelijk, nee. Onze Pensionada proosten we toe
met deze, heel grofweg uit de buurt van Orange,
gemaakt door Nederlanders en een Fransman. Juichend
wit van languedocchardonnay en loiresauvignon, die

hier harmonieus samengaan en naar Zuid-Frankrijk
smaken. Charmant fruitig, kruidig, vleug mint. Bea, daar
ga je!

Zuidwest

BORDENEUVE, BLANC, CÔTES DE GASCOGNE 2012   € 3,99 ♕♕♕

Niet zoals veel gascogne perensnoepjesachtig,
maar de geur van echte sappige peren! Fris,
goed droog, toch fruitig zacht. En te geef.
Prima, Plus!

ITALIË

BARONE MONTALTO, TERRE SICILIANE,   € 13,89 ♕♕
CATARATTO-CHARDONNAY (DRIELITERPAK)

Het staat niet in de Bijbel, en ook
Darwin heeft zich er nooit over
uitgelaten, maar toch weten mensen
van alle gezindten het zeker: wijn
hoort in een fles (en daarna in een
mens). Dus niet in een plastieken zak
in een kartonnen pak (bag-in-box
oftewel BiB genaamd). Dat is net zo
tegennatuurlijk als een vogelbekdier.
De eerste BiB's kregen hetzelfde waarschuwingsstempel
als de ruigere sm-porno. Terecht, want de inhoud was
vooral geschikt om rustiek antieke tafels te logen, wat
in die dagen dan ook veel gedaan werd. Zulke BiB's
bestaan nog steeds, maar her en der is er ook meer en
meer wijn uit zo'n doos met gezellig tapkraantje te

koop die niet alleen veilig aangeschaft kan worden door ordentelijke huishoudens, maar die zelfs lekker is! En met deze kun je je helemaal met fatsoen vertonen: een bag-in-box die oogt alsof je niet met drie liter wijn loopt te sjouwen, maar met een doosje van de dureluchtjeswinkel. En met de inhoud kun je ook prima voor de dag komen. Vol zacht fruit met wat vrolijke kruiderij. Mede door de lage prijs (omgerekend naar driekwartliterfles € 3,47) het omfietsen waard.

BARONE MONTALTO, TERRE SICILIANE,   € 5,49 ♀♀♀
GRECANICO-CHARDONNAY 2012

Vol zacht fruit en dankzij druif grecanico ook nog uitgerust met kruiden grootgegroeid in mediterrane omstandigheden waar pastorale families zich ook vandaag weer aan de lange tafel in de bongerd scharen zonder er ooit ook maar aan te denken om op Berlusconi te stemmen, die vast alleen maar veel te dure foute champagne drinkt.

BARONE MONTALTO, TERRE SICILIANE,   🍃 € 5,99 ♀♀♀
ORGANIC CATARATTO 2010

Cataratto is een Siciliaanse druif, die al in 1696 is beschreven, waarna andere geleerden in de loop der tijd eigenwijs opmerkten dat er twee soorten cataratto waren, nee, drie, vijf, wel tien! Volgens Jancis Robinson, Haar Druivenboek zij geprezen, is het uiteindelijk een en dezelfde. Tijd voor een flesje van deze biologische uitvoering. Zachtfruitig, pittig kruidig, zonovergoten en vol verleidelijke geuren en steekhoudende argumenten in de afdronk.

Plus heeft ook een fijn drieliterpak van Montalto met cataratto en chardonnay.

SPANJE

FINCA LAPIEDRA, SOMONTANO, GEWÜRZTRAMINER 2012

€ 5,19 ♙♙♙

Prima gewurz vol fruit en bloesemgeur.

GRAN ESPANOSO, CAVA, BRUT

€ 7,29 ♙♙♙

Spaanse boer'nprikwijn vol fruit en stoere aardse geuren. Het omfietsen waard, niet omdat dit nou de meest bijzondere cava is, maar omdat het zeldzaam is, zo'n prima fruitige mousserende wijn zonder narigheid voor zo weinig geld.

OMFIETSWIJNEN | PLUS

PLUS HUISWIJN WIT BIOLOGISCH, LA MANCHA, €3,79
AIRÉN SAUVIGNON BLANC (LITER)

Airén smaakt naar niks, zegt men, maar levert hier wel mooi een zachtfruitig landschapje waarover een frisse bries sauvignon kan waaien. Biologisch, dus ook nog heilzaam voor uw aura, chakra en karma. En dan voor die prijs! Plus, ben je van de filantropie, of het Leger des Wijns?

TERRAZZANO, €3,99
VERDICCHIO DEI CASTELLI DI JESI CLASSICO 2012

Sappig fruit met een vleug anijs, wat verse kruiden, gepaste vrolijkheid voor eenvoudige lieden. Mede door de vriendelijke prijs het omfietsen waard.

VP VAYA PASADA, RUEDA, VERDEJO VIURA 2012 €4,99

Vaya pasada! 'Wat een plezier!' betekent dat volgens het etiket. Klopt. Bloesemgeur en vrolijk fruit. Spanjes beschaafde, ingetogen antwoord op sauvignon. Drinkt ook Pasada's rosé en rood!

ROSÉ

ARGENTINIË

TIERRA BUENA, MENDOZA, EXTRA BRUT € 9,99

Van 80 procent chardonnay en verder: malbec! Heel apart, met die rode druif malbec. Ja, in champagne doen ze het ook, witte schuimwijn van witte én rode druiven maken, maar elders zie je het minder. De wijn heet niet rosé, maar is wel heel licht roze. Vol rijp fruit en goed droog zonder zuur te zijn. Biedt zelfs, zonder extra kosten, die fijne champagnegeur die aan geroosterd brood doet denken. En kom daar eens om, heden ten dage, zelfs bij menig gerenommeerde champagne! Qua schuimwijnprijzen een koopje, en aangezien hij lekkerder en fruitiger is dan veel champagne zou ik hier zeker voor omfietsen, mocht de behoefte aan prikwijn ontstaan.

TIERRA BUENA, MENDOZA, MALBEC SHIRAZ ROSÉ 2012 € 5,99

Terecht populair Argentijns druivenduo voor sappige machorosé vol rijp zacht fruit. Drinken bij Green Egg of Weber, al bevalt-ie midwinter naast het gasfornuis ook uitstekend. Ja, echt! Rosé kan wijn zijn. Wijn om u tegen te zeggen. Wijn dat je zegt: 'Wow!' Wijn die je uit je sokken blaast. Is dit rosé? Yep.

FRANKRIJK

BORDENEUVE, COMTÉ TOLOSAN 2012 €3,99

Er bestaan heel wat aristocratische wijnen die complex, subtiel, verfijnd en gedetailleerd zijn zonder vervelend te wezen. Lekker met voetnoten. Voor het overige is het in de wijnwereld de kunst lekker te zijn zonder opsmuk. Zoals hier. Fris en fruitig, opgewekt en oprecht, simpel maar charmant. Geen geld. Prima, Plus!

ROSÉ DE L'HORTE, VIN DE FRANCE, €4,99
SÉLECTION DE VIEILLES VIGNES 2012

De wijnboer hier is Frans, zijn vrouw Nederlands, en de mede-eigenaars stammen uit het roemruchte Rotterdamse geslacht Den Toom. En attenoje, wat een rosé maken ze! Echt rosé: wit met de beet van rood. *'Sélection de vieilles vignes'*, laat het etiket weten, waarmee hij wil zeggen een uitgelezen keuze te zijn uit de druiven van oude wijnstokken. Goed droog, vol fruit, plus een fijn ruikertje kruiden uit de woeste Corbières.

SPANJE

PLUS HUISWIJN ROSÉ BIOLOGISCH, LA MANCHA, GARNACHA MONASTRELL (LITER)

 € 3,79

Stoere rosé vol genoeglijk fruit en plezier, en ook nog vriendelijk voor uw portemeniks. Plus zij geprezen!

VAYA PASADA, RUEDA ROSADO, TEMPRANILLO 2012

€ 4,99

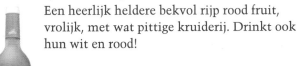

Een heerlijk heldere bekvol rijp rood fruit, vrolijk, met wat pittige kruiderij. Drinkt ook hun wit en rood!

OMFIETSWIJNEN | PLUS

ROOD

ARGENTINIË

SIMBOLOS, MENDOZA, TEMPRANILLO BONARDA 2011   € 3,99

Sappig, fruitig, vrolijk. Kruiden, specerijen, vleug leer. Vrolijke tannines. Niks geen pretenties tot Grote Wijn, gewoon lichtvoetig zonder gedoe. Mede door de vriendenprijs het omfietsen waard.

TIERRA BUENA, MENDOZA, MERLOT 2012   € 5,99

Gespierde, maar ook gevoelige machomerlot vol fruit met een fijn vleugje kojbojleer. Drinken bij *Lieve Jongens*.

TIERRA BUENA, MENDOZA, SHIRAZ 2011　　　　€ 5,99 ♀♀♀

Onverschrokken en tevens fijngevoelige shiraz met veel fruit, een goede draai uit de pepermolen en een vleug straffe espresso. Is nog lekker ook, dat alles bij elkaar.

CHILI

CAMPAÑERO, CENTRAL VALLEY,　　　　€ 3,99 ♀♀♀
CABERNET SAUVIGNON 2013

Na het succes van de films *Superwineguide*, *Superwineguide part II. Wine can't wait*, *Superwineguide III. Attack of the Sulphites* en navolgende delen, zijn we verheugd u te kunnen melden dat ook de opvolgers van de *Supermarktwijngids*, de *Omfietswijngidsen*, verfilmd zullen worden. De Amerikaanse investeerders waren aanvankelijk teleurgesteld door de naamsverandering – 'Super sells everywhere, bicycles only in Holland' –, tot de productiemaatschappij hen op de Chinese markt wees. 'Bovendien,' zegt producent Jerry Bruckheimer, 'in alle toonaangevende grote steden – Parijs, Londen, Berlijn, San Francisco, New York – wordt meer en meer gefietst. Fietsen is *green*, fietsen is *hot*.' Over de cast wordt nog geheimzinnig gedaan, maar zeker is wel dat George Clooney, die een kort maar veelgeprezen optreden had in de verfilming van *Supermarktwijngids 2012* ('als George Clooney een wijn was, zou hij smaken als de beste crozes') ook te bewonderen zal zijn in

Bicyclewineguide. The Journey. Jerry Bruckheimer, zoals bekend een groot fan van *Monthy Python*, liet tevens weten dat in de film Michael Palin voor het eerst sinds 1969 weer te zien zal zijn als *bicycle repairman*. Gevraagd of *Bicyclewineguide* daarmee de luchtiger toon zal hebben die ook al te bespeuren was in de laatste *Superwineguide* (*Enchanting Bouquet*), waarvoor hij regisseur Wes Anderson had aangetrokken, zei Bruckheimer: 'Ik ga zeker niet terug naar de nihilistische sfeer van de donkere, gewelddadige delen v en vi (*The Liebfraumilch Threat* en *The Harsh Reign of Tannins*), noch naar de troosteloosheid van het op *Ladri di biciclette* gebaseerde deel viii, maar uiteraard blijft de serie zijn serieuze, maatschappijkritische toon houden, al is er inderdaad meer plaats voor humor. Wes en ik zijn grote bewonderaars van Jacques Tati, en we hebben ons voor deze verfilming zeker laten inspireren door *Jour de fête*.' Uiteraard treedt ook deze Campañero weer op in zijn gebruikelijke gastrol als prima cabernet voor geel geld. Prachtig rijp cassisfruit, atletische tannines, eerlijke drinkwijn. Puur Chili, puur cabernet, puur plezier, geen duurdoenerij. Te vinden op zowel de tafels van bioscoopgangers met voordeelpas als bij menig Oscarwinnaar.

EL DESCANSO RESERVA, VALLE DE COLCHAGUA, CARMENÈRE 2013   € 5,99

Voor nieuwe lezers: druif carmenère komt oorspronkelijk uit Bordeaux. Eind negentiende eeuw geselde de beruchte druifluis de wijngaarden, en daarna was iedereen bij herplanten vooral gericht op hoge opbrengst, want iedereen snakte naar wijn. En carmenère geeft prachtwijn, maar weinig opbrengst. De stokken die eerder naar Chili waren verscheept, staan daar nog steeds – nou ja, hun nakomelingen.

Druiven zijn moeilijk te herkennen: tot voor kort versleet men de Chileense carmenèrestokken voor merlot… Nu carmenère het aan het maken is als uniek Chileens, laat iedereen z'n akkers DNA-testen in de hoop ook carmenère te hebben. Smaak: als ongetemde oermédoc. Mooi helder (fruit, mokka, exclusieve rookwaren) en met bekoorlijke tannines.

EL DESCANSO, VALLE CENTRAL,   € 5,49
CABERNET SAUVIGNON 2013

Geurt ook dit jaar weer als een prijswinnende bramenstruik, vol, soepel en toch manhaftig van smaak, en, voor uw gerief, ook in drieliter-pak à € 15,99 oftewel vier euro de driekwartliter. Met zo'n handig tapkraantje. Mieters.

EL DESCANSO, VALLE CENTRAL, CARMENÈRE 2013   € 5,49

Ik kende m'n schoonmoeder krap twee uur toen ze vroeg of ik in haar gootsteenkastje wilde kijken. Daar stonden tussen vim en chloor wat wijnflessen. Was het wat? Nou, nee. Alleen die La Tour de By op leeftijd, die kon misschien nog mee. Rode bordeaux, legde ik uit. O, bordeaux, zei schoonmama, dat is altijd goed. Achteloos, alsof ze veel meer achteroverslaat dan nog geen fles per jaar. Ja, van de kouwe kant moet je het hebben. Toege-geven, haar dochter haalt bijna een fles per maand – in tijden met veel bezoek. Nadat ze de door mij doodver-klaarde flessen weer naast de gootsteenontstopper had geborgen, want weggooien, dat is ook zo wat, mocht ik de bejaarde La Tour de By schenken. Goed

dat ik m'n kurkentrekker bij me had. Herfstig, maar
smakelijk, de La Tour de By. Zoals eigenlijk altijd prima,
maar geef 'm mij maar jonger. Trouwe lezers weten
dat rode bordeaux niet direct m'n lievelingswijn is. Zo
mistroostig, zo muisgrijs somberend over gebrek aan
decorum in het crematorium. La Tour de By (colaris.nl)
kan zulk diplomatiek slecht nieuws toch jaar in jaar uit
heel charmant brengen. Een opgewekte sinjeur. Mindere
bordeaux smaakt als aangebrande maaltijden en boze
dromen. Wijn waar Bartje niet voor bidt. En voor beste
bordeaux bidt hij ook niet, want die is godzalig lekker
maar ook goddeloos duur. Blij dat er tweede wijnen zijn
van vermaarde chateaus (met net zoveel zorg gemaakt
als de grand cru, maar van mindere wijngaarden of jon-
gere stokken). Gelukzaligheidheid op een koopje. Zoals
de tweede wijn van Vieux Château Certan, Pomerol,
half cabernet franc, half merlot. Ouderwetse charme
met de geur van wijngaard en rooksalon. (La Gravette
de Certan, pomerol 2007 € 29,50 www.bolomey.nl.) Drie
tientjes, ja zeg, daar kunt u ook heel veel andere leuke
dingen mee doen. Zoals vijf of zes flessen kopen van de
Chileense familie El Descanso oftewel Errazurriz… Nee,
niet de verfijning van La Gravette, wel wijn om voor om
te fietsen. Chileense bordeaux voor geen geld. Hoera!
Biedt dit jaar weer die verleidelijke rokerige carmenèregeur. Verder veel stevig donker fruit. Verleidelijk, soepel,
doch manhaftig en rechtdoorzee. Hoezee.

EL DESCANSO, VALLE CENTRAL, MERLOT 2013   € 5,49   🍷🍷🍷

Arme merlot! De duurste wijn ter wereld (Pétrus) is een merlotwijn, Le Pin mag er qua euro's en dollars ook wezen, en toch wordt merlot niet serieus genomen. Komt doordat ze deze niet genoten. Lekker sappig merlotfruit, goed gespierd dit jaar.

PLUS HUISWIJN CHILI, CENTRAL VALLEY,   € 3,99   🍷🍷🍷
CABERNET SAUVIGNON 2013 (LITER)

Kuier je argeloos door de dreven, vraagt een passerend manspersoon of wijn-met-kurk kwaad kan in het eten. Welzeker, beste passant. Niet kwalijk in de zin dat je er kolieken of stuipen van krijgt, maar die muffe graflucht van kurkwijn kook je niet weg. Ook gewoon vieze wijn blijft vies in de saus. Goede wijn dus gebruiken bij het kokkerellen. Aan de andere kant: nergens voor nodig om te koken met deftige drinkwijn. Zolang de keukenwijn lekker genoeg is om er ook je glas mee vol te gieten gaat 't goed. Iedere warmbloedige rode huiswijnliter uit de *Omfietswijngids* doet 't prima. Neem nou deze. Als vanouds een werkelijk weergaloos lekkere huiswijn. Prachtig rijpe cabernet, met lenige tannines en vooral heel veel pret. Wie toch graag duur drinkt: in het gezellige kookboek *Ripailles* staat hét recept voor boeuf bourguignon. Ingrediënten onder andere: twee flessen bourgogne. Bourgogne-zonder-meer en chambertin. Eén fles in de pan, de chambertin in de kok. Maar met twee van deze liters worden u en uw pan ook heel blij.

OMFIETSWIJNEN | PLUS

FRANKRIJK
Languedoc-Roussillon

CHÂTEAU DE L'HORTE, €5,99
CORBIÈRES SÉLECTION DE LA PORTANELLE 2011

Johanna van der Spek was vijftien toen ze naar Corbières moest. Haar ouders verhuisden erheen. Weg zijn in enen je vertrouwde omgeving, je schoolvriendjes, de taal die je kent. Maar met vallen en opstaan wende het. Zo zelfs dat ze nog steeds daar in Zuid-Frankrijk woont. Ze is zelfs al jaren wijnproducent. Want hoe gaat dat: ze ontdekte dat wijn lekker kan zijn, ontdekte dat jongens leuk kunnen zijn. En als je dan een heel leuke jongen ontmoet wiens familie al ruim zeshonderd jaar heel lekkere corbières maakt… Een deel van de wijnen van hun Château de l'Horte verkochten Johanna en haar echtvriend Jean-Pierre Briard aan de in Rotterdam wereldberoemde supermarkt Den Toom. De supermarkt werd opgeslokt door het Zaandamse grootkapitaal, de wijn bleef lekker, Corbières mooi. De familie Den Toom was er zelfs een vakantiehuisje aan het bouwen. Eerst voor zichzelf, en daarna ook voor de verhuur. Want ondernemer, dat blijf je. Mooie huisjes zijn het, met een uitzicht van heb ik jou daar. Plus zwembad. Maar hoe mooi de omgeving ook, je moet er wel wat bij te drinken hebben. En een sigaartje, zou Henk 'Opa Sigaartje' den Toom zeggen. Zouden ze niet wat kunnen meewerken aan l'Horte? bedachten ze samen met Johanna en Jean-Pierre. Dat kon. En beroepsdrinkers als Onno Kleyn en Harold Hamersma schreven hoe lekker ze waren, de corbières van l'Horte. Ook ik heb u ermee lastiggevallen. Talloze wijnproducenten nodigen je uit in de hoop dat je hun wijn lekker vindt. Johanna en Jean-Pierre en de familie Den Toom vroegen ons eind januari 2013 over de vloer

omdat we hun wijn zo lekker vinden. En om de cassoulet te proeven, die Jean-Pierre als beste maakt volgens
z'n streekgenoten. En daar dan hartverwarmende
kruidige, fruitige stoere rode wijnen van l'Horte bij...
We konden Johanna heel goed begrijpen, dat ze in
Corbières gebleven is.

CHÂTEAU DE L'HORTE, CORBIÈRES,   € 13,99   ♀♀♀♀
SYRAH GRENACHE 2009

Fruit, garrigue (Zuid-Franse kruiden in 't wild plus de
grond waar ze groeien), dure pure bonbons en die fijne
ruige corbièressmaak uit de tijd dat mensen hooguit één
keer in de week in de tobbe gingen. Het is hun Grande
Réserve minus de eikenhouten vaten.

CHÂTEAU LA PAGEZE,   € 5,99   ♀♀♀♀
COTEAUX DU LANGUEDOC LA CLAPE 2012

Een van de eerste wijnen die ik kocht, kocht in
de zin van een dozijn of meer: fitou. Apetrots
was ik toen bleek dat mijn professor Romeins
recht dezelfde schonk. En daarna corbières,
vervolgens nog een zuid-fransoos... Nooit
overgegaan, de liefde voor die kruidige, spannende wijnen geurend naar zon en woest
struikgewas. En dat voor iemand die natuur
prachtig vindt, zolang er maar bankjes staan en
ook verder alles aangeharkt is. En zo geurt deze
dan ook. Alsof ik me te buiten ben gegaan bij de groentejuwelier en nu met een heerlijk fruitige, kruidig geurende boodschappentas op een bankje mijmer in een
park zonder hondendrollen op een mooie herfstdag, met
daarna een gesprek met een opwekkende Carmiggelt-
bejaarde in een belegen kroeg.

PLUS HUISWIJN FRANKRIJK, CORBIÈRES, € 3,99 🍷🍷🍷
SOEPEL 2012 (LITER)

Wijnliefhebbers zijn dol op grote flessen. Tenminste, magnums en zo. Niet de literfles. Die is ook lekker dik, maar geen wijnkenner die ermee gezien wil worden. Want de literfles, dat is de huiswijnfles. De goedkope voordeel- huiswijnfles van supermarkt en slijterfiliaal. Bah, wat ordinair! Pas op. Simpel kan heel sjiek zijn. De eenvoud van het ware. Oude adel praat plat en loopt in ouwe jasjes; dan mogen wij van de wijnadel best een platvloerse liter schenken. Alleen, net zoals het ouwe jasje wel ooit van een kleer- maker is gekomen, moet die liter wel echt WIJN zijn. Zoals daar is deze en z'n kompaan uit de Roussillon. Landwijn op z'n best. Een sjieke liter lang lekker. Herenboerenliter. Als immer landelijk kruidig, vol rijp rood fruit. Stevig & gezellig. Zeg het personeel flink wat flessen koel te leggen in de kabbelende beek terwijl ze aan de oever uw barbecue voorbereiden. Ja, ook rood koel. Ook dit jaar weer mede door de prijs (€ 2,99 omgere- kend naar driekwartliterfles!) het omfietsen waard, voor de betere buurtborrel of landgoedbarbecue.

PLUS, FRANKRIJK, CÔTES DU ROUSSILLON, € 3,99 🍷🍷🍷
SOEPEL 2012 (LITER)

Vol rijp donker fruit, pittige kruiden, afgezet met tan- nines van pure chocolade. Mede door de prijs (€ 2,99 omgerekend naar driekwartliterfles!) het omfietsen waard, voor de volgende buurtborrel of -barbecue, want die zijn sinds de komst van dat Plus-filiaal om de hoek ineens reuze populair.

OMFIETSWIJNEN | PLUS

ROUGE DE L'HORTE, SÉLECTION DE VIEILLES VIGNES, CARIGNAN SYRAH 2012 € 4,99 ♟♟♟

Toen wijn mij begon te verleiden, eind jaren zeventig, was niet alleen nieuwe beaujolais maar ook rioja reserva het summum. Ja, de Stones dronken Dom Pérignon, maar wij waren hier tevreden mee. En terecht. In die dagen van nouveau en reserva was er ook corbières. Ruig Zuid-Frans rood, geurend naar boomgaard en mestvaalt. Kostte een drol, smaakte ook zo. Zoals altijd en overal waren er gelukkig uitzonderingen. De ware. Puur boerderij. Vol lieve beesten en hippies die *All you need is love* zongen. Deze maakt je nog blijer, weet je wel. Voor vijf piek. Te gek. Vol stevig fruit, genezende kruiden, weldoende zomerzon, versterkende tannines.

ITALIË

BARONE MONTALTO, TERRE SICILIANE, NERO D'AVOLA 2012 € 5,49 ♟♟♟

Vol rijp fruit en Italiaanse zon. Stevige tannine, robuust, edoch menslievend en verleidelijk om de smaakpapillen krullend. Nero d'avola is de druif van Sicilië, de zwarte druif van Avola, het uiterste zuidpuntje van Sicilië in de provincie Siracusa, waar de druif het extra goed doet. Verder heet hij volgens sommige druivenprofessoren eigenlijk 'calabrese', zeer waarschijnlijk naar Calabrië, de hak van Italië. Dat u maar weet wat u drinkt.

BARONE MONTALTO, TERRE SICILIANE, NERO D'AVOLA MERLOT (DRIELITERPAK)

€ 13,89

Nou, nee, echt salonfähig nog niet, maar sociaal aanvaard in ruimdenkende en/of -drinkende kringen zeker: wijn in een pak, de bag-in-box, le BiB, zoals ze in Frankrijk zeggen. Een doos met daarin een zak vol wijn die je via een kraantje leegtapt, waarbij de zak zichzelf steeds vacuüm trekt, zodat de wijn weken goed blijft. Goed, de enorme verkoopstijging blijkt er nuchter beschouwd op neer te komen dat er nu wat BiB's worden verkocht, terwijl tot voor kort één keer in de anderhalf jaar iemand een in de erfenis aangetroffen exemplaar terug kwam brengen, maar toch. Op vakantie wil men nog weleens bij een coöperatie een jerrycan tanken – geinig!, zeker aan zo'n kraan die zomaar uit de muur steekt – maar eenmaal weer thuis staat men wantrouwig tegenover zulk simpel plezier. Slechts een enkele mottige alleenstaande verklaarde bij volksonderzoek eventueel bereid te zijn zo'n dooswijn te kopen. De rest van de mensheid voelde zich er te deftig voor of had te kampen met onverwerkte trauma's opgelopen bij de wijntapperij, een aan de sherrybodega verwante gruwel uit de jaren zeventig, waar je uit quasi houten vaten flessen hoofdpijnbocht kon tappen om door je druipsnor te drinken bij de gezellige bistrogerechten op houten borden in je bruin-oranje keuken, met daarna vrije seks op het langharig hoogpolig in de zitkuil. Maar dat is nu blijkbaar eindelijk vergeten (drank helpt tegen alles), of er is een nieuwe generatie drinkers opgestaan. Toch, kwaliteitshalve verwacht men er niet veel van. Probeer het maar: tap een glas uit een bag-in-box en schenk dezelfde wijn uit een karaf. Wat vinden de mensen lekkerder? Precies. Hoewel, ik vertelde dit iemand, en ze werd wild enthousiast: 'O, wat leuk, dat ga ik doen! Op elke hoek van de tafel zo'n bag-in-box en dat iedereen dan lekker mag tappen en glazen mag doorgeven! Gezellig! En het fijne van zo'n pak: je ziet ook niet zo hinderlijk hoeveel je drinkt.' Met deze, en met z'n witte zusje, kunt u zich in de beste kringen vertonen. In de bag in de box klotst donkere wijn vol duistere, spannende kruidige geuren, tegen de geruststellende achtergrond van rijpe merlot. Mede door de lage prijs (omgerekend naar driekwartliterfles € 3,47) het omfietsen waard.

OMFIETSWIJNEN | PLUS

BARONE MONTALTO, TERRE SICILIANE, ORGANIC NERO D'AVOLA 2012

€ 5,99

Na 2541 jaar zoete wijntjes maken vonden de Sicilianen het tijd voor wat anders. Maar wat? Veel goedkope wijn, dacht men in de jaren zeventig van de vorige eeuw, voor in de buitenlandse pizzeria's, waar de werkschuwe jeugdigen kwamen met hun lange haar en ook verder goddeloos gedrag. Of een moderne internationale stijl, voor de rijke mensen! Daar komen ze nu van terug. Kwaliteit, geen kwantiteit, en ondanks een dosis cabernet en chardonnay aandacht voor de inheemse druivensoorten. Zo hebben ze hier bij de baronnen Montalto, die het ook met eenvoudige burgerluitjes als u en ik goed voorhebben, een verrukkelijk fruitige en kruidige witte combinatie van chardonnay met grecanico en met cataratto ook, en wat betreft rood peperige syrah met de slanke sangiovese. Grecanico is oorspronkelijk Grieks, sangiovese kennen we uit Toscane. Maar dé druif van Sicilië, beminde gelovigen, dat is nero d'avola. Avola is het uiterste zuidpuntje van Sicilië, in de provincie

OMFIETSWIJN OMFIETSWIJN

Siracusa, waar deze nero, donkere, het heel goed doet. Intense essence van rijprijprijp donker fruit met een vleug cacao. Karaktervol Italiaans met spierballen. Vol, warm, donker, forse tannine. Net als hun gewone nero d'avola vol rijp fruit en al het moois onder de Italiaanse zon, maar iets slanker. En dus bio.

BARONE MONTALTO, TERRE SICILIANE, SANGIOVESE-SYRAH 2011

€ 5,49 ♟♟♟

Ook deze oogst weer slank als goede chianti, plus pit en peper van de syrah. Paolo di Marchi, van Isole e Olena, zie bij Les Généreux, is daar ooit mee begonnen, met syrah bij de sangiovese, wist u dat? Meestal ben ik daar mordicus tegen, Italiaanse wijnen versterken met Franse druiven, want Italië heeft genoeg druiven van d'r eige, maar in dit geval werkt 't goed. Een prima samenwerkend koppel, sangiovese en syrah.

MOSAICO, MARCHE SANGIOVESE 2012

€ 4,49 ♟♟♟

Smaakt immer als charmante landwijnchianti. Dit jaar wat voller en ronder, maar nog steeds lekker eigenwijs.

MOSAICO, MONTEPULCIANO D'ABRUZZO 2012   € 4,49

Opgewekt en vrolijk met z'n rijpe donkere fruit, beetje aardse smaken en dit jaar soepele tannines. Vol ouderwetse en zeer Italiaanse charme.

MOSAICO, ROSSO PICENO 2011   € 4,49

Smaakt ook dit jaar weer als een zeer plezante boerse chianti vol donker rijp fruit plus gezellige geuren uit de kruidentuin. Mede door het vriendenprijsje het omfietsen waard.

PLUS, ITALIË, MARCHE, SANGIOVESE, SOEPEL 2012 (LITER)   € 3,99

Lekker een beetje weerbarstig, vol sappig rood fruit, met als extra's dit jaar ook cacao en specerijen. Mede door de lage prijs (omgerekend naar driekwartliterfles € 2,99) ᪣ .

PRIMAVERINA, PUGLIA, ROSSO 2012   € 2,99

Terwijl u lekker een muur van bierkratten rond uw tent op Vlieland bouwt of bruin bakt met buuf naast de stacaravan, ploeg ik me door duizenden proefflessen voor de *Omfietswijngids* heen. Het is ongelijk verdeeld. Toch is er soms een lichtpuntje tijdens mijn zwoegen. Zoals de Primaverina rosso 2012 uit Puglia, de hak van Italië. Italiaanse landwijn van je dromen. Dartel fruitig, zonovergoten kruidig, gezellig hapje tannines, bescheiden van alcohol (12,5 procent, waarom zie je dat nou niet vaker?). En die prijs! Vraag niet hoe het kan. Charmante eenvoud, Marcello Mastroianni in Onslowhemd.

SPANJE

CONDE DE ALBETA, TINTO, CAMPO DE BORJA 2010   € 3,99

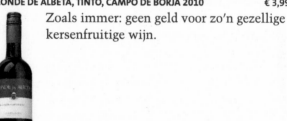

Zoals immer: geen geld voor zo'n gezellige kersenfruitige wijn.

FINCA LAPIEDRA, SOMONTANO, GARNACHA-SYRAH 2012   € 5,19 ♙♙♙

Niet te tellen, zoveel wijnen als ze in Zuid-Frankrijk maken van druiven syrah en grenache. En ze smaken allemaal anders. En hier in Spanje tovert het druivenduo nog weer andere geuren en smaken uit de hoge hoed. Fijn veel sappig fruit, de geur van het bos in de zomerzon, wat strakgetrainde tannines en zuren: wijn waar je heel blij van wordt.

INITIUM, NAVARRA 2012   🍃 € 5,19 ♙♙♙♙

Ongeloof is mijn deel, als ik vertel dat ik bij het wijnproeven alles uitspuug. 'Echt?! Wat ZONDE!' En je ziet ze dagdromen, wat zij wel niet zouden doen, als ze zomaar allemaal Gratis Wijn kregen om te proeven. Jaja. Wacht maar, tot de barre werkelijkheid aanbelt in de vorm van de *Omfietswijngids*-leverancier met een vrachtwagen vol proefflessen. Alles opdrinken, dat is niet eens menselijk mogelijk, want zoveel. Bovendien, het is wel de bedoeling dat ik ook over de laatste fles van de sessie nog een nuchter oordeel geef. En zelfs al dronk ik slechts de proefbodempjes, niet eens de hele fles, dan nog lag ik nu op het ontbindingskamertje van de Jellinek te wachten op m'n vivisectie opdat mijn lever ter lering en afschrikking aan den volke vertoond kan worden. Dus ik spuug. Behalve heel soms. Dan gaat het proefbodempje spontaan de verkeerde kant uit. Of de goede, al naar je het bekijkt. Naar binnen. Voor ik het doorheb, slik ik. Want wat is dit lekker! Ook dit jaar weer lekker rijp fruit, iets steviger en donkerder dan voorgaande jaren, wel gelukkig weer met dat stoffige van een lange zonnige dag in de wijngaard, die vleug specerijen en tabak, die heldere smaak die zo opgewekt langs je tong kabbelt... Alleen, dat die flessen zo snel leeg raken, daar moeten ze wat aan doen.

MORADOR, NAVARRA, TINTO 2011 €3,49 ♟♟♟

Net als in gids 2013 hebben we te maken met de 2011 (dat jullie dat niet allang allemaal hebben opgedronken, lezers!) en gelukkig is die nog prima in vorm. Nog steeds zo eigenwijs vol vrolijk fruit, specerijen, uitnodigende tannines, afdronk vol gespreksstof... Ach herejee, wat een feest is dat toch, zulk simpel plezier! En: biedt onder het lichtvoetige plezier ongekende diepgang. Maar dat hoeft geen bezwaar te zijn, want van wijn word je reuze slim.

VAYA PASADA, TORO 2012 €4,99 ♟♟♟♟

Heerlijk als immer. Vol uitgelaten kersenfruit, dartele peper en swingende tannines.

ZUID-AFRIKA

PLUS FAIRTRADE HUISWIJN, €4,49
WESTERN CAPE, MERLOT SOEPEL

Goedmoedige, oppervlakkige, onbezonnen heerlijke, heldere merlot vol rood fruit en vrolijkheid.

STELLAR ORGANICS, RUNNING DUCK, WESTERN CAPE, €5,79
SHIRAZ NO SULPHUR ADDED 2013

Behalve biologisch ook nog de zegen gekregen van Fair trade/Max Havelaar én zonder toegevoegd sulfiet, u weet wel, van *contains sulphites*. Dat is moeilijk, wijn zonder conserveringsmiddel zwavel oftewel sulfiet. Het resultaat kan subliem zijn, zo ongekend zuiver, maar vaak gaat 't ook mis, en ontwikkelen zich de meest curieuze geuren en smaken, of, zoals bij Stellar hier maar ook wel elders, smaakt de wijn beleefd naar niks. Geen karakter van druif of streek, slechts überpuur van smetten vrij. En daar drinken we geen wijn voor, beste innemers en losbollen, omdat-ie milieuverantwoord smaakt bij het *raw food*. Inmiddels heeft Stellar bijgeleerd, want deze shiraz smaakt echt lekker woest peperig naar shiraz en aards naar Zuid-Afrika. Is naast al z'n andere deugden ook nog *vegan friendly*, trouwens, al weet ik niet wat dat zegt: ik ben ook vriendelijk tegen veganisten.

WEGGIETWIJNEN

ROSÉ

VERENIGDE STATEN

BAREFOOT, CALIFORNIA, WHITE ZINFANDEL € 4,99 ⊛

En ik maar denken dat Plus zo'n keurige winkel is, leverend aan notabelen en sinds kort ook aan nieuwe rijken zonder strafblad, met propere waren waar niet dát op aan te merken is, ouderwetse middenstandskwaliteit zoals je het zelden meer ziet, dank u balleefd, mevrouw, mijnheer en verder nog iets van uw dienst, en dan tref je als argeloze, netjes grootgebrachte kuise jongeling die immer met de handjes boven het dek slaapt en z'n haar in een kaarsrechte scheiding kamt ineens DIT in het schap! Dat kan een ernstige schok geven. Aanschaf en opening zelfs een levenslang trauma. Ik zie dat vaker in mijn praktijk. Hetzelfde effect als bij iemand van reine levenswandel die tussen de tweedehands lichtere theologische lectuur onverhoeds rauwe porno tegenkomt. Het leven is daarna nooit meer normaal, het vertrouwen in de goedheid der mensheid voor altijd geschonden. Dat zoiets bestaat! Maar wees gerust, lieve lezers, het kan u niet overkomen. Een geharde knokploeg van het Leger des Heils, gestaald tegen elke Zonde, heeft de aanstootgevende flessen in beslag genomen en vernietigd. Plus, ik ben diepteleurgesteld. Ook te koop bij Coop, Hoogvliet, Jan Linders, Poiesz en Spar.

OVERIGE WIJNEN

WIT

Castro Baroña, rías baixas, albariño 2012 (ES)   € 7,99   🍷🍷🍷
Druiven, bloesem, pit en zwier.

El Descanso single vineyard wild ferment,   € 10,59   🍷🍷🍷
casablanca valley, chardonnay 2012 (CL)
Jong en krachtig: giet 'm in een karaf.

El Descanso single vineyard, casablanca valley,   € 10,59   🍷🍷🍷
sauvignon blanc 2012 (CL)
Strakdroge machosauvignon.

Tierra buena, mendoza, chardonnay 2011 (AR)   € 5,99   🍷🍷🍷
Prima sappigfruitige chardonnay zonder aanstellerij.

Tierra Buena, reserva, mendoza, chardonnay 2012 (AR)   € 6,79   🍷🍷🍷
Flink gespierde en beminnelijke
chardonnay voor in het krachthonk.

Azulejo, lisboa, branco 2012 (PT)   € 4,79   🍷🍷
Frisfruitige sauvignon als achtergrond
voor kruidige geuren.

Bush Creek, south eastern australia, verdelho 2010 (AU)   € 4,99   🍷🍷
Fruitig, kruidig, jong nog.

Castelvero, moscato d'asti 2012 (IT)   € 7,99   🍷🍷
Schuimt, en smaakt friszoet naar rijpe muskaatdruiven.

Conde de Albeta, campo de borja, macabeo 2012 (ES)   € 3,99   🍷🍷
Vol zacht fruit en pittige kruiderij.

Domaine Félines, languedoc picpoul de pinet 2012 (FR)   € 5,29   🍷🍷
Zachtfruitig, lichtkruidig, venkel. De
muscadet van Zuid-Frankrijk.

Drakenkloof, wes-kaap, chenin blanc/chardonnay 2013 (ZA)   € 4,99   🍷🍷
Zachtfruitig, sappig.

Drakenkloof, wes-kaap, chenin blanc/colombard 2013 (ZA)   € 4,99   🍷🍷
Frisfruitig, sappig.

El Descanso, valle central, sauvignon blanc 2013 (CL)   € 5,49   🍷🍷
Strafdroge voorjaarsfrisse sauvignon.

Finca Lapiedra, somontano, chardonnay 2012 (ES)   € 5,19   🍷🍷
Lichtvoetige chardonnay vol zomerse geuren.

Gran espanoso, cava, demi sec (ES)   € 7,29   🍷🍷
Lichtzoete schuimwijn vol fruit.

Jean Rosen, alsace pinot gris 2012 (FR)   € 7,99   🍷🍷
Vriendelijk zachtfruitig.

Jean Rosen, alsace, pinot blanc 2012 (FR)   € 5,79   🍷🍷
Vriendelijk zachtfruitig.

Jean Rosen, gewurztraminer 2012 (FR)   € 9,29   🍷🍷
Rijpe abrikozen en rozengeur. Maneschijn laat 't afweten.

Kaapse Roos, western cape, chenin blanc 2013 (ZA)   € 5,29   🍷🍷
Vol fris perenfruit.

Landgoed Overst Voerendaal, limburg, auxerrois 2012 (NL)   € 7,49   🍷🍷
Frisfruitig, lichtkruidig. Voor vaderlandse wijn heel goed.

Marqués de Cáceres, rioja blanco 2012 (ES)   € 6,49   🍷🍷
Keurige moderne rioja met fris fruit en wat kruiderij.

Plus, Fairtrade chardonnay, wit fruitig,   € 4,29   🍷🍷
central valley 2013 (CL)
Geurt fiks naar ananas en grapefruit.

Tierra Buena, mendoza, sauvignon blanc 2012 (AR)   € 5,99   🍷🍷
Vriendelijk zachtfruitig, met bescheiden
wat frisse sauvignon.

Bush Creek, estate reserve, south eastern australia,   € 5,79   🍷
chardonnay 2012 (AU)
Snoepjesfruit.

Bush Creek, estate reserve, south eastern australia,   € 8,49   🍷
chardonnay pinot noir (AU)
Fiets om naar de schuimwijn van Tierra Buena.

Bush Creek, estate reserve, south eastern australia,   € 5,79   🍷
sémillon chardonnay 2012 (AU)
Zachtfruitig.

Château Pradeau, mazeau, bordeaux blanc sec 2012 (FR)   € 5,29   🍷
Hou het maar bij rood, Pradeau.

Freixenet, Ash Tree Estate, vino de la tierra de castilla,   € 4,49   🍷
chardonnay macabeo 2012 (ES)
Zachtfruitig met een vleug Dreft in het bouquet.

Gatão, vinho verde (PT)   € 4,19   🍷
Met veel goede wil te omschrijven
als 'tsja, anders!' Friszuur.

Gato Negro, central valley, chardonnay 2013 (CL)   € 4,99   🍷
Snoepjesfruitig.

Hanepoot, wes-kaap, effe soet vrugtige witwyn 2013 (ZA)   € 3,99   🍷
Soete limonade.

i am sauvignon blanc 2012 (RO)   € 3,49   🍷
Waar dit nou weer voor nodig is...

Jean Rosen, riesling 2012 (FR)   € 5,99   🍷
Frisfruitig, geen lachebekje, brildragend,
ernstig veel zuren.

Koopmanskloof, western cape, chardonnay 2013 (ZA)   € 5,29   🍷
Fair trade. Zacht (snoepjes)fruit.

Petovia 69, furmint 2012 (SI)   € 5,99   🍷
Maar er is toch al heel veel onbekwaam frisfruitig?

PLUS, western cape, sauvignon blanc 2013 (ZA)   € 4,49   🍷
Fair trade. Zuurtjesfruit.

Stellar Organics, Running Duck, western cape, 🌿 € 5,79   🍷
organic white no sulphur added 2013 (ZA)
Fair trade met de smaak van appelsap.

Duc de Meynan blanc cuvée sélectionnée,   € 4,69
saint mont 2012 (FR)
Gebitsverwoestend zuurtjesfruit.

François Lurton, Wine wonders of the World,   € 5,59
france, gros manseng, sauvignon 2012 (FR)
Scherp zuurtjesfruit.

Manoir de La Hersandière, muscadet sèvre &   € 4,79
maine sur lie 2010 (FR)
Toch bestaat het echt, lekkere muscadet.

Winzer Krems, niederösterreich, grüner veltliner 2012 (AT)   € 5,99
Stekelig zuurtjesfruit. Werkt goed tegen eelt.

Zuydpunt, western cape, chenin blanc viognier 2013 (ZA)   € 5,99
Louche zuurtjessmaak.

ROSÉ

Marqués de Cáceres, rioja rosado 2012 (ES)   € 7,79   🍷🍷🍷
Sappig rood fruit, beetje kruidig. Prijzig.

Conde Albeta, campo de borja, rosado 2012 (ES)   € 3,99   🍷🍷
Eenvoudig, maar vol fris fruit.

El Descanso, valle central, syrah rosé 2013 (CL)   € 5,49   🍷🍷
Stevigfruitige machorosé.

Estandon, Diamarine, coteaux varois en provence 2012 (FR)   € 4,99   🍷🍷
De fles blijft even retrolelijk, de inhoud boert
gestaag vooruit: simpel sappig fruit dit jaar.

Freixenet, Ash Tree Estate, vino de la tierra de castilla,   € 4,49   🍷🍷
bobal cabernet 2011 (ES)
Stevigfruitig, maar wat stoffig.

Bush Creek, south eastern australia, rosé 2012 (AU) € 5,79 🍷
Wee aardbeienlimonadefruit.

Drakenkloof, wes kaap, pinotage rosé 2012 (ZA) € 4,99 🍷
Iets onrijp fruitig.

Duc de Meynan rosé, cuvée sélectionnée, € 4,69 🍷
saint-mont 2012 (FR)
Vaal en armetierig zuurtjesfruit.

François Lurton, Wine wonders of the World, € 5,59 🍷
france, syrah rosé 2012 (FR)
Vaag fruitig.

Gatão, rosé (PT) € 3,99 🍷
Uh… frisfruitig.

Kaapse Roos, western cape, rosé 2013 (ZA) € 5,29 🍷
Stevig (snoepjes)fruitig, aards.

Koopmanskloof, stellenbosch, pinotage rosé 2013 (ZA) € 5,29 🍷
Fair trade. Unfair snoepjesfruit.

Morador, navarra, rosé 2012 (ES) € 3,49 🍷
Zuurtjesfruit.

Stellar Organics, Running Duck, western cape, 🍃 € 5,79 🍷
organic white no sulphur added 2013 (ZA)
Fair trade en ook verder vol goede bedoelingen.

Château Pradeau, mazeau, bordeaux rosé 2012 (FR) € 5,29
Hou het bij rood, Pradeau!

ROOD

El Descanso, single vineyard, old vine red, € 10,59 🍷🍷🍷🍷
valle de colchagua 2012 (CL)
Duursmakende wijn vol bessenfruit – niet heel spannend.

Château de l'Horte, réserve spéciale, corbières 2010 (FR) € 8,49 🍷🍷🍷
Vol fruit en zonnige kruidengeuren plus wat hout.

Château Grand Gallius, médoc 2010 (FR) € 6,39 🍷🍷🍷
Deftige merlotbordeaux met stevige lederen tannines.

Château Jean Gué, lalande-de-pomerol 2011 (FR) € 9,99 🍷🍷🍷
Deftige merlotbordeaux met stevige lederen tannines.

Château Pradeau, mazeau, bordeaux 2012 (FR) € 5,39 🍷🍷🍷
Goed gemanierde stevigfruitige bordeaux.

Château Pradeau, mazeau, € 10,99 🍷🍷🍷
bordeaux grande réserve 2010 (FR)
Sjiek, slank & deftigfruitig.

Crouzet 'les Sariettes', € 5,79
coteaux du languedoc saint saturnin 2011 (FR)
Vol donker fruit en specerijen, met als bonus wat cacao.

Domaine Sainte-Sophie, € 5,99
coteaux du languedoc saint christol 2012 (FR)
Sappig fruitig, zonnig kruidig.

Domaine Trianon, excellence, saint-chinian 2011 (FR) € 5,49
Tussen het rijpe fruit een vleug
Herfsttij der Middeleeuwen.

El Descanso reserva, valle de colchagua, shiraz 2013 (CL) € 5,99
Rijp donker fruit, specerijen, peper.

Grande Réserve, côtes du rhône villages 2012 (FR) € 12,99
Huiswijn van een stevig gebouwde
kersen- en kruidenboer.

Imperium, vin d'exception, cuvée rouge 2011 (FR) € 7,99
Prestigieuze zachte weelde.

Les Aigles d'Anthonic, moulis-en-médoc 2010 (FR) € 10,79
Sympathieke stevige herenboerenbordeaux.

Les Dentelles de Verlaine, vacqueyras 2012 (FR) € 8,99
Fruitig, kruidig, zonnig.

Marqués de Cáceres, rioja crianza 2009 (ES) € 8,99
Gelikte jetset-rioja met groentejuweliersfruit.

Marqués de Cáceres, rioja reserva 2008 (ES) € 15,39
Gelikte jetset-rioja met duur hout.

Tierra Buena, mendoza, malbec 2012 (AR) € 5,99
Prima malbec, slank met fruit en
leer, maar iets tam dit jaar.

Tierra Buena, reserva, mendoza, € 6,99
cabernet sauvignon 2011 (AR)
Intense cabernet vol fruit.

Tierra Buena, reserva, mendoza, malbec 2011 (AR) € 6,99
In leer verpakt, maar zachtmoedig en vol duur fruit.

Tierra Buena, reserva, mendoza, shiraz 2010 (AR) € 6,79
Veel rijp fruit, een vleug versgebrande
koffiebonen, wat hout, specerijen.

Azulejo, lisboa, red 2011 (PT) € 4,79
Rood fruit, kruidig.

Borgo Cipressi, chianti 2011 (IT) € 4,99
Fruitig en kruidig landchianti'tje.

Bush Creek, cellar reserve, shiraz 2009 (AU) € 10,99 🍷🍷
Mollige maar gespierde Australiër vol donker fruit.

Bush Creek, south eastern australia, petite sirah 2011 (AU) € 5,79 🍷🍷
Mollig, vol donker fruit met fiks peper.

Château Roches Guitard, montagne-saint-émilion 2012 (FR) € 9,49 🍷🍷
Wat mistroostige bordeauxmerlot.

Château Rouvière, minervois 2011 (FR) € 4,79 🍷🍷
Fruitig, kruidig, maar niet heel vrolijk.

Château Saint-Christophe, médoc cru bourgeois 2011 (FR) € 10,49 🍷🍷
Boel geld voor bescheiden bordeaux.

Domaine Trianon, 'Grande Réserve', saint-chinian 2010 (FR) € 12,99 🍷🍷
Somber en serieus.

Drakenkloof, pinotage/shiraz 2012 (ZA) € 4,99 🍷🍷
Vol rijp fruit.

Drakenkloof, wes-kaap, rooiwyn 2012 (ZA) € 4,99 🍷🍷
Vriendelijk fruitig.

Kaapse Roos, rooiwyn 2012 (ZA) € 5,29 🍷🍷
Stevig donker fruit met stoere aardse ondertoon.

Lello, douro 2010 (PT) € 5,29 🍷🍷
Stevigfruitig en kruidig.

Mas du petit 'Azegat', 🐌 € 5,99 🍷🍷
pays des bouches du rhône 2011 (FR)
Was heerlijk, 🍷🍷🍷🍷 en 🚲, is nu wel wat op leeftijd.

Plus Huiswijn Rood Biologisch, tempranillo (ES) 🐌 € 3,79 🍷🍷
Vrolijk fruitig, gezellig kruidig.

Plus, Fairtrade cabernet sauvignon, € 4,29 🍷🍷
rood stevig, central valley 2013 (CL)
Doorsneecabernet met een goed hart.

Plus, huiswijn biologisch, france, syrah 2012 (FR) 🐌 € 4,49 🍷🍷
Keurige soepelfruitige pepersyrah.

Tierra Buena, mendoza, cabernet sauvignon 2012 (AR) € 5,99 🍷🍷
Vriendelijk cassisfruit, mist pit.

Vaya Pasada, ribeira del queiles, merlot 2012 (ES) € 4,99 🍷🍷
Opgewekte merlot vol fruit. Wel fiks wat alcohol.

Zuydpunt, western cape, cabernet sauvignon shiraz 2012 (ZA) € 5,99 🍷🍷
Aards en stevigfruitig.

Blauer Zweigelt, niederösterreich 2012 (AT) € 5,99 🍷
Karakterloos zachtfruitig.

Borgo Cipressi, chianti riserva 2009 (IT) € 7,39
Korzelig en kruidig landchianti'tje.

Bush Creek, dry red, south eastern australia, shiraz 2012 (AU) € 4,79
Mollig snoepjesfruit.

**Bush Creek, south eastern australia,
shiraz/cabernet 2012** (AU) € 5,79
Ietwat dunfruitig.

Charles Méras, saint-amour 2011 (FR) € 12,49
Bescheiden fruitig.

Conde de Albeta, reserva, campo de borja, 2009 (ES) € 8,49
Fiets om naar de tinto.

Duc de Meynan, cuvée sélectionnée, saint-mont 2011 (FR) € 4,69
Minder erg dan voorheen. Zowaar voorzichtig fruitig.

**François Lurton, Wine wonders of the World,
argentina, shiraz malbec 2012** (AR) € 5,59
Vaag fruitig.

**François Lurton, Wine wonders of the World,
españa, tempranillo 2012** (ES) € 5,59
Stevigfruitig.

**François Lurton, Wine wonders of the World,
france, grenache syrah 2012** (FR) € 5,59
Dropmerlot.

**François Lurton, Wine wonders of the World,
france, merlot 2012** (FR) € 5,59
Vaag fruitig.

**Freixenet, Ash Tree Estate, vino de la tierra de castilla,
shiraz monastrell 2012** (ES) € 4,49
Somber en ernstig droppig. Drinken bij rampspoed.

Gato Negro, central valley, cabernet sauvignon 2012 (CL) € 4,99
Keurig cassisfruitig.

i am cabernet sauvignon 2012 (RO) € 3,49
Kijk, ook in Roemenië kunnen ze dropwijn maken.

Schoondal, western cape, cape red 2012 (ZA) € 2,39
Soepel fruitig. Voor de prijs best aanvaardbaar.

Barefoot, california, cabernet sauvignon (US) € 4,99
Wrang cassisfruit.

Barefoot, california, merlot (US) € 4,99
Driekwartliter drop. Ook te koop bij
Coop, Hoogvliet en Jan Linders.

POIESZ

▷ Spreiding: Drenthe, Flevoland, Friesland,
  Groningen en Overijssel
▷ Aantal filialen: 63
▷ Marktaandeel: 1,03%
▷ Voor meer informatie: 0515 - 42 88 00
  of www.poiesz-supermarkten.nl

OMFIETSWIJNEN

WIT

CHILI

EL DESCANSO, RESERVA, CASABLANCA VALLEY, € 5,49 ♀♀♀
LATE HARVEST SAUVIGNON BLANC 2012 (375 ML)

Eigenlijk is zoet niet om voor om te fietsen, maar vooruit, omdat u het bent. En omdat het zo'n keurige wijn is voor weinig geld (voor goedzoetbegrippen). Luxueus uitgevoerd verfijnd zoet, voorzien van wat frisse zuren.

EL DESCANSO, RESERVA, VALLE CENTRAL, € 5,99 ♀♀♀♀
CHARDONNAY 2013

Slank, ingetogen, sappig verfijnd, met dit jaar als extra's subtiel wat ananas en grapefruit. Zeer subtiel gelukkig, want we willen wel wijn, geen vruchtensap.

FRANKRIJK
Languedoc-Roussillon

MARQUIS DE SAINT FÉLIX, VIN DE FRANCE, € 4,99
CHARDONNAY SAUVIGNON 2012
Juichend wit van languedocchardonnay en loiresauvignon, die hier harmonieus samengaan en naar Zuid-Frankrijk smaken. Charmant fruitig, kruidig, vleug mint.

ROSÉ

FRANKRIJK

MARQUIS DE SAINT FÉLIX, VIN DE FRANCE,   € 4,99
ROSÉ SYRAH 2012

Op zoek naar een echt goed droge Franse rosé
vol fruit, tijm en rozemarijn? Komt dat even
goed uit, die hebben ze hier! Fiets!

ROOD

CHILI

EL DESCANSO, VALLE CENTRAL,   € 5,49   ♟♟♟
CABERNET SAUVIGNON 2013

Geurt ook dit jaar weer als een prijswinnende bramenstruik, vol, soepel en toch manhaftig van smaak, en, voor uw gerief, ook in drieliter-pak à € 15,99 oftewel vier euro de driekwartliter. Met zo'n handig tapkraantje. Mieters.

FRANKRIJK

MARQUIS DE SAINT FÉLIX,   € 4,99   ♟♟♟
VIN DE FRANCE, CARIGNAN 2012

Als ik weer eens zo m'n bedenkingen heb bij een prestigieuze topwijn omdat het 'm nogal mankeert aan pret en jolijt, reageert de maker of importeur gewoonlijk verbolgen: 'Sinds wanneer is plezier een criterium?' 'Sinds ik het voor het zeggen heb,' antwoord ik dan eenvoudig. Maar serieus: waarom is 'concentratie' eigenlijk een criterium, of kleur, of lang-bewaard-kunnen-worden? Plezier, daar gaat het om. Vrolijkheid. Opgewekt fruit, speelse zuren, ondeugende tannines. De wijn met concentratie is indrukwekkend. Blije wijn drink je. Niet dat zo'n gewichtige wijn slecht is. Maar proef nou eens deze, van galg-en-raddruif carignan. Carignan is van oorsprong Spaans en heet dan ook eigenlijk 'cariñena'. Op over-heidsadvies in de jaren zestig ruim aangeplant in

Zuid-Frankrijk, want gaf betere wijn. Beter, maar niet best, dus inmiddels weer grotendeels gerooid om plaats te maken voor grenache en nog later voor syrah en mourvèdre. Toch, natuurzuivere wijn van een oud akkertje carignan in goede handen... Mmm! Ruige oprechte landwijn uit een streekroman, vol ondeugende geuren en heel veel fruit met pret.

Languedoc-Roussillon

MARQUIS DE SAINT FÉLIX, € 4,99 ♟♟♟
CORBIÈRES SÉLECTION DE VIEILLES VIGNES 2011

Dunne twijgjes rillen in de januariwind. 'Mourvèdre, twee jaar geleden geplant,' zegt Jeanne-Pierre Briard. In de wijngaard ernaast staan stevige knoestige wijnranken. 'Carignan, geplant door m'n overgrootvader, in 1907.' Een wijngaard planten kost duizenden euro's, het onderhoud is arbeidsintensief, pas na een jaar of tien mogen de druiven in Briards corbières. Nu maakt zijn familie hier al meer dan zes eeuwen wijn, hij kijkt niet op een decennium, maar voor direct rendement moet je dus niet gaan wijn maken. 'Toch,' zeggen mede-eigenaars vader en zoon Den Toom, die veel geld in het bedrijf hebben gestopt, ''t is het mooiste wat we ooit hebben gedaan.' Alleen al het idee dat hun kindskinderen hier begin tweeëntwintigste eeuw zullen staan, bij de akker mourvèdre, door (bet)overgrootvaders geplant in 2010. En ze zullen proosten met rode corbières vol donker fruit, ouderwetse charme, rustieke kruidengeuren, een vleug boerenerf. De *vieilles vignes* hier zijn écht oud: knoestige wijnranken van minstens vijftig, tot vieve eeuwelingen. Daar kun je heerlijke klassieke kruidige corbières van maken, met rijp donker fruit, kruiden, een hint herfstbos en een plezant vleugje boerenerf. Doen ze hier dan ook.

MARQUIS DE SAINT FÉLIX, MERLOT 2011   € 4,99

Kijk, dat is nou de invloed van terroir, de omstandigheden waarin de druif is opgegroeid: je proeft dat dit een
merlot is, een heldersmakende fruitige merlot met een
vleugje leer, maar veel meer proef je Zuid-Frankrijk:
kruidig, zonnig, boers op z'n best.

SPANJE

BIANTE, CAMPO DE BORJA,   € 3,09
GARNACHA TEMPRANILLO 2011

Ook dit jaar weer geen geld voor driekwartliter rijp kersenfruit en zuidelijke zomerzon. Iets koelen is een goed
idee.

OVERIGE WIJNEN

WIT

El Descanso, valle central, sauvignon blanc 2013 (CL) € 5,49
Strafdroge voorjaarsfrisse sauvignon.

Jean Sablenay, vin de france, chardonnay 2012 (FR) € 3,69
Eenvoudig zachtfruitig.

BIOlogische Huiswijn wit, € 4,85
vino de la tierra de castilla (liter) (ES)
Zachtfruitig.

Graffigna Clásico, san juan, chardonnay 2012 (AR) € 4,39
Snoepjesfruit. Ook te koop bij Hoogvliet,
Jan Linders en Vomar.

Graffigna Clásico, san juan, pinot grigio 2012 (AR) € 4,39
Perensnoepjesfruit. Ook te koop bij
Hoogvliet, Jan Linders en Vomar.

La Châsse, pays d'oc, chardonnay 2012 (FR) € 4,99
Mismoedig fruitig. Ook te koop bij
Dekamarkt, Coop en Vomar.

François Lurton, Les Terrasses de l'Argentier, € 5,79
gascogne, gros manseng sauvignon 2012 (FR)
Zuurtjesfruitig.

Graffigna Centenario, reserve, san juan, € 5,99
chardonnay 2010 (AR)
Een alcoholisch kiespijntaartje. Ook te
koop bij Hoogvliet en Vomar.

Zuydpunt, western cape, chenin blanc viognier 2013 (ZA) € 5,99
Louche zuurtjessmaak. Ook te koop bij Coop,
Hoogvliet, Jan Linders, MCD en Vomar.

ROSÉ

François Lurton, Les Terrasses de l'Argentier, € 5,79
pays d'oc rosé 2012 (FR)
Vriendelijk fruitig.

Graffigna, Clásico, san juan, shiraz rosé 2012 (AR) € 4,39
Stevig (snoepjes)fruitig. Ook te koop bij
Hoogvliet, Jan Linders en Vomar.

La Châsse, pays d'oc, syrah rosé 2012 (FR) € 4,99
Riekt onrijp, smaakt vaal.

ROOD

Château Pradeau, mazeau, bordeaux 2012 (FR)   € 5,89   🍷🍷🍷
Goed gemanierde stevigfruitige bordeaux.

El Descanso reserva, valle de colchagua, shiraz 2013 (CL)   € 6,99   🍷🍷🍷
Rijp donker fruit, specerijen, peper.

Charles Méras, beaujolais villages 2011 (FR)   € 6,99   🍷🍷
Soepel fruitig met fiks wat chocola.

Château Rouvière, minervois 2011 (FR)   € 4,79   🍷🍷
Fruitig, kruidig, maar niet heel vrolijk.

Jean Sablenay, pays d'oc, cabernet sauvignon 2012 (FR)   € 3,69   🍷🍷
Eenvoudig, pietsie streng, maar vol fruit.

Sensas, pays de l'herault, carignan vieilles vignes 2011 (FR)   € 4,75   🍷🍷
Roodfruitig, met die vlezige oersmaak van ouwe carignan.

BIOlogische Huiswijn rood,   🍷 € 4,85   🍷
vino de la tierra de castilla (liter) (ES)
Eenvoudig fruitig.

Barefoot, california, cabernet sauvignon (US)   € 5,99
Wrang cassisfruit.

Barefoot, california, merlot (US)   € 4,99
Driekwartliter drop.

Gallo family vineyards, california,   € 5,75
cabernet sauvignon 2011 (US)
Cassisfruitsnoep en drop.

Gallo family vineyards, california, merlot 2011 (US)   € 5,25
Merlotleer, aangebrand.

Gallo family vineyards, summer red (US)   € 5,25
Uh, Gallo: dit is geen wijn, dit is roosvicee.

SPAR

▷ Spreiding: landelijk
▷ Aantal filialen: 413 (waarvan 255 Spar, 96 Attent,
  52 Attent Super op vakantie en 10 Spar City Store)
▷ Marktaandeel: 1,76%
▷ Voor meer informatie: www.spar.nl

Spar = ook Attent.

OMFIETSWIJNEN

WIT

CHILI

EL DESCANSO, RESERVA, CASABLANCA VALLEY, € 5,99 ♀♀♀
LATE HARVEST SAUVIGNON BLANC 2012 (375 ML)

Eigenlijk is zoet niet om voor om te fietsen, maar vooruit, omdat u het bent. En omdat het zo'n keurige wijn is voor weinig geld (voor goedzoetbegrippen). Luxueus uitgevoerd verfijnd zoet, voorzien van wat frisse zuren.

EL DESCANSO, VALLE CENTRAL, CHARDONNAY 2013 € 5,49 ♀♀♀♀

Slank, ingetogen, sappig verfijnd, met dit jaar als extra's subtiel wat ananas en grapefruit. Zeer subtiel gelukkig, want we willen wel wijn, geen vruchtensap.

ITALIË

TERRAZZANO, € 3,99 🍷🍷🍷
VERDICCHIO DEI CASTELLI DI JESI CLASSICO 2012

In 1952 kwam mijnheer Fazi-Battaglia op het onzalige
idee de fles voor z'n verdicchio te modelleren naar Gina
Lollobrigida. Mensen riepen niet 'seksist!' maar trapten
er vrolijk in. Geen wonder, ze reden ook in een mint-
groene Buick met staartvinnen en wisten dus niet beter.
De laatste paar decennia associeert iedere weldenkende
consument die wulpse fles met de kantine van een
louche bordeel. Maar toch: de tijden veranderen. Serieuze verdicchio-producenten bottelen het werk hunner
handen in een fatsoenlijke fles. Hadden ze niet hoeven
doen, want retrokitsch is reuze hip. Veel belangrijker
echter: verdicchio met de rare lange naam kan lekker
zijn. Sappig fruit met een vleug anijs, wat verse kruiden,
gepaste vrolijkheid voor eenvoudige lieden. Mede door
de vriendelijke prijs het omfietsen waard.

ROOD

CHILI

EL DESCANSO RESERVA, VALLE DE COLCHAGUA, € 5,99 🍷🍷🍷🍷
CARMENÈRE 2013

Smaakt als ongetemde oermédoc. Mooi helder (fruit, mokka, exclusieve rookwaren) en met bekoorlijke tannines.

EL DESCANSO, VALLE CENTRAL, € 5,49 🍷🍷🍷
CABERNET SAUVIGNON 2013

Geurt ook dit jaar weer als een prijswinnende bramenstruik, vol, soepel en toch manhaftig van smaak, en, voor uw gerief, ook in drieliter-pak à € 15,99 oftewel vier euro de driekwartliter. Met zo'n handig tapkraantje. Mieters.

EL DESCANSO, VALLE CENTRAL, CARMENÈRE 2013 € 5,49 🍷🍷🍷
Chileense bordeaux voor geen geld. Hoera! Biedt dit jaar weer die verleidelijke rokerige carmenèregeur. Verder veel stevig donker fruit. Verleidelijk, soepel, doch manhaftig en rechtdoorzee. Hoezee.

FRANKRIJK
Languedoc-Roussillon

DOMAINE DE COMBE GRANDE, CORBIÈRES 2011 € 4,29

Een kennis vertelde onlangs dorstigmakend over de heerlijke corbières die ze ter plaatse en in de vroege herfst had genoten. Dat fruit, die stalgeur, en dat bij het romantisch haardvuur! Ze was er zwanger van geworden. Heerlijk. In mijn kelderwoninkje heb ik helaas geen open haard, maar me warmend bij het gasfornuis had ik wel deze fles corbières met de geur van het ruige buitenleven. Corbières roept bij recht-schapen lieden angstvisioenen op van vroeger, toen de wijnen door gluiperige slijters met eczeem en veel citroenjenever op voorraad handenwrijvend werden aangeprezen als 'nét een kleine châteauneuf-du-pape, weledele dame, heer, echt iets voor een kenner'. Maar heradem. Hier hebben we niet van doen met iets ranzigs dat riekt als walmende lampolie, maar met wijn gewor-den vrolijkheid van knisperrijpe druiven carignan, grenache, cinsault… Geen ondanks NEE/NEE onder de deur door geschoven aanbieding afzetwijn, maar écht wijn, WIJN, van wijngaarden uit het ruige Corbières, waar de wind je uit je sokken kan blazen en je roman-tisch vakantieonderkomen doet kraken in al zijn eeuwenoude voegen. Maar ruik nog eens aan je glas en je vergeet al je zorgen en kou en kruipt nog wat dichter en dronkener tegen elkaar aan. Viriel rijp fruit, wat spece-rijen, piets cacao, lekkere hap tannines, subtiel wat afrodisiaca en bovenal, die lekker ranzige hooiberglucht van de ware corbières.

OMFIETSWIJNEN | SPAR

WEGGIETWIJNEN

ROSÉ

VERENIGDE STATEN

BAREFOOT, CALIFORNIA, WHITE ZINFANDEL € 4,99 ⊛

Zo te ruiken ingekocht door de chef van het schap
toiletreinigers, die toch al zo'n beroerde dag had omdat
de bami van gister ernstig verkeerd viel. De connaisseur
die deze hoog aromatische zuurtjeswijn in z'n collectie
opneemt schuimt ongetwijfeld ook de goten langs voor
z'n verzameling sigarenpeuken en dode katten.

OVERIGE WIJNEN

WIT

The Shy Albatros, marlborough, sauvignon blanc 2010 (NZ) €6,49
Zuurtjesfruitig.

Campañero, central valley, chardonnay 2013 (CL) €4,69
Opgewekte sappigfruitige chardonnay.

**Castillo de Ibice, tierra de castilla y león,
verdejo-sauvignon blanc 2012** (ES) €4,79
Zachtfruitig, licht kruidig.

Doural, durienses, branco 2011 (PT) €4,99
Zonnig kruidig, sappig fruitig.

Jean Rosen, alsace pinot gris 2012 (FR) €7,99
Vriendelijk zachtfruitig.

Jean Rosen, alsace, pinot blanc 2012 (FR) €5,89
Vriendelijk zachtfruitig.

Jean Rosen, gewurztraminer 2012 (FR) €8,99
Rijpe abrikozen en rozengeur. Maneschijn laat 't afweten.

Kaapse Roos, western cape, chenin blanc 2013 (ZA) €4,99
Vol fris perenfruit.

Les Haut-Mesnil, prestige, sancerre 2012 (FR) €12,49
Frisfruitige sauvignon. Prijzig.

Francesco Yello, prosecco, vino frizzante (IT) €6,99
Snoepjesfruitig met prik.

Gato Negro, central valley, sauvignon blanc 2013 (CL) €4,99
Zuurtjesfruitig.

Graffigna Clásico, san juan, chardonnay 2012 (AR) €4,69
Snoepjesfruit.

Graffigna Clásico, san juan, pinot grigio 2012 (AR) €4,69
Perensnoepjesfruit.

Jean Rosen, riesling 2012 (FR) €5,99
Frisfruitig, geen lachebekje, brildragend,
ernstig veel zuren.

New Hope, breedekloof, chenin blanc 2013 (ZA) €6,19
Fair trade. (Snoepjes)fruitig.

Raoul Clerget, chablis 2012 (FR) €11,95
Onbestemd fruitig.

Deinhard, pfalz, pinot blanc 2012 (DE) €5,49
Best duur voor zoiets zuurs.

Deinhard, rheinhessen, riesling 2011 (DE)   € 5,49
Druivig, met prikkeldraadzuren.

Gallo family vineyards, california, chardonnay 2011 (US)   € 5,69
Mistroostig als een tupperwarebakje met vergeten snoep.

Gallo family vineyards, moscato (US)   € 5,29
Riekt naar plastic druiven.

Henkell, sekt, trocken (DE)   € 8,49
Zuurtjesfruit met prik en wat schuurpapier.

Kaiserhof, niederösterreich, grüner veltliner 2012 (AT)   € 5,29
Toch kan grüner veltliner heerlijk zijn.

Manoir de La Hersandière, muscadet sèvre &   € 4,79
maine sur lie 2010 (FR)
Toch bestaat het echt, lekkere muscadet.

Trankilo, penedès, xarel.lo macabeu parellada 2012 (ES)   € 6,99
Zuurtjesfruitig.

Venia, rebula 2012 (SI)   € 4,99
Ietwat zompig zachtfruitig.

ROSÉ

Candeline, côtes de provence 2012 (FR)   € 6,49   ♇
Bescheiden fruitig.

Francesco Yello, rosato frizzante (IT)   € 6,99   ♇
Snoepjesfruitig met prik.

Graffigna, Clásico, san juan, shiraz rosé 2012 (AR)   € 4,69   ♇
Stevig (snoepjes)fruitig.

Kaapse Roos, western cape, rosé 2013 (ZA)   € 4,99   ♇
Stevig (snoepjes)fruitig, aards.

Cachet, winemaker's selection, pays d'oc,   € 4,99
grenache-shiraz 2012 (FR)
Treurig snoepjesfruit.

ROOD

El Descanso, single vineyard, old vine red,   € 11,29   ♇♇♇♇
valle de colchagua 2012 (CL)
Duursmakende wijn vol bessenfruit – niet heel spannend.

Château Pradeau, mazeau, bordeaux 2012 (FR)   € 5,49   ♇♇♇
Goed gemanierde stevigfruitige bordeaux.

Domaine Trianon, excellence, saint-chinian 2011 (FR)   € 5,49   ♇♇♇
Tussen het rijpe fruit een vleug
Herfsttij der Middeleeuwen.

El Descanso reserva, valle de colchagua, shiraz 2013 (CL)   € 5,99
Rijp donker fruit, specerijen, peper.

Grande Réserve, côtes du rhône villages 2012 (FR)   € 5,29
Huiswijn van een stevig gebouwde
kersen- en kruidenboer.

Les Aigles d'Anthonic, moulis-en-médoc 2010 (FR)   € 9,95
Sympathieke stevige herenboerenbordeaux.

Les Dentelles de Verlaine, vacqueyras 2012 (FR)   € 9,29
Fruitig, kruidig, zonnig.

Château la Croix, côtes du rhône 2011 (FR)   € 4,89
Vol donker rijp kersenfruit, met cacaotannines.

Château Roches Guitard, montagne-saint-émilion 2012 (FR)   € 8,99
Wat mistroostige bordeauxmerlot.

Château Rouvière, minervois 2011 (FR)   € 4,29
Fruitig, kruidig, maar niet heel vrolijk.

Château Saint-Christophe, médoc cru bourgeois 2011 (FR)   € 8,99
Boel geld voor bescheiden bordeaux.

Domaine de Sahari, guerrouane 2011 (MA)   € 5,69
Zacht. Vol fruit en drop.

Doural, durienses 2011 (PT)   € 4,99
Zonnig kruidig, sappig fruitig.

Kaapse Roos, rooiwyn 2012 (ZA)   € 4,99
Stevig donker fruit met stoere aardse ondertoon.

New Hope, breedekloof, merlot 2012 (ZA)   € 6,29
Fair trade. Vol fruit.

Trankilo, penedès,   € 6,99
garnacha cabernet sauvignon 2010 (ES)
Vol stevig fruit.

Cachet, winemaker's selection, pays d'oc,   € 4,99
cabernet/shiraz cabernet/syrah 2012 (FR)
Bars en mistroostig.

Charles Méras, fleurie 2012 (FR)   € 9,29
Bescheiden fruitig.

Gato Negro, central valley, cabernet sauvignon 2012 (CL)   € 4,99
Keurig cassisfruitig.

Mayor de castilla, ribere del duero 2011 (ES)   € 4,99
Fruit, hout, asfalt.

OVERIGE WIJNEN | SPAR

Ukuva iAfrica,   € 9,99   🍷
cabernet sauvignon 2012 (anderhalveliter bag-in-tube) (ZA)
Fair trade. Goedbedoeld plasticfruit.

Venia, cabernet merlot 2011 (SI)   € 4,99   🍷
Tobberig droppig Sloveens 'bordeauxtje'.

Barefoot, california, merlot (US)   € 4,99
Driekwartliter drop.

Gallo family vineyards, california,   € 5,69
cabernet sauvignon 2011 (US)
Cassisfruitsnoep en drop.

Gallo family vineyards, california, merlot 2011 (US)   € 5,29
Merlotleer, aangebrand.

Kaiserhof, niederösterreich, blauer zweigelt 2011 (AT)   € 5,29
Toch kan zweigelt heerlijk zijn.

VOMAR

▷ Spreiding: Flevoland, Noord-Holland
  en Zuid-Holland
▷ Aantal filialen: 56
▷ Marktaandeel: 1,6%
▷ Voor meer informatie: www.vomar.nl

OVERIGE WIJNEN

WIT

Cachet, bordeaux, sauvignon 2012 (FR)　　　€ 4,99　🍷
Kaal en vlak.

Canti, veneto, chardonnay pinot grigio 2012 (IT)　　€ 4,99　🍷
Snoepjesfruit

Drakensberg, droë steen 2012 (ZA)　　　€ 3,69　🍷
Schraal snoepjesfruit. Ook te koop
bij Hoogvliet en Jan Linders.

Nuwe Wijnplaats, swartland, chardonnay 2012 (ZA)　　€ 4,69　🍷
Snoepjesfruit. Ook te koop bij Hoogvliet.

Rey de los Andes, reserva, chardonnay 2012 (CL)　　€ 3,99　🍷
Zuurtjesfruit. Ook te koop bij Hoogvliet.

ROSÉ

Canti, daunia, sangiovese merlot 2012 (IT)　　　€ 4,99
Onrijp snoepjesfruitig.

ROOD

Château d'Arcins, haut-médoc cru bourgeois 2011 (FR)　€ 10,99　🍷🍷
Duur bordeauxtje.

Château du Bousquet, côtes de bourg 2011 (FR)　　€ 9,49　🍷🍷
Was jaar in jaar uit mooi boers, is
nu brave burgerbordeaux.

Château Tour Prignac, médoc cru bourgeois 2011 (FR)　€ 9,99　🍷🍷
Duur bordeauxtje.

Antañao, rioja tempranillo 2011 (ES)　　　€ 4,99　🍷
Smoezelig donker fruit.

Cachet, bordeaux, merlot 2012 (FR)　　　€ 4,99　🍷
Ruikt naar verdriet, heeft wel fruit.

Castillo san simón, reserva, jumilla 2008 (ES)　　€ 5,99　🍷
Ouwe dropjes.

Drakensberg, pinotage 2012 (ZA)　　　€ 3,49　🍷
Wat rubberig donker fruit.

Nuwe Wijnplaats, swartland, cabernet sauvignon 2012 (ZA)　€ 4,69　🍷
Stevig fruit en rubber.

Nuwe Wijnplaats, swartland, merlot 2012 (ZA)　　€ 4,69　🍷
Stevig fruit en asfalt.

Rey de los Andes, reserva, merlot 2012 (CL)   € 3,99   🍷
Fruit met wat merlotleer. Ook te koop
bij Hoogvliet en Jan Linders.

Willowbank, south eastern australia,   € 5,79   🍷
shiraz/cabernet/shiraz 2012 (AU)
Ietwat dunfruitig.

Canti, terre siciliane, merlot sangiovese 2012 (IT)   € 4,99
'The red taste from Italy.' Blijkbaar
smaakt Italië naar veterdrop.

Wit

1 **Parra La Meseta, la mancha,** € 4,99
airén sauvignon blanc 2012
Spanje - De Natuurwinkel/Gooodyfooods

2 **By the Grape, alicante, airén/macabeo 2012** € 5,00
Spanje - By the Grape

3 **Flos de Pinoso, alicante 2011** € 5,00
Spanje - Natuurvoedingswinkels

4 **El Descanso, valle central, chardonnay 2013** € 5,49
Chili - MCD, Plus, Spar

5 **El Descanso, reserva, valle central,** € 5,99
chardonnay 2013
Chili - MCD, Plus, Poiesz

6 **Parra By the Grape, la mancha, verdejo 2012** € 6,00
Spanje - By the Grape

7 **Domaine Félines Jourdan, herault,** € 6,95
coteaux de bessilles, chardonnay 2012
Frankrijk - De Gouden Ton

8 **Domaine Félines Jourdan, herault,** € 6,95
coteaux de bessilles, sauvignon 2012
Frankrijk - De Gouden Ton

9 **Domaine Montrose, La Balade des Lézards,** € 6,95
côtes de thongue 2011
Frankrijk - Henri Bloem

10 **Margalh de Bassac, vin de france 2011** € 6,99
Frankrijk - De Natuurwinkel/Gooodyfooods

11 **Parra Jiménez, la mancha, verdejo 2012** € 6,99
Spanje - De Natuurwinkel/Gooodyfooods

12 **Penfolds, rawson's retreat, south eastern australia,** € 6,99
sémillon chardonnay 2011
Australië - Gall & Gall

13 **Quaderna Via By the Grape, navarra,** € 7,00
garnacha blanca 2012
Spanje - By the Grape

14 **Azimut blanc, penedès 2011** € 7,29
Spanje - De Natuurwinkel/Gooodyfooods

15 **Cochon Volant, corbières 2012** € 7,50
Frankrijk - By the Grape

16 **A-mano, puglia, fiano/greco 2011** € 7,99
Italië - Gall & Gall

17 **Berger, kremstal, spiegel, riesling 2010** € 7,99
Oostenrijk - Albert Heijn

TOPWIJNEN

Rosé

1 **Saint Roche, pays du gard 2012** € 5,49
Frankrijk - Albert Heijn

2 **Domaine Saint-Martin, cuvée juliet,**
côtes du rhône 2012 € 5,75
Frankrijk - Hema

3 **Margalh de Bassac, vin de france 2012** € 6,99
Frankrijk - De Natuurwinkel/Gooodyfooods

4 **Château de Caraguilhes, corbières rosé 2012** € 8,00
Frankrijk - By the Grape

5 **Plus Huiswijn Rosé Biologisch, la mancha,**
garnacha monastrell (liter) € 3,79
Spanje - Plus

6 **Bordeneuve, comté tolosan 2012** € 3,99
Frankrijk - Plus

7 **Domaine La Colombette,**
coteaux du libron, grenache 2012 € 4,95
Frankrijk - Henri Bloem

8 **Marquis de Saint Félix, vin de france,**
rosé syrah 2012 € 4,99
Frankrijk - Poiesz

9 **Parra La Meseta, la mancha, tempranillo rosé 2012** € 4,99
Spanje - De Natuurwinkel/Gooodyfooods

10 **Rosé de l'Horte, vin de france,**
sélection de vieilles vignes 2012 € 4,99
Frankrijk - Plus

11 **Vaya Pasada, rueda rosado, tempranillo 2012** € 4,99
Spanje - Plus

12 **Viñas del Vero, somontano,**
tempranillo cabernet sauvignon rosado 2012 € 4,99
Spanje - Albert Heijn

13 **Camino rosado, tempranillo 2012** € 5,25
Spanje - De Natuurwinkel/Gooodyfooods

14 **Chat-en-oeuf pays d'oc 2012** € 5,25
Frankrijk - Hema

15 **Viñas de Barrancas, argentina,**
rosé malbec shiraz 2013 € 5,25
Argentinië - Hema

16 **Château Coulon, corbières 2012** € 5,49
Frankrijk - Albert Heijn

Rood

1 **Les 5 Seaux, coteaux du libron 2012**   € 7,25
Frankrijk - De Natuurwinkel/Gooodyfooods

2 **Domaine des 2 Ânes, premiers pas,**   € 9,25
corbières 2011
Frankrijk - De Natuurwinkel/Gooodyfooods

3 **Domaine la cabotte, côtes du rhône 2011**   € 9,25
Frankrijk - De Natuurwinkel/Gooodyfooods

4 **Château Camplong, corbières 'les serres' 2011**   € 4,99
Frankrijk - Albert Heijn

5 **Château Tapie,**   € 4,99
coteaux du languedoc quatourze 2011
Frankrijk - Albert Heijn

6 **Vaya Pasada, toro 2012**   € 4,99
Spanje - Plus

7 **Flos de Pinoso, alicante 2011**   € 5,00
Spanje - Natuurvoedingswinkels

8 **Initium, navarra 2012**   € 5,19 - 5,95
Spanje - Plus, De Natuurwinkel/Gooodyfooods

9 **R' by Antonio, tinta de toro 2011**   € 5,50
Spanje - Hema

10 **Domaine Saint-Martin, cuvée angelique,**   € 5,75
côtes du rhône 2011
Frankrijk - Hema

11 **Santa Duc, les plans, pays de vaucluse 2010**   € 5,95
Frankrijk - Henri Bloem

12 **Biurko, rioja tinto 2011**   € 5,99
Spanje - Natuurvoedingswinkels

13 **Château la Pageze,**   € 5,99
coteaux du languedoc la clape 2012
Frankrijk - MCD, Plus

14 **El Descanso reserva, valle de colchagua,**   € 5,99
carmenère 2013
Chili - MCD, Plus, Spar

15 **Alegría de Azul y Garanza, navarra 2012**   € 6,25
Spanje - De Natuurwinkel/Gooodyfooods

16 **Pontos, Cepa 50, viñas viejas,**   € 6,25
alicante, monastrell 2011
Spanje - Natuurvoedingswinkels

17 **The River Garden, western cape,**   € 6,49
cabernet sauvignon, merlot 2011
Zuid-Afrika - Gall & Gall

Wit

1	**Lalande, blanc, côtes de gascogne 2012** Frankrijk - Dirk van den Broek	€ 3,49 🍷🍷🍷	🚲
2	**Memento, cariñena, macabeo** Spanje - Hema	€ 3,49 🍷🍷🍷	🚲
3	**Huiswijn wit droog** Frankrijk - Hema	€ 2,75 🍷🍷	🚲
4	**Huiswijn wit halfzoet** Frankrijk - Hema	€ 2,75 🍷🍷	🚲
5	**Codici, puglia, bombino 2012** Italië - Dekamarkt, Dirk van den Broek	€ 3,29 🍷🍷	🚲

Rosé

1	**Huiswijn rosé** Spanje - Hema	€ 2,75 🍷🍷	🚲
2	**Codici, puglia rosato 2012** Italië - Dekamarkt, Dirk van den Broek	€ 3,29 🍷🍷	🚲
3	**Viña Temprana, campo de borja, garnacha rosado 2012** Spanje - Gall & Gall	€ 3,49 🍷🍷	

Rood

1	**Huiswijn rood** Spanje - Hema	€ 2,75 🍷🍷🍷	🚲
2	**Primaverina, puglia, rosso 2012** Italië - Plus	€ 2,99 🍷🍷🍷	🚲
3	**Biante, campo de borja, garnacha tempranillo 2011** Spanje - Poiesz	€ 3,09 🍷🍷🍷	🚲
4	**Les Vignerons de l'Enclave des Papes, côtes du ventoux 2012** Frankrijk - Albert Heijn	€ 3,49 🍷🍷🍷	🚲
5	**Morador, navarra, tinto 2011** Spanje - Plus	€ 3,49 🍷🍷🍷	🚲
6	**Viña Temprana, campo de borja, old vines selection, garnacha 2011** Spanje - Gall & Gall	€ 3,49 🍷🍷🍷	🚲
7	**Memento, cariñena, tempranillo garnacha** Spanje - Hema	€ 3,49 🍷🍷🍷	🚲
8	**Mooi Kaap, weskaap, droë rooi 2012** Zuid-Afrika - Albert Heijn	€ 2,49 🍷🍷	🚲

Wit

1 **Parra La Meseta, la mancha, airén sauvignon blanc 2012** €4,99
Spanje - De Natuurwinkel/Gooodyfooods

2 **By the Grape, alicante, airén/macabeo 2012** €5,00
Spanje - By the Grape

3 **Flos de Pinoso, alicante 2011** €5,00
Spanje - Natuurvoedingswinkels

4 **Parra By the Grape, la mancha, verdejo 2012** €6,00
Spanje - By the Grape

5 **Margalh de Bassac, vin de france 2011** €6,99
Frankrijk - De Natuurwinkel/Gooodyfooods

6 **Parra Jiménez, la mancha, verdejo 2012** €6,99
Spanje - De Natuurwinkel/Gooodyfooods

7 **Quaderna Via By the Grape, navarra, garnacha blanca 2012** €7,00
Spanje - By the Grape

8 **Azimut blanc, penedès 2011** €7,29
Spanje - De Natuurwinkel/Gooodyfooods

9 **Cochon Volant, corbières 2012** €7,50
Frankrijk - By the Grape

10 **Château de Caraguilhes, blanc, corbières 2012** €8,00
Frankrijk - By the Grape

11 **Château Gaillard, touraine sauvignon 2012** €8,99
Frankrijk - Ekoplaza

12 **Wieninger, wiener gemischter satz 2012** €12,95
Oostenrijk - De Gouden Ton

13 **Lionel Faivre By the Grape, corbières 2011** €9,50
Frankrijk - By the Grape

14 **Loimer, kamptal, grüner veltliner 2012** €15,95
Oostenrijk - De Gouden Ton

Rosé

1 **Saint Roche, pays du gard 2012** €5,49
Frankrijk - Albert Heijn

2 **Château de Caraguilhes, corbières rosé 2012** €8,00
Frankrijk - By the Grape

Rood

1 **Les 5 Seaux, coteaux du libron 2012** € 7,25
Frankrijk - De Natuurwinkel/Gooodyfoooods

2 **Domaine des 2 Ânes, premiers pas, corbières 2011** € 9,25
Frankrijk - De Natuurwinkel/Gooodyfoooods

3 **Domaine la cabotte, côtes du rhône 2011** € 9,25
Frankrijk - De Natuurwinkel/Gooodyfoooods

4 **Château Tapie, coteaux du languedoc quatourze 2011** € 4,99
Frankrijk - Albert Heijn

5 **Flos de Pinoso, alicante 2011** € 5,00
Spanje - Natuurvoedingswinkels

6 **Initium, navarra 2012** € 5,19 - € 5,95
Spanje - Plus, De Natuurwinkel/Gooodyfoooods

7 **Santa Duc, les plans, pays de vaucluse 2010** € 5,95
Frankrijk - Henri Bloem

8 **Biurko, rioja tinto 2011** € 5,99
Spanje - Natuurvoedingswinkels

9 **Alegría de Azul y Garanza, navarra 2012** € 6,25
Spanje - De Natuurwinkel/Gooodyfoooods

10 **Pontos, Cepa 50, viñas viejas, alicante, monastrell 2011** € 6,25
Spanje - Natuurvoedingswinkels

11 **Quinto Arrio, rioja, tinto 2011** € 6,50
Spanje - Ekoplaza

12 **Uncastellum, floral de uncastellum, tierra de ribera del gállego, tinto joven 2011** € 6,95
Spanje - Natuurvoedingswinkels

13 **Rebel.lia, utiel-requena, tempranillo-garnacha tintoretta-bobal 2012** € 6,99
Spanje - De Natuurwinkel/Gooodyfoooods

14 **Quaderna Via By the Grape, navarra, tempranillo, merlot, cabernet sauvignon 2011** € 7,00
Spanje - By the Grape

15 **Margalh de Bassac, vin de france 2011** € 7,25
Frankrijk - De Natuurwinkel/Gooodyfoooods

16 **Azimut negre, penedès 2011** € 7,29
Spanje - De Natuurwinkel/Gooodyfoooods

17 **Cochon Volant, corbières 2011** € 7,50
Frankrijk - By the Grape

TOPWIJNEN

Wit

1 **Plus Huiswijn Wit Biologisch, la mancha, airén sauvignon blanc (liter)** — € 3,79
Spanje - Plus

2 **AH Italia, garganega, droog fris fruitig (liter)** — € 3,99
Italië - Albert Heijn

3 **Huiswijn wit droog** — € 2,75
Frankrijk - Hema

4 **Huiswijn wit halfzoet** — € 2,75
Frankrijk - Hema

5 **Huiswijn, Chileense chardonnay, central valley 2013** — € 3,99
Chili - Plus

Rosé

1 **Plus Huiswijn Rosé Biologisch, la mancha, garnacha monastrell (liter)** — € 3,79
Spanje - Plus

2 **Huiswijn rosé** — € 2,75
Spanje - Hema

3 **Gall & Gall huiswijn, Suid-Afrika, pinotage rosé 2012** — € 3,99
Zuid-Afrika - Gall & Gall

Rood

1 **Huiswijn rood** — € 2,75
Spanje - Hema

2 **Plus Huiswijn Chili, central valley, cabernet sauvignon 2013 (liter)** — € 3,99
Chili - Plus

3 **Plus Huiswijn Frankrijk, corbières, soepel 2012 (liter)** — € 3,99
Frankrijk - Plus

4 **AH Argentina, malbec, bonarda, vol krachtig fruitig (liter)** — € 3,99
Argentinië - Albert Heijn

5 **AH Australia, merlot/shiraz/cabernet sauvignon, vol krachtig fruitig)** — € 3,99
Australië - Albert Heijn

6 **AH Chile, cabernet sauvignon, merlot, sappig fruitig (liter)** — € 3,99
Chili - Albert Heijn

Wit

1 **Azimut, cava brut nature** € 13,25
Spanje - De Natuurwinkel/Gooodyfooods

2 **Gran espanoso, cava, brut** € 7,29
Spanje - Plus

3 **Pizzolato, treviso, prosecco vino frizzante** € 7,49
Italië - De Natuurwinkel/Gooodyfooods

4 **Copa Sabia, cava brut reserva emoción** € 7,50
Spanje - Hema

5 **Pizzolato, prosecco vino frizzante** € 7,50
Italië - Ekoplaza

6 **Empiria, prosecco** € 7,79
Italië - Natuurvoedingswinkels

7 **Savia Viva, cava brut reserva** € 9,95 - € 10,99
Spanje - Marqt, Ekoplaza

8 **Terres Burgondes, crémant de bourgogne brut** € 12,50
Frankrijk - Hema

9 **Antonin Rodet, crémant de bourgogne brut** € 12,99
Frankrijk - Albert Heijn

10 **Alta Alella By the Grape, cava brut nature** € 13,50
Spanje - By the Grape

11 **Concha y Toro, casillero del diablo, limarí valley, brut chardonnay** € 9,99
Chili - Albert Heijn

12 **Jacob's Creek, south eastern australia, chardonnay pinot noir brut cuvée** € 10,99
Australië - Albert Heijn

Rosé

1 **Tierra Buena, mendoza, extra brut** € 9,99
Argentinië - Plus

2 **Copa Sabia, cava brut rosé** € 7,50
Spanje - Hema

TOPWIJNEN

Wit

1 El Descanso, reserva, casablanca valley, € 5,29 - € 5,99 🍷🍷🍷 🚲
late harvest sauvignon blanc 2012 (375 ml)
Chili - Plus, Poiesz, MCD, Spar

2 Heaven on Earth, western cape, 🍷 € 7,95 - € 7,99 🍷🍷🍷 🚲
organic sweet wine (half flesje)
Zuid-Afrika - Ekoplaza, Marqt, De Natuurwinkel/Gooodyfooods

3 Concha y Toro, casillero del diablo, maule valley, € 7,99 🍷🍷🍷 🚲
late harvest, sauvignon blanc 2010
Chili - Albert Heijn

4 Nederburg, The Winemasters Reserve, € 7,99 🍷🍷🍷
western cape, noble late harvest 2012 (375 ml)
Zuid-Afrika - Albert Heijn

5 Dourthe Grands Terroirs, € 8,99 🍷🍷🍷
sauternes 2011 (half flesje)
Frankrijk - Albert Heijn

6 Thierry vaute, € 8,99 🍷🍷🍷
muscat de beaumes de venise 2011 (halveliter)
Frankrijk - Albert Heijn

7 Perla del Sur, vino dulce moscatel 2012 € 4,50 🍷🍷
Spanje - Hema

Rood

1 Alta Alella, Dolç Mataro 2011 (halveliter) 🍷 € 21,50 🍷🍷🍷
Spanje - By the Grape

DE BESTE ARGENTIJNSE WIJNEN

Wit

1 **Simbolos, mendoza, chardonnay unoaked 2012** € 3,99
Argentinië - Plus

2 **Argento, mendoza, chardonnay 2012** € 6,49
Argentinië - Gall & Gall

3 **Alamos, mendoza, chardonnay 2012** € 8,49
Argentinië - Gall & Gall

4 **Viñas de Barrancas, mendoza, chardonnay 2013** € 5,25
Argentinië - Hema

5 **Tierra buena, mendoza, chardonnay 2011** € 5,99
Argentinië - Plus

6 **Tilia, mendoza, chardonnay 2012** € 6,49
Argentinië - Albert Heijn

7 **Tierra Buena, reserva, mendoza, chardonnay 2012** € 6,79
Argentinië - Plus

Rosé

1 **Tierra Buena, mendoza, extra brut** € 9,99
Argentinië - Plus

2 **Viñas de Barrancas, argentina,
rosé malbec shiraz 2013** € 5,25
Argentinië - Hema

3 **Tierra Buena, mendoza, malbec shiraz rosé 2012** € 5,99
Argentinië - Plus

Rood

1 **Alamos, mendoza, malbec 2012** € 8,49
Argentinië - Gall & Gall

2 **AH Argentina, malbec, bonarda,
vol krachtig fruitig (liter)** € 3,99
Argentinië - Albert Heijn

3 **Simbolos, mendoza, tempranillo bonarda 2011** € 3,99
Argentinië - Plus

4 **Viñas de Barrancas, mendoza, merlot 2012** € 5,25
Argentinië - Hema

5 **Norton, mendoza, cabernet sauvignon 2012** € 5,49
Argentinië - Albert Heijn

6 **Norton, mendoza, malbec 2012** € 5,49
Argentinië - Albert Heijn

7 **Norton, mendoza, merlot 2012** € 5,49
Argentinië - Albert Heijn

Wit

1 **Penfolds, rawson's retreat, south eastern australia,** € 6,99 🍷🍷🍷🍷 🚲
   sémillon chardonnay 2011
   Australië - Gall & Gall

2 **Penfolds, rawson's retreat,** € 7,99 🍷🍷🍷🍷 🚲
   south eastern australia, chardonnay 2012
   Australië - Albert Heijn

3 **Penfolds, Koonunga Hill,** € 8,99 🍷🍷🍷🍷 🚲
   South Australia, chardonnay 2011
   Australië - Gall & Gall

4 **Penfolds, rawson's retreat,** € 7,99 🍷🍷🍷
   south eastern australia, riesling 2012
   Australië - Albert Heijn

5 **Wolf Blass yellow label,** € 8,99 🍷🍷🍷
   south eastern australia, chardonnay 2011
   Australië - Gall & Gall

6 **South, tasmania, sauvignon blanc 2012** € 9,99 🍷🍷🍷
   Australië - Albert Heijn

Rood

1 **Penfolds, Koonunga Hill, south australia,** € 9,99 🍷🍷🍷🍷 🚲
   shiraz/cabernet 2010
   Australië - Gall & Gall

2 **South, tasmania, pinot noir 2012** € 9,99 🍷🍷🍷🍷 🚲
   Australië - Albert Heijn

3 **Penfolds, Bin 2, south australia,** € 14,99 🍷🍷🍷🍷 🚲
   shiraz/mourvèdre 2009
   Australië - Albert Heijn

4 **AH Australia, merlot/shiraz/** € 3,99 🍷🍷🍷 🚲
   cabernet sauvignon, vol krachtig fruitig
   Australië - Albert Heijn

5 **Penfolds, rawson's retreat,** € 7,99 🍷🍷🍷 🚲
   south eastern australia, shiraz/cabernet 2010
   Australië - Gall & Gall

6 **Penfolds, rawson's retreat, south eastern australia,** € 7,99 🍷🍷🍷
   cabernet sauvignon 2012
   Australië - Albert Heijn

7 **Penfolds, rawson's retreat,** € 7,99 🍷🍷🍷
   south eastern australia, merlot 2012
   Australië - Albert Heijn

8 **Lindeman's, reserve, padthaway, shiraz 2012** € 8,99 🍷🍷🍷
   Australië - Albert Heijn

DE BESTE CHILEENSE WIJNEN

Wit

1. **El Descanso, valle central, chardonnay 2013** € 5,49
   Chili - MCD, Plus, Spar

2. **El Descanso, reserva, valle central, chardonnay 2013** € 5,99
   Chili - MCD, Plus, Poiesz

3. **Concha y Toro frontera, valle central, sauvignon blanc/sémillon 2012** € 3,99
   Chili - Albert Heijn

4. **El Descanso, reserva, casablanca valley, late harvest sauvignon blanc 2012 (375 ml)** € 5,29 - € 5,99
   Chili - MCD, Plus, Poiesz, Spar

5. **Oveja Negra, reserva, maule valley, chardonnay-viognier 2012** € 5,99
   Chili - Gall & Gall

Rood

1. **El Descanso reserva, valle de colchagua, carmenère 2013** € 5,99
   Chili - MCD, Plus, Spar

2. **Palo Alto reserva, maule valley, cabernet sauvignon-carmenère-shiraz 2011** € 8,99
   Chili - Gall & Gall

3. **AH Chile, cabernet sauvignon, merlot, sappig fruitig (liter)** € 3,99
   Chili - Albert Heijn

4. **Campañero, central valley, cabernet sauvignon 2013** € 3,99
   Chili - Plus

5. **Concha y Toro, frontera, valle central, cabernet sauvignon/merlot 2012** € 3,99
   Chili - Albert Heijn

6. **Concha y Toro, frontera, valle central, carmenère/cabernet sauvignon 2011** € 3,99
   Chili - Albert Heijn

7. **Plus Huiswijn Chili, central valley, cabernet sauvignon 2013 (liter)** € 3,99
   Chili - Plus

8. **G7, the 7th generation, loncomilla valley, cabernet sauvignon 2013** € 4,50
   Chili - Hema

9. **El Descanso, valle central, cabernet sauvignon 2013** € 5,49
   Chili - MCD, Plus, Poiesz, Spar

Wit

1 **Domaine Félines Jourdan, herault,** € 6,95
coteaux de bessilles, chardonnay 2012
Frankrijk - De Gouden Ton

2 **Domaine Félines Jourdan, herault,** € 6,95
coteaux de bessilles, sauvignon 2012
Frankrijk - De Gouden Ton

3 **Domaine Montrose, La Balade des Lézards,** € 6,95
côtes de thongue 2011
Frankrijk - Henri Bloem

4 **Margalh de Bassac, vin de france 2011** € 6,99
Frankrijk - De Natuurwinkel/Gooodyfooods

5 **Cochon Volant, corbières 2012** € 7,50
Frankrijk - By the Grape

Rosé

1 **Saint Roche, pays du gard 2012** € 5,49
Frankrijk - Albert Heijn

2 **Domaine Saint-Martin, cuvée juliet,** € 5,75
côtes du rhône 2012
Frankrijk - Hema

3 **Margalh de Bassac, vin de france 2012** € 6,99
Frankrijk - De Natuurwinkel/Gooodyfooods

4 **Château de Caraguilhes, corbières rosé 2012** € 8,00
Frankrijk - By the Grape

5 **Rimauresq, cru classé, côtes de provence 2012** € 12,35
Frankrijk - Les Généreux

Rood

1 **Les 5 Seaux, coteaux du libron 2012** € 7,25
Frankrijk - De Natuurwinkel/Gooodyfooods

2 **Domaine des 2 Ânes, premiers pas,** € 9,25
corbières 2011
Frankrijk - De Natuurwinkel/Gooodyfooods

3 **Domaine la cabotte, côtes du rhône 2011** € 9,25
Frankrijk - De Natuurwinkel/Gooodyfooods

4 **Château Camplong, corbières 'les serres' 2011** € 4,99
Frankrijk - Albert Heijn

5 **Château Tapie,** € 4,99
coteaux du languedoc quatourze 2011
Frankrijk - Albert Heijn

DE BESTE ITALIAANSE WIJNEN

Wit

1. **A-mano, puglia, fiano/greco 2011** € 7,99
   Italië - Gall & Gall

2. **Fontanafredda, briccotondo, gavi 2012** € 7,99
   Italië - Albert Heijn

3. **Planeta, sicilia, la segreta 2012** € 8,49
   Italië - Gall & Gall

4. **Il Meridione, terre siciliane, catarratto 2012** € 5,75
   Italië - By the Grape

5. **Barone Montalto, terre siciliane, organic cataratto 2010** € 5,99
   Italië - Plus

6. **Ciù Ciù, Oris, falerio 2012** € 5,99
   Italië - Natuurvoedingswinkels

Rosé

1. **Collefrisio, montepulciano d'abruzzo cerasuolo 2012** € 8,60
   Italië - Les Généreux

2. **Garofoli, Kòmaros, marche rosato 2012** € 6,95
   Italië - Henri Bloem

Rood

1. **Fontanafredda Briccotondo, piemonte, barbera 2012** € 6,99
   Italië - Albert Heijn

2. **Fasoli Gino, San Lazzaro, bardolino 2011** € 7,75
   Italië - Hema

3. **Masi, frescaripa, bardolino classico 2012** € 8,49
   Italië - Gall & Gall

4. **Pieve di Spaltenna, chianti classico 2009** € 8,49
   Italië - Gall & Gall

5. **Barbera da Vine, piemonte 2009** € 8,50
   Italië - By the Grape

6. **Planeta, sicilia, la segreta 2011** € 8,99
   Italië - Gall & Gall

Wit

1 **Parra La Meseta, la mancha, airén sauvignon blanc 2012** € 4,99
   Spanje - De Natuurwinkel/Gooodyfooods

2 **By the Grape, alicante, airén/macabeo 2012** € 5,00
   Spanje - By the Grape

3 **Flos de Pinoso, alicante 2011** € 5,00
   Spanje - Natuurvoedingswinkels

4 **Parra By the Grape, la mancha, verdejo 2012** € 6,00
   Spanje - By the Grape

5 **Parra Jiménez, la mancha, verdejo 2012** € 6,99
   Spanje - De Natuurwinkel/Gooodyfooods

Rosé

1 **Plus Huiswijn Rosé Biologisch, la mancha, garnacha monastrell (liter)** € 3,79
   Spanje - Plus

2 **Parra La Meseta, la mancha, tempranillo rosé 2012** € 4,99
   Spanje - De Natuurwinkel/Gooodyfooods

3 **Vaya Pasada, rueda rosado, tempranillo 2012** € 4,99
   Spanje - Plus

4 **Viñas del Vero, somontano, tempranillo cabernet sauvignon rosado 2012** € 4,99
   Spanje - Albert Heijn

5 **Camino rosado, tempranillo 2012** € 5,25
   Spanje - De Natuurwinkel/Gooodyfooods

Rood

1 **Vaya Pasada, toro 2012** € 4,99
   Spanje - Plus

2 **Flos de Pinoso, alicante 2011** € 5,00
   Spanje - Natuurvoedingswinkels

3 **Initium, navarra 2012** € 5,19 - € 5,95
   Spanje - Plus, De Natuurwinkel/Gooodyfooods

4 **R' by Antonio, tinta de toro 2011** € 5,50
   Spanje - Hema

5 **Biurko, rioja tinto 2011** € 5,99
   Spanje - Natuurvoedingswinkels

6 **Alegría de Azul y Garanza, navarra 2012** € 6,25
   Spanje - De Natuurwinkel/Gooodyfooods

Wit

1 **Van Loveren, robertson, sauvignon blanc 2013** € 6,49
Zuid-Afrika - Gall & Gall

2 **Brampton, coastal region,**
unoaked chardonnay 2013 € 6,99
Zuid-Afrika - Albert Heijn

3 **Heaven on Earth, western cape,** € 7,95 - € 7,99
organic sweet wine (half flesje)
Zuid-Afrika - Ekoplaza, Marqt, De Natuurwinkel/Gooodyfooods

4 **Brampton, coastal region, sauvignon blanc 2013** € 6,99
Zuid-Afrika - Albert Heijn

5 **Anura, private cellar, western cape,**
chardonnay 2012 € 7,99
Zuid-Afrika - Albert Heijn

6 **Inglewood, Neil Ellis, western cape,**
chardonnay 2012 € 7,99
Zuid-Afrika - Albert Heijn

7 **Nederburg, The Winemasters Reserve,** € 7,99
western cape, noble late harvest 2012 (375 ml)
Zuid-Afrika - Albert Heijn

Rood

1 **The River Garden, western cape,**
cabernet sauvignon, merlot 2011 € 6,49
Zuid-Afrika - Gall & Gall

2 **Inglewood, western cape,**
cabernet sauvignon 2011 € 7,99
Zuid-Afrika - Albert Heijn

3 **Plus Fairtrade huiswijn,**
western cape, merlot soepel € 4,49
Zuid-Afrika - Plus

4 **Stellar Organics, Running Duck, western cape,** € 5,79
shiraz no sulphur added 2013
Zuid-Afrika - Plus

5 **Anura, Frog Hill, coastal region, pinotage 2012** € 5,99
Zuid-Afrika - Albert Heijn

6 **False Bay, western cape, shiraz 2011** € 6,25
Zuid-Afrika - Hema

7 **Leopard's Leap, western cape,**
cabernet sauvignon/merlot 2011 € 6,99
Zuid-Afrika - Albert Heijn

8 **Bellow's Rock, coastal region, shiraz 2011** € 7,95
Zuid-Afrika - De Gouden Ton

Wit

1 **El Descanso, valle central, chardonnay 2013** € 5,49
Chili - MCD, Plus, Spar

2 **El Descanso, reserva, valle central, chardonnay 2013** € 5,99
Chili - MCD, Plus, Poiesz

3 **Domaine Félines Jourdan, herault, coteaux de bessilles, chardonnay 2012** € 6,95
Frankrijk - De Gouden Ton

4 **Penfolds, rawson's retreat, south eastern australia, chardonnay 2012** € 7,99
Australië - Albert Heijn

5 **Ravenswood, Vintners Blend, california, chardonnay 2009** € 7,99
Verenigde Staten - Albert Heijn

6 **Domaine La Colombette, elevé en demi-muid, coteaux du libron, chardonnay 2011** € 8,95
Frankrijk - Henri Bloem

7 **Penfolds, Koonunga Hill, South Australia, chardonnay 2011** € 8,99
Australië - Gall & Gall

8 **Jean-Paul Brun, Terres Dorées, beaujolais blanc, chardonnay classique 2011** € 11,95
Frankrijk - Les Généreux

9 **Mischief and Mayhem, bourgogne chardonnay 2010** € 12,99
Frankrijk - Albert Heijn

10 **Simbolos, mendoza, chardonnay unoaked 2012** € 3,99
Argentinië - Plus

11 **Blanc de l'Horte, vin de france, chardonnay sauvignon 2012** € 4,99
Frankrijk - Plus

12 **Marquis de Saint Félix, vin de france, chardonnay sauvignon 2012** € 4,99
Frankrijk - Poiesz

13 **Argento, mendoza, chardonnay 2012** € 6,49
Argentinië - Gall & Gall

14 **Concha y Toro, casillero del diablo, casablanca valley, chardonnay 2012** € 6,49
Chili - Albert Heijn

15 **Brampton, coastal region, unoaked chardonnay 2013** € 6,99
Zuid-Afrika - Albert Heijn

Wit

1 **Domaine Félines Jourdan, herault, coteaux de bessilles, sauvignon 2012** € 6,95
Frankrijk - De Gouden Ton

2 **Domaine de la Tour Ambroise, touraine sauvignon 2012** € 5,49
Frankrijk - Albert Heijn

3 **Van Loveren, robertson, sauvignon blanc 2013** € 6,49
Zuid-Afrika - Gall & Gall

4 **Domaine des Cassagnoles, côtes de gascogne, sauvignon 2012** € 7,05
Frankrijk - Les Généreux

5 **Brancott estate, marlborough, sauvignon blanc 2012** € 7,99
Nieuw-Zeeland - Albert Heijn

6 **Breaker Bay, marlborough, sauvignon blanc 2012** € 7,99
Nieuw-Zeeland - Gall & Gall

7 **Aliwen reserva, leyda valley en curico valley, sauvignon blanc 2012** € 5,49
Chili - Albert Heijn

8 **Brampton, coastal region, sauvignon blanc 2013** € 6,99
Zuid-Afrika - Albert Heijn

9 **Parra Jiménez, la mancha, sauvignon blanc 2012** € 6,99
Spanje - De Natuurwinkel/Gooodyfooods

10 **Lourensford, western cape, sauvignon blanc 2011** € 8,49
Zuid-Afrika - Gall & Gall

11 **Tokara, western cape, sauvignon blanc 2013** € 9,49
Zuid-Afrika - Gall & Gall

12 **Domaine du Moulin Granger, sancerre 2012** € 9,99
Frankrijk - Albert Heijn

13 **South, tasmania, sauvignon blanc 2012** € 9,99
Australië - Albert Heijn

14 **El Descanso single vineyard, casablanca valley, sauvignon blanc 2012** € 10,59
Chili - Plus

15 **Groot constantia, constantia, sauvignon blanc 2012** € 10,99
Zuid-Afrika - Gall & Gall

Wit

1 **Parra By the Grape, la mancha, verdejo 2012** € 6,00 🍷🍷🍷🍷 ᘯ
   Spanje - By the Grape

2 **Parra Jiménez, la mancha, verdejo 2012** € 6,99 🍷🍷🍷🍷 ᘯ
   Spanje - De Natuurwinkel/Gooodyfooods

3 **Hijos de Antonio Barceló, tierra de castilla y león,** € 4,49 🍷🍷🍷 ᘯ
   sauvignon blanc & verdejo 2012
   Spanje - Gall & Gall

4 **Sol y Nieve, rueda, verdejo viura 2012** € 4,99 🍷🍷🍷 ᘯ
   Spanje - Albert Heijn

5 **VP Vaya Pasada, rueda, verdejo viura 2012** € 4,99 🍷🍷🍷 ᘯ
   Spanje - Plus

6 **W' by Antonio, rueda, verdejo viura 2012** € 5,50 🍷🍷🍷 ᘯ
   Spanje - Hema

7 **Bodegas Parra Jiménez, La Oveja Negra,** € 5,99 🍷🍷🍷 ᘯ
   la mancha, verdejo moscatel
   Spanje - Natuurvoedingswinkels

8 **Palacio Pimentel, rueda, verdejo viura 2012** € 5,99 🍷🍷🍷 ᘯ
   Spanje - Gall & Gall

9 **Monteabellón, rueda, verdejo 2012** € 6,95 🍷🍷🍷 ᘯ
   Spanje - Henri Bloem

10 **Mocén, rueda, verdejo 2012** € 7,50 🍷🍷🍷
   Spanje - Henri Bloem

Rood

1 **Maycas del Limarí reserva especial,** €12,99
   limarí valley, cabernet sauvignon 2009
   Chili - Albert Heijn

2 **Campañero, central valley,** €3,99
   cabernet sauvignon 2013
   Chili - Plus

3 **Plus Huiswijn Chili, central valley,** €3,99
   cabernet sauvignon 2013 (liter)
   Chili - Plus

4 **G7, the 7th generation, loncomilla valley,** €4,50
   cabernet sauvignon 2013
   Chili - Hema

5 **Norton, mendoza, cabernet sauvignon 2012** €5,49
   Argentinië - Albert Heijn

6 **Koyle, reserva, alto colchagua,** €7,99
   cabernet sauvignon 2011
   Chili - Albert Heijn

7 **Les Classiques, pays d'oc, cabernet sauvignon 2010** €4,75
   Frankrijk - Hema

8 **Domaine de l'Attilon, pays de méditerranée,** €6,99
   cabernet sauvignon 2011
   Frankrijk - Natuurvoedingswinkels

9 **Tierra Buena, reserva, mendoza,** €6,99
   cabernet sauvignon 2011
   Argentinië - Plus

10 **Vida Orgánico, mendoza,** €7,29
   cabernet sauvignon 2012
   Argentinië - De Natuurwinkel/Gooodyfooods

11 **Domaine Bassac, côtes de thongue,** €7,49
   cabernet sauvignon 2011
   Frankrijk - De Natuurwinkel/Gooodyfooods

Rood

1 **El Descanso reserva, valle de colchagua, carmenère 2013**
   Chili - MCD, Plus, Spar
   € 5,99

2 **El Descanso, valle central, carmenère 2013**
   Chili - MCD, Plus, Spar
   € 5,49

3 **Nuevo Mundo, maipo valley, isla de maipo, carmenère 2011**
   Chili - Gall & Gall
   € 6,49

4 **Koyle, reserva, valle de colchagua, carmenère 2011**
   Chili - Albert Heijn
   € 7,99

5 **Undurraga, valle central, carmenère 2012**
   Chili - Albert Heijn
   € 4,99

6 **Emiliana, adobe reserva, rapel valley, carmenère 2012**
   Chili - Albert Heijn
   € 5,49

7 **De Martino Estate, maipo valley, carmenère 2011**
   Chili - Henri Bloem
   € 5,95

8 **Concha y Toro, reserva, casillero del diablo, carmenère 2012**
   Chili - Albert Heijn
   € 6,49

9 **Ycaro reserva, colchagua valley, carmenère 2012**
   Chili - De Natuurwinkel/Gooodyfooods
   € 7,29

10 **Viña la Rosa La Capitana barrel reserve, cachapoal valley, carmenère 2011**
   Chili - Gall & Gall
   € 10,99

11 **Valdivieso reserva, valle de colchagua, carmenère 2011**
   Chili - Gall & Gall
   € 13,99

Rood

1 Alamos, mendoza, malbec 2012 € 8,49
Argentinië - Gall & Gall

2 Catena, mendoza, malbec 2010 € 13,99
Argentinië - Gall & Gall

3 Altos las Hormigas, mendoza, € 17,50
valle de uco, malbec 2010
Argentinië - De Gouden Ton

4 Catena Alta, mendoza, malbec 2009 € 31,99
Argentinië - Gall & Gall

5 AH Argentina, malbec, bonarda, € 3,99
vol krachtig fruitig (liter)
Argentinië - Albert Heijn

6 Norton, mendoza, malbec 2012 € 5,49
Argentinië - Albert Heijn

7 Argento, malbec 2012 € 6,49
Argentinië - Gall & Gall

8 Tilia, mendoza, malbec/cabernet sauvignon 2012 € 6,49
Argentinië - Albert Heijn

9 Koyle, reserva, alto colchagua, malbec 2011 € 7,99
Chili - Albert Heijn

10 Viñas de Barrancas, argentina, malbec 2012 € 5,25
Argentinië - Hema

11 Tierra Buena, mendoza, malbec 2012 € 5,99
Argentinië - Plus

12 Pascual Toso, mendoza, malbec 2012 € 6,95
Argentinië - Henri Bloem

13 Tierra Buena, reserva, mendoza, malbec 2011 € 6,99
Argentinië - Plus

14 Vida Orgánico, mendoza, malbec 2012 € 7,29
Argentinië - De Natuurwinkel/Gooodyfooods

15 Norton, Barrel Select, mendoza, malbec 2010 € 7,99
Argentinië - Albert Heijn

16 Pascual Toso, selected vines, € 9,95
mendoza, malbec 2011
Argentinië - Henri Bloem

Rood

1 **Plus Fairtrade huiswijn, western cape, merlot soepel** € 4,49 🍷 🚲
Zuid-Afrika - Plus

2 **Marquis de Saint Félix, merlot 2011** € 4,99 🍷 🚲
Frankrijk - Poiesz

3 **Viñas de Barrancas, mendoza, merlot 2012** € 5,25 🍷 🚲
Argentinië - Hema

4 **Norton, mendoza, merlot 2012** € 5,49 🍷 🚲
Argentinië - Albert Heijn

5 **Tierra Buena, mendoza, merlot 2012** € 5,99 🍷 🚲
Argentinië - Plus

6 **Domaine de l'Attilon, pays de méditerranée, merlot 2011** 🌿 € 6,99 🍷 🚲
Frankrijk - Natuurvoedingswinkels

7 **Norton, Barrel Select, mendoza, merlot 2010** € 7,99 🍷 🚲
Argentinië - Albert Heijn

8 **Concha y Toro reserva, casillero del diablo, merlot 2012** € 6,49 🍷
Chili - Albert Heijn

9 **Nederburg, Winemasters Reserve, western cape, merlot 2012** € 6,49 🍷
Zuid-Afrika - Albert Heijn

10 **Pascual Toso, mendoza, merlot 2011** € 6,50 🍷
Argentinië - Henri Bloem

11 **Les Grands Arbres, france, merlot 2011** 🌿 € 6,99 🍷
Frankrijk - Marqt

12 **Parra Jiménez, la mancha, merlot 2012** 🌿 € 6,99 🍷
Spanje - De Natuurwinkel/Gooodyfooods

13 **Domaine Bassac, thongue, merlot 2011** 🌿 € 7,49 🍷
Frankrijk - De Natuurwinkel/Gooodyfoooods

14 **Flaxbourne, gisborne, merlot 2011** € 7,99 🍷
Nieuw-Zeeland - Albert Heijn

15 **Les Parcelles de Ventenac, pays d'oc, merlot 2011** € 7,99 🍷
Frankrijk - Marqt

16 **Penfolds, rawson's retreat, south eastern australia, merlot 2012** € 7,99 🍷
Australië - Albert Heijn

Rood

1 **Pieve di Spaltenna, chianti classico 2009** € 8,49
Italië - Gall & Gall

2 **Badia a Coltibuono, cetamura, chianti 2011** € 12,50
Italië - De Gouden Ton

3 **Isole e Olena, chianti classico 2010** € 19,40
Italië - Les Généreux

4 **AH Italia, sangiovese, vol krachtig kruidig (liter)** € 3,99
Italië - Albert Heijn

5 **Plus, Italië, marche, sangiovese, soepel 2012 (liter)** € 3,99
Italië - Plus

6 **Scusi, daunia, sangiovese merlot** € 4,25
Italië - Hema

7 **Moncaro, marche, sangiovese 2012** € 4,49
Italië - Albert Heijn

8 **Moncaro, rosso piceno 2012** € 4,49
Italië - Albert Heijn

9 **Mosaico, marche sangiovese 2012** € 4,49
Italië - Plus

10 **Mosaico, rosso piceno 2011** € 4,49
Italië - Plus

11 **Farnese, Fantini, terre di cheti, sangiovese 2012** € 4,99
Italië - Albert Heijn

12 **Barone Montalto, terre siciliane, sangiovese-syrah 2011** € 5,49
Italië - Plus

13 **Tesoruccio, chieti, sangiovese 2012** € 5,50
Italië - Hema

14 **Ciù Ciù, Bacchus, rosso piceno 2012** € 5,99
Italië - Natuurvoedingswinkels

15 **Terra viva, marche, sangiovese 2012** € 5,99
Italië - Albert Heijn

16 **Paxa, lazio 2011** € 6,95
Italië - Les Généreux

17 **Sportoletti, assisi rosso 2011** € 7,95
Italië - Henri Bloem

WIT

ROSÉ

ROOD

REGISTER